C0-ARS-427

The Catholic
Theological Union
LIBRARY
Chicago, Ill.
WITHDRAWN

HOMÉLIES
SUR LE LÉVITIQUE

SOURCES CHRÉTIENNES

Fondateurs : H. de Lubac, s.j., et † J. Daniélou, s.j.
Directeur : C. Mondésert, s.j.

Nº 286

ORIGÈNE

HOMÉLIES SUR LE LÉVITIQUE

TOME I
(**Homélies I-VII**)

TEXTE LATIN
INTRODUCTION, TRADUCTION ET NOTES

PAR

Marcel BORRET, s.j.

Ouvrage publié
avec le concours du Centre National des Lettres

LES ÉDITIONS DU CERF, 29, BD DE LATOUR-MAUBOURG, PARIS
1981

La publication de cet ouvrage a été préparée avec le concours de l'Institut des Sources Chrétiennes (E.R.A. 645 du Centre National de la Recherche Scientifique)

ISBN 2-204-01799-X

AVANT-PROPOS

Une traduction latine assez libre par rapport à l'original grec, une prédication sur un texte biblique des plus arides qui soient : voilà qui n'inciterait guère à lire les *Homélies sur le Lévitique.* Ni non plus l'exégèse spirituelle qu'elles poursuivent avec opiniâtreté, à travers une masse de détails pour nous sans importance. Toutefois, en raison même de cette apparente insignifiance d'une partie du texte qui la met à l'épreuve, cette méthode est l'objet d'une défense particulièrement fréquente et vigoureuse. N'est-ce pas rendre justice à l'œuvre que d'en mettre en relief les grandes lignes dès l'introduction, même sans pouvoir tout dire, ni projeter sur la question une lumière nouvelle ?

Cette pratique multiséculaire dans l'Église a, en effet, reçu son élucidation la plus complète dans les travaux du Père H. de Lubac[1]. Un volume traite d'Origène ; et des quatre autres, sur l'exégèse médiévale, on pourrait extraire de quoi lui ajouter un second tome. Mais toute l'œuvre origénienne y est inventoriée, si ample et si complexe. Elle est située dans le milieu de la Patristique. Les nombreuses critiques qu'elle souleva sont discutées ; et sont redressées bien des approximations ou des erreurs. Cette œuvre décisive est d'une vaste érudition, que maîtrise parfaitement une dialectique aussi ferme que déliée. Est-elle trop riche pour être vite assimilée ? Il semble que ses conclusions ne soient pas encore toutes suffisamment

1. Voir la bibliographie, à la fin de l'Introduction.

connues. En tout cas, nos remarques, forcément limitées, ne peuvent que les recouper ou les redire. Puissent-elles amener le lecteur à consulter ces savants livres, pour mieux comprendre l'exégèse d'Origène ! Et si bien des traits qu'elles relèvent ont déjà été consignés dans ces ouvrages ou dans d'autres, ils sont dispersés parmi des références à l'œuvre entière. Leur groupement ici jette un jour sur le contenu de nos *Homélies* et donne des repères pour leur lecture.

La théologie que présentent ces *Homélies* mériterait des études spéciales qui n'ont pas ici leur place. Leur intérêt serait considérable. On a dit du début du *Lévitique*, et cela vaut encore pour d'autres parties : « Dans ce rituel minutieux de l'Ancienne Loi, la tradition chrétienne a aimé voir un ensemble de préparations et de préfigurations du Sacrifice unique et rédempteur du Christ et des sacrements de l'Église[1]. » Le commentaire qu'en donne le prédicateur est un témoignage de cette tradition. Les homélies ont quelques affirmations nettes et brèves au sujet du baptême, et font à peine allusion à l'eucharistie. Mais elles contiennent de longues pages où l'on peut discerner une doctrine de la pénitence et entrevoir la pratique pénitentielle du temps. Aux spécialistes d'en débattre et de se mettre d'accord ! Nous renverrons à une étude bien documentée du Père K. Rahner[2]. Plus nombreux et plus clairs sont les passages sur l'ordre. La lecture typologique du sacerdoce et du sacrifice de l'Ancien Testament a été faite dans le Nouveau, notamment par l'*Épître aux Hébreux*. On saura gré à Origène de vouloir l'approfondir et d'exalter le Christ dans sa fonction médiatrice, faisant converger vers lui toutes les anciennes figures. Le rôle ministériel des évêques et des prêtres est affirmé, bien que l'insistance porte davantage sur leur

1. *BJ*, Introd. de la 1re éd., p. 10.
2. Voir la bibliographie.

rôle charismatique. Et le sacerdoce universel de l'Église et des chrétiens est plusieurs fois prôné avec sa grandeur et ses exigences.

En ce qui concerne la vie chrétienne, certaines pratiques n'ont plus cours : la procédure de l'excommunication et de la réconciliation est loin de nous, comme aussi la fréquence du jeûne ou des cérémonies... Mais l'appel à la conversion, l'invitation à la prière, l'exhortation à la pénitence personnelle et, plus généralement, à la vie intérieure, mystique et morale, sont toujours d'actualité. Si donc, dans cette forêt touffue des homélies, nous suivons une seule piste que nous croyons centrale, l'exégèse origénienne et sa justification plus poussée qu'ailleurs, il en est plusieurs autres qui, sans cesse, la croisent et se croisent entre elles. Partout se rencontrent, grands ou petits, des thèmes origéniens bien authentiques, comme l'indiquent les nombreux parallèles que signaleront les deux séries de notes, contenus dans les autres homélies, mais aussi dans les grands ouvrages. Œuvre mineure auprès d'eux, les *Homélies sur le Lévitique* sont de la même famille, transmettent le même héritage : la pensée d'Origène. Elles méritent qu'on s'applique à leur lecture.

La traduction se tient près du texte. Elle garde, malgré leur lourdeur, la construction des textes du *Lévitique*, et celle de certaines expressions au sens plus ou moins technique : « selon l'intelligence spirituelle », etc. Elle a été revue amicalement par le Père Pierre Messié qui lui apporta maintes améliorations. Qu'il veuille bien recevoir ici l'expression de ma gratitude fraternelle.

INTRODUCTION

La virtuosité d'interprétation spirituelle d'Origène trouve dans le livre du *Lévitique* et ses prescriptions rituelles un champ d'application sans doute plus vaste que dans tout autre livre de l'Hexateuque[1]. Or, peut-on sans appréhension aborder aujourd'hui la lecture des homélies qui lui sont consacrées ? Le prédicateur a-t-il jamais disposé, au point de départ de ses développements, d'aussi maigres ressources ? Ailleurs s'offrent à lui des scènes vivantes et colorées, des personnages célèbres, des événements connus. Ce sont, dans la *Genèse*, les jours de la création, l'arche de Noé, une succession d'histoires gravitant autour d'Abraham, de Lot, d'Isaac et de Joseph. Ensuite, au fil des récits de l'*Exode*, des *Nombres* et de *Josué*[2], il commente les phases de la libération du peuple hébreux de la captivité d'Égypte : aventures dont les célébrations liturgiques redisent chaque année l'essentiel, nous invitant à la libération spirituelle ainsi préfigurée[3].

1. Dans cette série d'Homélies traduites en latin, il manque quelques petits sermons *(oratiunculae)* sur le Deutéronome, que Rufin n'eut pas le temps, contrairement à son intention, d'incorporer au recueil, comme il le dit dans sa courte préface aux *Homélies sur les Nombres*, *GCS* 7, p. 2, 3 s.

2. Les trois livres, en effet, offrent une même perspective d'ensemble, cf. A. MÉHAT, dans *SC* 29 *(Hom. sur les Nombres)*, *Introd.* p. 13 s.

3. « La typologie de l'Exode est la plus classique et la plus ferme de tout l'Ancien Testament dans notre tradition liturgique et littéraire chrétienne. Les premiers auteurs en sont, pour ne pas remonter

Il retrace les détails des relations du voyage à travers le désert jusqu'à la conquête de la terre promise, les étapes, les épreuves, les combats. Choses dont la plupart n'ont laissé en nous qu'un vague souvenir peut-être. Mais, sensibilisés que nous sommes au symbolisme du désert et au caractère itinérant de la vie humaine, c'est avec un préjugé favorable que nous abordons leur interprétation homilétique, curieux et intéressés à tout ce que pour elle symbolise cette longue marche historique : les progrès dans l'itinéraire spirituel.

Mais le *Lévitique* ! Le livre de la Bible le moins lu, au dire des spécialistes[1] ! Et pour sûr, le moins attrayant ! Ici, en effet, ni trouée sur l'histoire, ni souffle prophétique, ni poésie lyrique ou gnomique. Des énumérations fastidieuses, maintes répétitions à peu de chose près. Une collection de documents qui furent repris, superposés, stratifiés au cours des siècles, constituant divers recueils, avant d'être réunis sous la forme actuelle après l'exil. Un ensemble de règles codifiées, d'après lequel se pratiquait le culte de Jérusalem. De cette activité rédactionnelle, Origène ne pouvait naturellement avoir la moindre idée. Comme tout le monde, il attribuait le livre tel quel à Moïse, auteur qui recevait directement les paroles de Dieu ; par ailleurs, objet d'une idéalisation proprement fantastique[2]. Suivre ses homélies demande de faire abstraction de l'exégèse historico-critique à laquelle nous sommes habitués depuis plusieurs décades. Cette mise entre parenthèses de l'histoire

aux antécédents juifs, saint Paul et saint Jean. » H. DE LUBAC, dans *SC* 16 *(Hom. sur l'Exode)*, p. 79, n. 1 (il faut lire en entier cette note, l'une des plus importantes du volume).

1. « Le Lévitique est peut-être aujourd'hui, parmi les livres de l'A.T., le moins lu par les chrétiens. Il n'est effectivement pas d'un abord facile, et il ne semble parler que de pratiques rendues caduques par la Nouvelle Alliance. » *TOB*, p. 205.

2. Cf. la note complémentaire 1.

du texte n'est qu'un premier effort. L'inventaire du contenu du livre en fait présager d'autres.

Dans la section sur la loi de sainteté (17-26), que certains versets brillent d'une haute spiritualité, que fêtes et bénédictions se prêtent à une transposition allégorique, déjà entreprise dans la Bible, on peut facilement en convenir. Seulement, il y a tout le reste : le rituel des sacrifices (1-7), les cérémonies de l'investiture sacerdotale (8-10), dans la loi de pureté, la casuistique sur le pur et l'impur (11-15), enfin le Jour du Grand Pardon (16). Quel sens intelligible pour nous peut bien irradier à partir des vieux rites abandonnés, de la minutie des pratiques, des variétés de la lèpre et de leur traitement, de l'anatomie des victimes ? Quel profit spirituel espérer de cette législation cléricale pour nos esprits, plus rétifs que jamais en face de tout ce qui est du domaine sacrificiel[1] ?

Lisons le prédicateur, dira-t-on. Certes, mais encore ? On sait le souci pastoral qu'il a toujours d'instruire, d'exhorter, d'aboutir à des conseils précis. Sa réputation de docteur fait attendre de lui des idées justes et fécondes. Mais c'est des textes mêmes, lus aux offices, qu'il veut tirer immédiatement la richesse de sa doctrine. Si la prétention peut sembler ailleurs une gageure, ici qu'en sera-t-il ! De ces textes, pour nous morts, à quel prix essaiera-t-il de faire jaillir des gerbes de lumière ? Le risque est à son comble qu'il n'y trouve, au lieu d'un fondement, qu'un simple prétexte, et que sa méthode d'interprétation nous paraisse compromise.

Les objections ne datent pas d'hier. Origène en personne eut à leur faire face, précisément dans ses homélies. Au début de l'une d'elles sur les *Nombres*, il répète un de ses thèmes constants : la parole de Dieu est une nourriture spirituelle pour toute âme raisonnable, quel que soit l'état de force, de faiblesse ou d'enfance où elle se trouve,

1. Cf. la note complémentaire 2.

suivant l'étape de sa marche vers la perfection. Et de ceux qui viennent de s'y engager, il déclare :

Qu'on leur lise un des passages des livres divins où ne paraît rien d'obscur, c'est avec joie qu'ils l'accueillent : tel est par exemple le livret d'Esther, ou de Judith, ou encore de Tobie, ou bien les préceptes de la Sagesse[1]. Mais lit-on à l'auditeur le livre du Lévitique, aussitôt son esprit achoppe et repousse l'aliment comme étranger à son régime. Il est venu pour apprendre à honorer Dieu, à recevoir ses préceptes de justice et de piété, il entend exposer le rituel des immolations : comment d'emblée ne détournerait-il pas l'oreille et ne se refuserait-il pas un aliment censé ne point lui convenir[2] ?

Et la réticence n'est pas le fait des seuls débutants. On lit dans une homélie précédente :

Il est fatal que ceux qui entendent lire dans l'Église le rituel des sacrifices, l'observance des sabbats ou d'autres pratiques de ce genre, soient scandalisés et disent : quel besoin de lire cela dans l'Église ? A quoi nous servent les préceptes juifs et les observances d'un peuple méprisé ? C'est l'affaire des Juifs, que les Juifs s'en occupent[3] !

Les leçons du *Lévitique* inutiles et scandaleuses ! L'objection, qui est peut-être aussi la nôtre, est prise comme un défi. La réplique est immédiate : « Il faut... partir de cette idée que ' la Loi est spirituelle ' pour comprendre et expliquer toutes les leçons. » C'est le principe, souvent rappelé, qu'il s'efforce partout de mettre en pratique : même sur un texte biblique ingrat, comme dans les *Homélies sur le Lévitique*. Comment ne pas laisser au champion le temps de défendre sa cause, et n'être pas disposés, s'il y a lieu, à nous montrer beaux joueurs ?

1. « Ces livres étaient en effet considérés comme la base de l'enseignement moral pour les débutants, même par ceux qui ne les regardaient pas tous comme canoniques, cf. ATHAN., *Ep. ad Amm. Mon.*, *PG* 26, 1178 C. Cf. aussi le prologue du *Commentaire sur le Cantique* d'Origène. » A. MÉHAT, dans *SC* 29, p. 513, n. 1.

2. *In Num. hom.* 27, 1, *GCS* 7, p. 256, 8-15.

3. *Ibid.*, 7, 1, *id.*, p. 40, 19 s.

I. LES SENS DE L'ÉCRITURE

A. **Leur origine divine**

A l'action divine elle-même comme à sa première source, Origène rapporte les sens de l'Écriture. Il le fait, non pas en un discours suivi, mais à trois reprises, en notations rapides et partielles, qui appellent des compléments tirés d'ailleurs. Ce sont des thèmes inachevés. Leur importance néanmoins est certaine. Le prédicateur rappelle des vérités de foi, exige l'adhésion aux réalités divines qu'elles affirment, communique sa conviction vivante de chrétien. L'ordre notionnel ou critique est dépassé. Mais l'explication est cohérente en ce qu'elle rattache tout à la même origine, en une vue indifféremment prospective ou rétrospective. Sous ce dernier aspect, mise en écrit, message oral, institutions, événements, personnages et créatures sont autant d'intermédiaires par lesquels nous atteint l'action de Dieu qui les suscite. Cette action est la fin, le fondement et le principe de l'Histoire sainte et de l'Écriture entière. Bien qu'elle soit une, elle est, selon ses manifestations, respectivement attribuée au Logos Incarné, à l'Esprit inspirateur, au Dieu Créateur.

1. *Écriture et Logos Incarné : le double sens de l'Écriture*

La première page de l'*homélie* 1 met en parallèle le Logos Incarné et l'Écriture. Faites pour révéler le Logos, l'Incarnation et l'Écriture d'abord le masquent. Le Logos de Dieu est venu au monde revêtu de chair. Or, si sa chair était d'une « vue offerte à tous », à la portée de l'expérience humaine, sa divinité ne l'était pas[1]. Elle était

1. « Ses caractères humains étaient visibles de tous ; ceux qui

comprise par une faveur accordée à un petit nombre. Il y avait donc deux degrés dans la connaissance du Christ : comme deux plans, dont le premier recouvrait l'autre. La chair, revêtue pour que la divinité se manifeste aux hommes, la tient d'abord cachée. Le vêtement voile. C'est l'aspect restrictif que retient Origène : voile de la chair.

L'Écriture présente une semblable dualité. Mais l'analogie n'est pas superficielle : elle s'enracine dans l'unité d'action du Logos. Cette action s'exerçait dans le monde bien avant la naissance de Jésus parmi les hommes[1] : par les prophètes et le législateur. Par eux déjà s'exprimait le même Logos ou Parole de Dieu qui se manifesterait par le corps né de Marie. Ainsi, proférée dans l'histoire, cette Parole se donne « un revêtement approprié » : soit cette « chair » ou ce corps, soit l'Écriture, la parole orale transmise aux hommes étant devenue parole écrite dans les livres sacrés[2]. En sorte que la comparaison vaut : le même Logos de Dieu, comme il est incarné dans un corps, est incorporé à l'Écriture[3]. D'une part, la chair du Logos et la divinité qu'elle enveloppe. D'autre part, le voile de

étaient proprement divins... n'étaient pas accessibles à tous », *CC* 2, 70, 24 s., *SC* 132, p. 452 s.

1. « Sans cesse, par son Logos qui descend à chaque génération dans les âmes pieuses et les constitue amies de Dieu et prophètes, Dieu réforme ceux qui écoutent ses paroles », *CC* 4, 3, 24 s., *SC* 136, p. 192 s.

2. « Comme le Christ est venu dans un corps, pour être vu par les charnels comme homme..., mais être compris par les spirituels comme Dieu..., de même toute l'Écriture est revêtue d'un corps *(est... incorporata)* », *In Matth. ser.* 27, *GCS* 11, p. 45, 19 s.

3. « Dans la lettre de l'Écriture, le Logos n'est donc point incarné d'une façon proprement dite, et c'est ce qui permet de parler encore de comparaison ; déjà néanmoins il est vraiment incorporé, il y habite lui-même et non seulement quelque idée de lui, et c'est ce qui autorise à parler déjà de sa venue, de sa présence cachée », H. de Lubac, *HE*, p. 340.

la lettre et le sens spirituel intérieur qu'il cache. Deux plans de perception offerts par le Christ. Deux niveaux de lecture du texte scripturaire. Origène annonce que dans sa description « des rites des sacrifices, de la variété des victimes, des ministères des prêtres », le livre du *Lévitique* aura ce double sens : sens littéral ou selon la lettre (ou l'histoire), évident à tous ; sens spirituel, que seul peut comprendre « l'homme intérieur[1] ».

2. *Écriture et Esprit : le sens spirituel*

Assimilation de l'Écriture au Logos, assimilation de l'Écriture à l'Esprit : les deux tentatives se répondent. Ni l'une ni l'autre n'oublie la différence, d'une part entre le Logos revêtu de chair et le Logos incorporé à l'Écriture, d'autre part entre l'Esprit qui est au cœur de la Trinité et « l'esprit caché à l'intérieur sous le voile de la lettre ». En principe, autant que dans le premier thème, la distinction est ferme dans le second : Esprit de Dieu, Esprit du Christ, Esprit Saint, c'est le nom d'un sujet, et Origène ne peut l'oublier[2]. Mais le même terme est employé comme attribut divin, et la pensée du prédicateur glisse d'un usage à l'autre, le deuxième emploi se prêtant mieux aux associations verbales auxquelles il va recourir.

Le début de l'*homélie* 4 est caractéristique à cet égard. Il s'agit de paroles du Seigneur à Moïse, note Origène qui pose la question de leur sens véritable. Ce n'est pas qu'il

1. Et ainsi de toute l'Écriture. Il s'en expliquera, comme on le fera pendant des siècles. Car, nonobstant les subdivisions de la dichotomie et la diversité des termes employés, le *consensus* n'est pas douteux : « Il n'y a donc au fond, partout reconnu dans la tradition ancienne, qu'un double sens de l'Écriture : l'un qui consiste dans l'histoire, ou dans la lettre ; l'autre qu'on nomme plus généralement spirituel, ou allégorique, ou mystique. » H. de Lubac, *EM*, I, 2, p. 405.

2. « Est ergo Spiritus Dei idem qui est Spiritus Christi, idemque ipse et Spiritus Sanctus est », *In Ep. ad Rom.* 7, 2, *PG* 14, 1103 B.

en nie le sens littéral. Le précepte qu'on vient de lire est clair : il enjoint de réparer le dommage causé au prochain dans certains cas précis. La réparation est toujours obligatoire. Dans sa signification obvie, le texte garde une valeur permanente, et Origène le dira. Mais au fur et à mesure qu'il en reprendra les expressions, il se hâtera de leur découvrir un autre sens, et c'est cette lecture qu'il veut d'avance justifier en un court paragraphe.

Ces paroles, dit-il en substance, doivent être comprises en fonction de la majesté de celui qui les prononce. Or, « le Seigneur est Esprit », dit Paul, « Dieu est Esprit » dit le Seigneur. Donc, ajoute Origène intrépide, « ce que dit l'Esprit » doit être entendu « spirituellement ». Et l'enchaînement continue : les paroles du Seigneur « sont non seulement spirituelles », mais « sont esprit » ; mieux, selon le Sauveur, « elles sont esprit et vie ». Ainsi en est-il des paroles du Seigneur dites à Moïse.

La continuité verbale est-elle convaincante ? Le glissement de sens qu'elle abrite répond-il à notre exigence de rigueur ? En fait, la cohérence de la pensée ne vient pas du seul vocabulaire, mais de la visée interne qui le sous-tend : visée de la foi vers l'action divine qui traverse toute l'Écriture, lui conférant son caractère spécifique. Cette action est attribuée ci-dessus au Logos de Dieu, ci-dessous au Dieu Créateur, ici à l'Esprit. Cette action inspiratrice s'est exercée dans Moïse et les autres auteurs sacrés rédigeant leurs écrits : ce qu'Origène exprime parfois en parlant d'une présence de l'Esprit dans les écrivains et dans leurs œuvres[1]... « Nous affirmons que le seul et même Esprit est présent dans la Loi et les Évangiles[2]. » Action

1. Moins ignorant, Celse « n'aurait pas aisément critiqué comme inintelligible et sans signification secrète ce qui est écrit par Moïse ou, dirons-nous, par l'Esprit divin qui était en Moïse et par lequel il a prophétisé », *CC* 4, 55, 20 s., *SC* 136, p. 326.

2. *Hom.* 13, 4 début.

ou présence divines donnent à l'Écriture, sous l'inévitable revêtement du sens historique ou littéral, un autre sens digne de la source dont en définitive elle procède : un sens divin, spirituel, vivifiant. Seule, cette conception dynamique de la parole divine donne à la pensée d'Origène son unité.

Comme à la rédaction, l'Esprit préside à l'interprétation de l'Écriture. Contre l'hérésie marcionite niant que le Créateur soit le Père du Christ et qu'il y ait unité des deux Testaments, Origène proclame deux vérités de foi conjointes : la présence de l'unique Esprit dans toute la Bible, c'est l'affirmation citée plus haut ; et, rappelée avec insistance dans le contexte, l'unité du Père et du Fils, objet de la prédication « dans l'Église ». Et c'est dans l'Église que l'Esprit, qui inspire les auteurs et les écrits, éclaire les lecteurs et les auditeurs, selon un autre passage. Certains voudraient-ils entendre à la lettre l'emploi des ustensiles prescrits pour les oblations, comme s'il s'agissait d'instruments de salut, Origène proteste. « Les enfants de l'Église », « qui ont appris le Christ... », n'ont pas « une conception si basse du Seigneur de majesté » : ils cherchent la signification des rites « selon le sens spirituel que l'Esprit donne à l'Église[1] ». Mais parce que les forces humaines ne sauraient y suffire, il faut supplier le Seigneur et l'Esprit Saint[2] : le dévoilement du sens spirituel ne s'effectue que dans la conversion[3]. On le voit, les notations littéraires font vite place aux réflexions théologiques. L'analyse des textes cède à l'organisation des vérités de foi. Plus qu'en exégète critique, Origène procède en exégète théologien.

1. Cf. *hom.* 5, 5 début.

2. Dans *hom.* 1, 1, après la citation de *II Cor.* 3, 16-17 : pour « le voile », dans celle-ci, cf. la note complémentaire 11.

3. Dans ces quelques passages, Origène dit l'essentiel de sa pensée, qui est déjà celle de la foi traditionnelle, cf. la note complémentaire 3.

3. *Écriture et Dieu Créateur : le double et le triple sens de l'Écriture*

C'est au nom de l'action de Dieu Créateur qu'est affirmée, dans l'*homélie* 5, 1, l'existence d'un double, puis d'un triple sens scripturaire. Au point de départ, toujours contre l'hérésie qui rejette l'unité des deux Testaments et se forge un autre Dieu que le Créateur, est posée la vérité de foi : existence d'un Dieu unique, auteur et du monde qu'il a créé et de l'Écriture qu'il a donnée aux hommes. D'où, poursuivra Origène, l'analogie qui règne entre ces deux œuvres : même unité d'origine, même dualité de caractères.

Dans le monde, de l'unique action créatrice proviennent deux ordres, l'un manifeste, l'autre mystérieux et caché : « le visible » et « l'invisible ». De leur origine ils gardent une parenté radicale : ils se ressemblent. Et la vue des œuvres visibles de Dieu permet à l'intelligence humaine de comprendre ses œuvres invisibles. A preuve, le célèbre verset paulinien *Rom.* 1, 20, dont Origène redonne son interprétation personnelle[1]. Et partout il existe une structure binaire : dans l'ensemble de la création, le visible et l'invisible ; dans le cosmos, la terre et le ciel ; dans l'homme, la chair et le corps d'une part, de l'autre l'âme et l'esprit. Couples de réalités apparentées. Telle est la constitution du monde.

Telle est aussi celle de l'Écriture. Il faut la croire formée « de visible et d'invisible », commence le texte latin. Le grec, plus lourdement, explicitait, accentuant le

1. Pour lui, « invisibilia eius » signifierait, non pas les attributs de Dieu ou ses perfections invisibles, comme traduisent les modernes, mais ses créatures intelligibles, éternelles : voir *CC* 3, 47, 25 s. (lire : « s'élèvent du visible à l'intelligible »), *SC* 136, p. 112 s., et p. 114, n. 1, la citation de *In Ep. ad Rom.* 1, 17 ; et plus loin, l'explicitation : τὰ γὰρ ἀοράτα... τουτέστι τὰ νοητά, *CC* 7, 46, 36 s., *SC* 150, p. 124.

parallélisme : « Celui qui a donné la Loi a donné aussi l'Évangile. Celui qui a fait ce qui est vu a créé aussi ce qui n'est pas vu. Et il y a une parenté entre ce qui est vu et ce qui n'est pas vu. » Cela, poursuivait-il, dans le monde, comme l'atteste le verset de Paul... ; mais aussi dans l'Écriture : « Il y a une parenté entre ce qui est vu de la Loi et des prophètes, et ce qui n'est pas vu, mais est compris, de la Loi et des prophètes. »

Soudain est rompue, dans les deux textes, la symétrie du développement. Origène pense-t-il encore au Dieu Créateur du monde, mais aussi de l'homme, ou la considération du vaste monde évoque-t-elle déjà ce « petit monde » qu'est l'homme, dont il va être question[1] ? Le schème bipartite du monde fait place au schème tripartite de l'anthropologie. Les trois éléments constitutifs de l'homme ont leurs analogues dans l'Écriture. Elle aussi est formée, dit le texte latin, « d'un corps, celui de la lettre qu'on voit, d'une âme, le sens que l'on découvre à l'intérieur de la lettre, et d'un esprit, du fait qu'elle contient des vérités célestes selon le mot de l'Apôtre : ‘ Ils célèbrent un culte, copie et ombre des réalités célestes '. »

Non qu'il faille s'arrêter à une vue statique de notions ou de réalités qui s'étagent. Il s'agit non seulement de structure, mais de mouvement et de vie. Avec le rappel de la constitution du monde en provenance de l'acte créateur, interférait déjà l'évocation de l'histoire, par l'énumération de trois dons successifs de Dieu : Loi, prophètes, Évangile. Mais voici indiquée la division tripartite du temps du salut : le passé, le présent, l'éternité : « Invoquons Dieu qui a fait l'âme, le corps et l'esprit de l'Écriture : le corps pour ceux qui furent avant nous, l'âme pour nous, l'esprit pour ceux qui ‘ dans l'avenir obtiendront l'héritage de la vie éternelle '... »

Encore la désignation va-t-elle s'assouplir. On n'en a

1. Cf. *infra*, p. 47 et *hom.* 5, 2.

jamais fini avec la mobilité de la pensée origénienne, encore moins avec la richesse de l'univers « intelligible ». Le prédicateur, laissant le corps de la lettre, veut chercher « l'âme de la Loi, en tant qu'elle a trait au délai présent », et si possible, « s'élever jusqu'à son esprit ». Il se doit de montrer que le chrétien, « Juif dans le secret », de même qu'il « n'est pas circoncis de chair, mais de cœur », « ne sacrifie pas » non plus « par la chair, mais par le cœur, et mange des victimes non par la chair, mais par l'esprit ».

D'une phase à l'autre, la succession constatée s'estompe. Le déroulement du temps s'unifie par l'éternité qui le transcende et lui est présente. Le sacrifice et la manducation spirituels, qui sont de la vie historique et terrestre, ne tendent pas simplement aux réalités dernières et célestes : mystérieusement, déjà ils y ont part, ils leur sont homogènes. Si bien qu'à la réflexion, il ne reste plus que deux domaines : le sacrificiel empirique et le monde secret de l'esprit. C'est revenir de la trichotomie précédente à la dichotomie initiale : au double sens de l'Écriture, littéral et spirituel. Effectivement, la dichotomie prévaut, dans l'exposé d'Origène, au cours de nos *Homélies*. La trichotomie néanmoins subsiste : elle s'exprime sous la forme de deux séquences dont la distinction s'impose et revêt une importance capitale.

B. **Les deux séquences**

1. *Première séquence : histoire, morale, mystique*

Ainsi établi dans un contexte de foi, le schème tripartite, avec l'analogie de l'Écriture et de l'homme, est bientôt appliqué dans la même *homélie* 5[1]. Pour préparer les oblations, on prescrivait l'usage de trois ustensiles : le four, la poêle, le gril. Quelle mesquinerie aux yeux d'Origène, tout à son cadre théologique ! Il évoque le

1. *Hom.* 5, 5.

Dieu Tout-Puissant, le Christ, l'Esprit, et l'action divine dans son ampleur, du ciel aux « enfants de l'Église ». Dans cette législation, parole active de Dieu, les ustensiles n'ont pas, pour le salut, cette valeur instrumentale que peut y voir une conception indigne du « Seigneur de majesté », mais, pourrait-on dire, une valeur occasionnelle. Les termes n'auraient donc pas de sens propre, mais un sens figuré — pour lui « spirituel ». Lequel ? Il entreprend une recherche hésitante et laborieuse du sens de l'oblation cuite au four et du four, croit la trouver dans d'autres textes. Il s'agirait d'une oblation intériorisée dans le cœur de l'homme, touchant « les significations intérieures et cachées » : d'un sens mystérieux de l'Écriture. Ainsi en juge-t-il, sans plus d'enquête, des deux autres ustensiles, qui indiqueraient d'autres sens. A l'analyse scripturaire succède une allégorisation banale qui va permettre leur identification. Leur forme et leur emploi suggèrent, pour le four la profondeur, pour la poêle une sorte de brassage, pour le gril la transparence et l'évidence. D'où la déclaration : l'Écriture a « trois sortes de significations : historique, morale, mystique ; ... elle a un corps, une âme, un esprit ». Les trois façons de préparer l'oblation l'indiquent. Et le confirme le symbolisme des trois pains dans l'Évangile...

C'était une formule habituelle : « Nous l'avons dit souvent », note Origène. On ne peut fixer avec précision l'origine de la trichotomie scripturaire. Celle-ci est liée : aux trois âges de l'histoire du salut, Ancien Testament, Nouveau Testament, gloire future[1] ; aux trois étapes de la formation chrétienne[2] ; aux trois degrés de perfection coïncidant avec trois lectures de la Bible en profondeur croissante[3]. Trois sens mis en rapport, on vient de le voir,

1. *Hom.* 5, 1 fin.
2. *Hom.* 1, 4 milieu.
3. *Hom.* 5, 7 milieu ; 16, 2 fin.

avec les trois éléments constitutifs de l'homme. Et l'origine de cette trichotomie anthropologique est encore plus incertaine[1]...

Mais le schéma qui les réunit est clairement exposé dès la première œuvre d'Origène. Là, le contexte n'est pas théologique, mais pédagogique, traitant de la marche vers la perfection. Les *Proverbes* donnent le conseil d'examiner avec attention les commandements, et pour cela de les écrire « trois fois ». Qu'on le mette en pratique pour toute l'Écriture :

« Il faut que chacun inscrive ' trois fois ' en son âme le sens des lettres divines : alors le lecteur le plus simple sera édifié par ce qui est, pour ainsi dire, le corps de l'Écriture — ainsi appelons-nous l'interprétation ordinaire qui suit le récit *(communem... et historialem sensum)* ; mais ceux qui ont déjà commencé à faire quelque progrès et sont capables de plus de pénétration seront édifiés par l'âme de l'Écriture ; et les parfaits, devenus semblables à ceux dont parle l'Apôtre... (*I Cor.* 2, 6-7), seront édifiés par ' La Loi spirituelle ' (*Rom.* 7, 14), qui ' contient l'ombre des biens à venir ' (*Hébr.* 10, 1). Donc, de même que l'homme est composé, dit-on, d'un corps, d'une âme, d'un esprit, de même aussi est composée la sainte Écriture, qui a été accordée pour le salut des hommes par la libéralité divine[2]. »

D'après ce passage, la séquence est claire : « L'Écriture comporte d'abord — au moins habituellement — un sens historique : c'est la relation même des faits ou le texte des lois ; puis un sens moral : c'est l'application qui en est faite à l'âme, sans qu'intervienne forcément encore une donnée chrétienne ; enfin un sens mystique, relatif au Christ, à l'Église, à toutes les réalités de la foi[3]. »

Dans les Homélies sur l'Hexateuque, ce schéma tripartite se retrouve, sans explication et sans l'analogie humaine. Ou bien sous sa forme complète : distinction

1. Cf. H. de Lubac, *HE*, p. 152-158.
2. *De princ.* 4, 2, 4. *SC* 268, p. 310 s.
3. H. de Lubac, *HE*, p. 141.

nette de « la lettre », qui prescrit la circoncision et règle les sacrifices ; de « l'enseignement moral », ou obligation de la continence ; « du sens des mystères de la sagesse et de la science de Dieu, qui nourrit et fait croître les âmes des saints, non seulement dans la vie présente, mais aussi dans la vie future... A travers toutes les Écritures se dessine ce triple mystère[1] ». Ou bien sous la forme réduite : « Passons de l'instruction morale *(a moralibus)* à l'intelligence mystique[2]. » Dans une de nos Homélies, le sens moral est symbolisé par les pains de Lot, et le sens mystique, par les pains en fleur de farine d'Abraham[3]. On doit signaler enfin l'emploi de « sens moral » pour qualifier une signification figurée possible de certains termes. « Le pontife » pourrait désigner « le sentiment de piété et de religion » ; « le chef », « la force de la raison » ; et « l'homme prêt », « la raison[4] ».

2. *Deuxième séquence : histoire, mystique, morale*

Du même schéma tripartite, en une disposition inversée des deux derniers termes, existe une autre séquence : histoire, mystique, morale. Elle ne fait nulle part l'objet d'un exposé théorique. Mais bien plus souvent que la première, elle est mise en pratique de façon plus ou moins explicite. Elle l'est en clair particulièrement dans les homélies qui précèdent les nôtres, par manière de transition et de résumé, dessinant le cadre de l'exposition. Cet usage avoué permet d'en voir la structure et le contenu, puis de déceler des emplois tacites par notre prédicateur.

Homélies sur la Genèse. A propos de l'arche à triple étage, on lit :

1. *In Num. hom.* 9, 7, *GCS* 6, p. 63, 27 s.
2. *Ibid.*, 7, 1, *id.*, p. 38, 1 s. Même la citation de *Prov.* 22, 20 peut n'être qu'une transition du sens littéral au sens spirituel, cf. *hom.* 10, 2, 20.
3. *Hom.* 13, 3.
4. *Hom.* 2, 4 début ; 9, 6 fin.

« La première explication était littérale *(historica)*, posée au rang inférieur en guise de fondement. La seconde, mystique, fut d'un niveau bien supérieur *(superior et excelsior)*. Essayons, si possible, d'y joindre une troisième explication, morale. »

Puis, ayant assimilé l'arche à une bibliothèque des écrits prophétiques et apostoliques, Origène exhorte :

« Par elle, apprends les récits de la lettre *(narrationes historicas)* ; par elle, reconnais ' le grand mystère ' qui s'accomplit dans le Christ et dans l'Église ; par elle, sache aussi corriger tes mœurs... »

Au sujet des visions de Dieu est indiquée la triple lecture : « selon la lettre..., selon l'esprit..., et au sens moral *(moralem locum)* ». Peu après, sans emploi des termes, est suivie la division qu'ils indiquent : après la Synagogue, est venue l'Église ; voyons en nous le peuple des vertus et le peuple des vices[1].

Homélies sur l'Exode. La multiplication des fils d'Israël ne s'est pas réalisée du vivant de Joseph, mais du fait de la mort de « notre Joseph », le Christ, par l'extension de l'Église. De cette interprétation mystique *(mysticum intellectum)*, on passe au développement moral *(moralem locum)* : intériorisation en nous de la mort rédemptrice et multiplication des fruits intérieurs. Pour la sortie d'Égypte et la marche dans le désert, à la stagnation au niveau « de la lettre », « au récit de l'histoire », succède « l'élévation à la cime de l'intelligence spirituelle » ; puis, l'évocation de celui qui a dit : « Je suis la route » amène la transition du sens spirituel au sens moral. Après un développement complexe sur les plaies d'Égypte et ce qu'elles symbolisent, on laisse le « locum mysticum » pour que soit traitée la « moralis figura ». De la tente dressée selon la lettre de la Loi de Moïse, on en vient à « l'Église que nous bâtissons

1. *In Gen. hom.* 2, 6 ; 11, 3 ; 12, 3, *SC* 7 *bis*, p. 106, 6 s. et 110, 59 s. ; 288, 41 s. ; 298, 4 s.

tous ensemble », puis au tabernacle que « chacun peut construire en son âme » et parer de la splendeur des vertus[1]. Ces exemples le montrent assez : « A partir de la donnée historique, fournie par le texte de l'Ancien Testament, le mystère du Christ (et de l'Église) est évoqué, sous l'un ou l'autre de ses aspects et l'application du mystère est faite ensuite à l'âme chrétienne dont la vie est prise en lui[2]. »

Dans les *Homélies sur le Lévitique*, la séquence n'est pas énoncée sous sa forme complète. Elle n'en est pas moins présente par son contenu. Et celui-ci est fort développé dans les deux premières Homélies.

Homélie 1, 3-5. Le texte de la Loi prescrit l'holocauste. Ce fut une réalité historique ; elle a disparu avec la ruine du Temple, et la législation n'est plus qu'une simple lettre. Mais dans l'institution et dans le texte, Origène voit une préfiguration et une prophétie messianiques précises. Il dépasse d'emblée la figure ancienne, juge les prescriptions légales accomplies dans le sacrifice historique du Christ qu'il rappelle, en insistant par deux fois sur la croix et la résurrection, § 3 et 4 fin.

L'encadrant par ces deux références à l'histoire, c'est le deuxième membre de la séquence qu'il développe à sa façon originale. Le sacrifice mystique ne cesse de s'accomplir dans la vie ecclésiale : c'est le dépouillement et le dépeçage de la victime — de la chair de la Parole de Dieu, dit-il. C'est le monnayage du sens spirituel, découvert sous le voile de la lettre par ceux qui enseignent la parole. Et c'est son appropriation par les auditeurs, suivant la capacité spirituelle qu'ils ont acquise dans leur marche vers la perfection. Débutants, progressants ou parfaits,

1. *In Ex. hom.* 1, 4 ; 3, 2-4 ; 4, 7-8 ; 9, 3-4, *GCS* 6, p. 149, 10 s. ; 165, 5 s. ; 180, 7 s. ; 239, 2 s. et 240, 22 s.
2. H. de Lubac, *EM*, I, 1, p. 202.

des uns aux autres l'explication s'enrichit, en une progression qui va des débuts de la Loi aux progrès des prophètes, à la plénitude de l'Évangile : lait pour les tout-petits, légume pour les faibles, nourriture solide pour les athlètes. C'est la parole de Dieu communiquée dans l'Église comme aliment spirituel, et assimilée par les âmes. Et Jésus, évoqué au début dans son sacrifice au terme duquel il est « toujours vivant au ciel » à intercéder pour nous, l'est encore comme celui qui s'est offert sur la croix pour entrer dans la gloire, unissant l'humain au divin. C'est de la mystique du Christ total qu'il s'agit ; c'est d'elle qu'il s'agira encore.

Car ce contexte christique et ecclésial subsiste quand on en vient au troisième membre de la séquence, à l'interprétation morale *(ad moralem locum)*. Il n'est pas seulement question d'analyses psychologiques ou de considérations éthiques sur la turbulence des passions. C'est une exhortation au sacrifice intériorisé qui a pour objet soit la chair, soit l'esprit *(animus)*. Par lui se réalisent et l'offrande demandée par l'Apôtre : « une victime vivante, sainte, agréable à Dieu..., un culte spirituel », et l'imitation du Christ victime, méritant de nous modeler à sa ressemblance, § 5. Tout le développement est d'une structure organique, théologique qui, en dépit de tel emprunt à l'allégorie banale (le prêtre et ses fils : l'esprit et ses sens), caractérise l'allégorie chrétienne.

Homélie 2, 3-4. Pages non moins denses et qui suivent le même schème. A l'histoire appartiennent les rites des anciens sacrifices du grand prêtre, soit en offrande, totalement consumée sur l'autel de l'holocauste, soit pour le péché, brûlée en partie hors du camp, offerte en partie sur l'autel. Ces rites ont pris fin. Ils sont rappelés pour leur valeur préfigurative, et ce rappel introduit l'interprétation mystique.

Celle-ci traite du mystère du Christ et de la vie de l'Église : en fonction, non plus de la parole divine effectuant la formation progressive de la foi et de la vie des chrétiens, mais du pardon de Dieu, médiatisé par le Christ, obtenu grâce aux sacrements et aux conduites chrétiennes. Au point de vue ecclésial, ce développement complète le premier. A l'action de la parole, de l'activité doctrinale et de ses effets spirituels, s'ajoute l'action sacramentelle. D'abord l'ancien pontife est présenté, distendu entre son noble office d'intercesseur et son misérable état de pécheur, comme type de tous les prêtres. La victime, elle, annonce Jésus et les deux aspects de son sacrifice, qui accomplit et l'offrande de l'holocauste en pénétrant au ciel, et le sacrifice pour le péché en souffrant sur terre dans sa chair, sans que l'unité soit détruite, puisque habitait en lui « la plénitude de sa divinité », § 3.

Suit l'interprétation morale *(in morali loco)*. C'est bien de morale qu'il est question, mais en dépendance de la réalité mystique et comme une participation à celle-ci, opérée au plus intime des âmes et manifestée dans la communauté : agir chrétien, enraciné dans l'intériorité du rapport à Dieu, déployé dans les relations avec les hommes. Le paragraphe débute malheureusement par un bref passage, allégorique au sens commun du terme et non spécifiquement chrétien, qui voit dans « le pontife », « le sentiment de piété et de religion », et dans « le chef », « la force de la raison ». Encore est-il que le redressement de leur déviation possible se fait par le sacrifice et la mort du Christ et en obéissance à une exigence de l'Évangile. Puis se déroule une exhortation chaleureuse et pressante aux auditeurs en bloc et à chacun en particulier. Que la communauté se rassure ! Le catalogue des rites anciens, censés obtenir un facile pardon aux pécheurs, ne doit pas susciter de nostalgie chez les chrétiens. A eux s'ouvre vers le pardon divin une série de voies nouvelles. Ce sont, du baptême à un éventuel martyre, l'aumône, le pardon fraternel, le zèle à convertir, la charité surabondante, la pénitence sacramentelle par l'aveu fait au prêtre et, reçue de lui, l'onction. Chacune de ces pratiques est dûment accréditée par une citation du Nouveau Testament ou des *Psaumes*. Et, sans doute parce que le comportement extérieur décrit provient d'une transformation intérieure qui exige plus d'effort que l'observation ponctuelle de n'importe quel rite, le prédicateur multiplie les interpellations à l'auditeur. Aux prescriptions du *Lévitique*, il juxtapose des citations de même source que les précédentes. Il veut montrer qu'en chaque point s'effectue l'accomplissement actuel et intériorisé d'une ancienne figure rituelle, et il conclut par cette déclaration superbe : le chrétien offre « avec plus de vérité et de perfection selon l'Évangile les sacrifices que, selon la Loi, Israël ne peut plus offrir », § 4.

3. *Originalité de la première séquence*

La première séquence : histoire, morale, mystique, est encore utilisée dans les Homélies qui font suite aux nôtres, et citées plus haut[1]. Les deux premiers termes proviennent-ils de la démarche naturelle de l'esprit humain qui invente la métaphore et la fable, allant du concret à l'abstrait, de l'exemple à la maxime, du récit à la leçon, de l'histoire à la moralité ? Ce fait de langage et de culture se reflète dans la composition littéraire et s'impose à toute interprétation. Ainsi en est-il de la Bible et de l'exégèse. Philon, pour sa part, distinguait le sens littéral et le sens non littéral, et Origène en subit une certaine influence[2]. Mais elle fut moins forte qu'on ne l'a dit. Car cette distinction, toute la tradition chrétienne la professait. Et pour Origène, comme pour elle, le sens littéral avait des référents concrets : des faits d'histoire ou de législation

1. Cf. *supra*, p. 25, n. 1 et 2.

2. Influence d'ailleurs avouée : « Pour nous, la Loi a deux sens, l'un littéral, l'autre spirituel (πρὸς ῥητόν, πρὸς διάνοιαν), comme on l'a enseigné avant nous. » *CC* 7, 20 s., *SC* 150, p. 60 s. Cf. PHILON, *De spec. leg.*, 1, 287 ; *De migr. Abr.* 16, 89-93.

réels, maintenus comme tels, considérés d'abord en eux-mêmes, sans être allégorisés. Pour le sens non littéral, le sens moral, l'influence est plus notable. Aux moralités philoniennes, Origène a beaucoup emprunté. On en trouve des exemples dans les nombreuses références fournies par les éditeurs d'Origène, et reproduites par nous en notes. Toutefois il ne s'y cantonne jamais. « Les allégories morales ne lui paraissent pas suffisantes. Il en conserve un certain nombre dont quelques-unes étaient d'ailleurs traditionnelles avant lui... La différence est ici beaucoup plus profonde que les ressemblances. Et les ressemblances matérielles elles-mêmes s'expliquent par un principe différent. La Loi n'a pour Origène de signification spirituelle que parce que Jésus nous la lit, et dans la mesure où Jésus nous la lit[1]... Entre Philon et Origène, il y a tout le mystère chrétien[2]. » Et quant au troisième sens, il est absent de Philon[3]. Ainsi la première séquence, malgré ses emprunts, est originale. Que dire alors de la seconde, qui lui est incontestablement supérieure !

4. *Supériorité de la deuxième séquence*

Plus fréquent est son emploi, plus organique sa structure. Les deux derniers sens, moral et mystique, de la première y sont inversés, et cette inversion fait apparaître leur plénitude. Le sens moral ne concerne plus l'âme humaine, sa nature, ses facultés, ses vertus et ses vices, selon une description psychologique à la manière des auteurs moralistes de tout temps, description sans référence obligée au Mystère chrétien, objet du troisième sens, ni à l'histoire préfigurative, objet du premier sens. Il est question de l'âme dans l'histoire du salut : âme croyante, gratifiée de la parole divine qui assure ses progrès ; âme pécheresse,

1. Cf. *In Jos. hom.* 9, 8, *GCS* 7, p. 352 s.
2. H. de Lubac, *HE*, p. 163-164.
3. Cf. la note complémentaire 4.

mais pardonnée grâce au baptême, à la pénitence et à d'autres moyens qu'offrent les Évangiles; âme dans l'exercice des vertus chrétiennes ; bref, âme incorporée au Christ et à l'Église, ayant dans cette incorporation, la source de sa vie spirituelle et morale. Du Mystère au salut, tel est l'ordre ontologique. Ordre que suit, en parfaite logique, le nouveau schème : sens mystique, sens moral. Et le Mystère, considéré au centre de la séquence comme l'objet du sens mystique, est lui-même relié d'une autre manière au contenu du premier sens, ou sens littéral : l'histoire qui l'annonce et le préfigure.

Ce contenu et cet ordre des sens illustrent le schéma tripartite en une explication complète, dans certaines homélies, ou au moins partielle, comme dans les *hom.* 1, 4 et 2, 4, et ailleurs[1]. Un autre exemple remarquable est fourni par l'*hom.* 7, 2 : longues pages, frémissantes d'émotion humaine, toutes vibrantes de l'amour d'Origène pour « son » Sauveur, assurément les plus émouvantes de nos Homélies. Elles présentent le Sauveur et son action, de l'Église terrestre à l'Église céleste, le Mystère qui se déploie sur la terre et au ciel, dans le temps et l'éternité. L'action du Christ dure. Jésus, Logos revêtu de chair, s'est sacrifié sur le bois de sa croix en sa chair, a pénétré au ciel où il poursuit son rôle d'intercesseur, avait déjà dit le prédicateur[2]. Il médite à présent sur son intercession continuelle. Il évoque le Sauveur dans l'histoire et dans la gloire céleste. Pour la dernière fois le Sauveur avec les siens boit du vin à table, avant de boire le vin nouveau, dans le Royaume de son Père. Jusqu'à ce jour, il intercède et nous attend, et l'amertume de nos péchés retarde pour lui « la parfaite allégresse ». Quand il aura « achevé son œuvre et conduit toute sa création à la perfection

1. Voir *supra* p. 26 s. et notes, et *infra* la note complémentaire 5.
2. Cf. *hom.* 1, 3.

suprême », tandis qu'avec lui les saints attendent aussi « la parfaite béatitude » ; quand il aura réuni tous les membres de son peuple en un seul corps, tous ses membres à son corps, achevant de construire « le saint corps de l'Église » : alors seulement il boira « un vin nouveau, dans un ciel nouveau et une nouvelle terre, Homme nouveau, avec des hommes nouveaux et qui lui chantent un nouveau cantique ».

Avec une densité spirituelle qui annonce celle de Pascal dans *le Mystère de Jésus*, Origène médite sur la personne du Sauveur et sur les âmes sauvées ou en voie de l'être, l'Église ; et avec une noblesse de pensée et de sentiment, une théologie et une piété inséparables, qui dépassent les pouvoirs de l'analyse. A les exprimer déjà les paroles humaines défaillent et font place aux citations multipliées de l'Écriture. Une tournure expressive introduit l'une d'elles : « Il nous attend pour boire ‘ du fruit de cette vigne '. De quelle vigne ? De celle dont il était la figure : Je suis la vigne, vous les sarments. » A la fois figure de la vigne, et vigne véritable dans laquelle vivent les sarments : Jésus en personne et le Corps mystique ; la totalité du Mystère.

Moins ample, hors de la perspective du ciel et limité, sur le plan de l'Église terrestre, au lien personnel avec Jésus où s'amorce la voie du salut et se reçoit la vie nouvelle, un passage exprime la même distinction et la même union, dans l'*hom.* 4, 8. Jadis de la chair de Jésus, par un contact de foi, une femme fit sortir une force qui la purifia et la guérit. Car c'était « la chair très sainte » « de l'unique sacrifice parfait », « le Christ immolé ». Or, avec les actes miraculeux de Jésus, sont en continuité les actes sacramentels de l'Église ; avec le contact du Christ, celui de la conversion et du baptême. « C'est cette chair qui fut touchée par ‘ tous ceux des Gentils qui ont cru '. » Et par nous-mêmes, au dire de Paul, « ... quand a resplendi la bonté de Dieu notre Sauveur et son amour pour les hommes », quand « il nous a sauvés par le bain de la nouvelle naissance et de la rénovation que produit l'Esprit Saint ».

Tout constitue un seul ensemble, un unique Mystère dans sa grande richesse d'aspects : le Christ, l'Église, chacun de leurs membres ou chacune des âmes, soit dans l'histoire, soit dans l'eschatologie[1]. Or cette totalité, les antécédents vétéro-testamentaires la visent, l'annoncent, la préfigurent et la préparent. Et il y a seulement ces deux ordres : la préfiguration et l'Avènement, ou mieux, l'annonce du Sauveur et le Christ total. D'où ces conséquences pour les appellations habituelles dans nos Homélies. Dans le second sens, appelé parfois mystique, mais le plus souvent spirituel, le troisième, le sens moral se résorbe. La séquence à trois termes se contracte : histoire, mystique, c'est la véritable séquence chrétienne. Certes la pensée du prédicateur est souvent complexe et fluide. Mais, présumant l'attention du lecteur aux contextes où se révèle la diversité des contenus et des aspects, il suffira de considérer, non en vue d'un exposé complet, mais de précisions importantes, les deux sens dont il est question d'un bout à l'autre dans notre texte : le sens littéral et le sens spirituel.

C. **Le sens littéral**

A peine énoncée la présence de deux sens de l'Écriture, même dans le *Lévitique*, Origène parle de « la lettre qui tue », se refuse « à être esclave de l'histoire et à garder la lettre de la Loi[2] ». Va-t-il donc volatiliser le premier sens pour se jeter dans une transposition allégorique ? Assurément non ! Il ne s'agit pas d'un rejet de principe, mais d'un discernement. Son point de départ est la leçon telle que

1. Cf. la note complémentaire 6.
2. *Hom.* 1, 1.

l'entendent les chrétiens, avec sa teneur propre de récit et de texte législatif. D'un bout à l'autre des Homélies, il rappelle les deux sens et pratique une lecture à deux niveaux. Libre à lui de ne guère s'arrêter à la première si, comme il le fait, il a la franchise de le dire. Mais rien n'autorise à croire qu'il nie le premier sens, sinon parfois une indication qu'il motive, on le verra. Par contre, la vérité du premier sens, d'ordinaire tacitement admise, est quelquefois déclarée, avant un développement spirituel et comme pour l'introduire.

Histoire ou lettre, sens selon l'histoire ou selon la lettre, sont des expressions synonymes. Elles sont employées indifféremment à propos de réalités historiques. Ou bien il s'agit d'épisodes, d'ailleurs rares dans ce texte législatif ; pour le châtiment de Nadab et Abiud, on parle de « la teneur de la lettre » ; et deux fois de « l'histoire », puis du « contenu selon la lettre » et du « contenu selon l'histoire » au sujet de celui qui prononça le Nom et maudit[1]. Ou bien il s'agit de dispositions : soit matérielles, comme « ce qu'indique l'histoire », pour la description des deux sanctuaires, ou « ce qui est fait selon la lettre », pour l'entretien de la flamme permanente ; soit législatives, comme « le contenu selon l'histoire » et « le sens indiqué par l'histoire » dans les trois lois sur la vente et le rachat des maisons[2]. Sens historique, si l'on peut dire, aussi passager que les épisodes ; aussi durable que les coutumes, que la période de l'Ancien Testament.

D'autres prescriptions ont une portée plus ample : elles valaient autrefois et continuent à valoir : « selon l'histoire », la défense d'être de connivence avec le péché d'autrui ; « selon la lettre » (2 fois), l'obligation de restituer en cas de détournement de biens sacrés ; ou encore, en cas de dommages causés au prochain, conformément à l'instruc-

1. *Hom.* 9, 1 et 14, 1.
2. *Hom.* 9, 8 ; 13, 1 fin. Et *hom.* 15, 1 fin.

tion donnée « par la lettre », cf. « laisser la lettre », « *lex litterae*, ce qu'on juge selon la lettre »... ; enfin, « le précepte historique » aux officiants de s'abstenir de vin[1]. Tous ces cas manifestent le respect d'Origène pour la lettre, respect que l'on peut présumer habituel, sauf avis contraire. Mais cette fidélité au texte écrit va nous paraître ici ou là excessive ou insuffisante.

On connaît le principe formel de l'exégèse rabbinique suivant le strict mot à mot[2]. Origène l'adopte comme conforme à la volonté du Christ, d'après un verset matthéen qu'il glose ailleurs[3]. Jésus disait être venu... pour « accomplir la Loi et les prophètes » : non pas exécuter matériellement leurs paroles, mais les compléter et les parfaire. Dans cette législation sublimée par l'esprit évangélique, selon sa déclaration solennelle, il n'est absolument rien de négligeable. Origène ne soupçonne pas l'hyperbole. Il ne pense pas au détail de la Loi nouvelle, au moindre de ses préceptes, mais au détail de la lettre, au sens mystérieux du moindre terme : « Pour moi, croyant à la parole de mon Seigneur Jésus Christ, je pense qu'il n'est, dans la Loi et les prophètes, ' pas un iota ni un accent ' qui ne contienne un mystère[4]... ». Il redira ici sa conviction que « tout est rempli de mystères », « mystères dont la grandeur surpasse nos forces[5] ». Rien n'est inutile dans l'Écriture, répète-t-il. Tout est significatif. En vertu de ce postulat, le plus petit détail est gros de signification. Et sa méticulosité opiniâtre dans l'examen du texte écrit le conduit à une interprétation forcée au gré d'associations d'images ou d'idées. Cette dernière n'a point à être examinée ici. Notons que la première s'attarde souvent à

1. *Hom.* 3, 2 début et 6 ; 4, 2 ; 7, 1.
2. Cf. la note complémentaire 1.
3. *Matth.* 5, 18. Voir *BJ*, note.
4. *In Ex. hom.* 1, 4 début, *GCS* 6, p. 149, 12 s.
5. *Hom.* 3, 8 milieu.

des expressions qui nous paraissent anodines : synonymes[1], répétitions[2], redondance[3], épithètes banales[4], locutions habituelles[5], absence d'un terme dans une énumération[6], absence dans le texte hébreu d'une précision donnée dans la Septante[7]... Pour ce principe il invoque l'autorité du Christ, pour ces applications, celle de l'Écriture : tant de solennité pour tant de minuties, c'est grand dommage ! On lui pardonne mieux lorsque, scrutant la périphrase qui désigne une femme enceinte, il en fait une agraphe pour une bonne page sur la Vierge Marie[8].

Paradoxalement, il manifeste parfois trop de hâte pour défendre l'interprétation spirituelle en rejetant le sens littéral. Prédicateur, il doit faire face à d'autres adversaires que les partisans de l'allégorie païenne, détracteurs de l'allégorie biblique et chrétienne, avec lesquels il se mesure dans le *Contre Celse*[9]. Groupe moins homogène, mais également caractérisé par le refus de dépasser le sens obvie du texte. Tour à tour ou simultanément sont visés les Juifs et, apparentés à eux pour leur observance de la Loi, les Ébionites, nommés ailleurs[10], enfin de simples

1. Homme, âme, *hom.* 1, 2 milieu.

2. Double indication d'un même lieu, « à l'entrée de la tente », *hom.* 1, 3 ; d'une même action, « raser tout le poil », *hom.* 8, 11. Même parole citée trois fois, « ce que Dieu déclare pur, toi, ne le dis pas souillé », *hom.* 7, 4.

3. « Pierre monta en haut sur la terrasse », *hom.* 7, 4.

4. « Encens fin, encens pur », *hom.* 9, 8 ; 13, 6.

5. « Une âme du peuple de la terre » (une personne du pays), *hom.* 2, 5. « La pluie en son temps » (saisonnière), *hom.* 9, 8 ; 13, 6.

6. Sept vêtements du pontife, au lieu de huit ailleurs, *hom.* 6, 6.

7. « Une vierge de sa race » : de sa race est absent du texte hébreu, et pour cause ; la parenté de Dieu leur a été enlevée, l'adoption filiale a été transférée à l'Église du Christ, ils ne sont plus de la race du Christ ! *hom.* 12,5.

8. *Hom.* 8, 2.

9. Cf. *hom.* 1, 1, et la note complémentaire 7.

10. *In Gen. hom.* 3, 3, *SC* 7 *bis*, p. 128 s. ; voir la note.

chrétiens. Avec eux, nulle référence à la méthode allégorique des lettrés, mais appel à la raison et, bien entendu, à l'Écriture.

Aux Juifs, avec une apparence de mauvaise foi tellement, au mépris du contexte et de la situation envisagée, il donne aux expressions un sens absolu que de toute évidence elles ne pouvaient avoir — et c'est là que sa fidélité au texte est en défaut —, il répète obstinément la question : les interpréter au pied de la lettre, même historiquement, n'eût-il pas été absurde ? Par exemple : « tenir pour impur qui touche le corps d'un défunt », s'il s'agit du corps d'un saint ? « Toucher à l'oblation des dons sacrés est être sanctifié », s'il s'agit de criminels ? Qu'une captive doive avoir « la tête tondue et les ongles coupés », si elle était dans cet état avant sa captivité ? Que « le pontife ne sort pas du sanctuaire », s'il doit prendre une épouse[1] ? D'après lui, enfin, il y a des passages sur les habits sacerdotaux ou la consécration du pontife « dont la teneur est telle qu'elle écarte absolument de leur sens historique même l'ancien Israël charnel[2] ».

Pour les chrétiens, des textes sacrificiels seraient un scandale, s'il fallait les prendre à la lettre : notamment, si l'on croyait se rendre Dieu propice par le seul emploi de trois ustensiles pour préparer les oblations[3]. Que si l'on rapporte quelques fautes des saints pères, ce n'est pas à titre de dénonciation, mais d'exemple de pardon et de réadmission dans la communauté des saints : « Purification et satisfaction sont reconnues par les docteurs qui montrent, par les divines Écritures, que ces actes furent des types et des images de réalités futures[4]. » On insiste là sur le sens spirituel, mais le sens historique n'est pas nié : le fait

1. *Hom.* 3, 3 début ; 4, 7 fin ; 7, 6 fin ; 12, 4 milieu.
2. *Hom.* 6, 1.
3. *Hom.* 5, 1 et 5.
4. *Hom.* 15, 3 milieu.

qu'on découvre dans le pardon accordé une valeur exemplaire suppose que la faute fut réelle encore que, sans doute pour éviter de choquer, elle ne soit pas l'objet d'un rappel explicite.

A l'adresse des « amis zélés de la lettre », le prédicateur ironise, citant des expressions qui, entendues littéralement, sont fausses. Même chez un prophète comme Isaïe : « Lion, lionceaux et petits de dragons volants, à dos d'ânes et de chameaux, portaient leurs trésors... » : peut-on le dire de « bêtes corporelles »? Ou chez le Psalmiste : « Le juste mange et les âmes des impies sont dans la disette », alors que l'on constate fréquemment l'inverse. Ou même chez Moïse : que la pluie soit donnée comme récompense à ceux qui observent les commandements, quand le monde entier en profite. Ces choses et d'autres, « qui paraissent dites corporellement, doivent être comprises spirituellement[1] ». Sa formule est à retenir. Aujourd'hui, on appelle littéral le sens voulu par l'auteur, distinguant, selon les emplois, un sens littéral propre et un sens littéral figuré. Origène exclut du sens littéral tout ce qui n'a pas un sens propre : toute signification figurée, métaphorique, parabolique... La différence est d'importance et son oubli peut être source de malentendus. Tout le symbolisme biblique, si exubérant, fait partie pour lui du sens spirituel. En définitive, ces exemples donnés pour qu'on dépasse ou qu'on rejette le sens littéral ont bien peu de force probante. Fort heureusement, le prédicateur trouve un terrain plus solide pour justifier le sens spirituel.

D. **Le sens spirituel. Essai de justification critique**

Expression du Logos, inspirée par l'Esprit, donnée de Dieu, l'Écriture a un sens double et triple, en provenance de l'action divine. C'est la thèse affirmée au début de

1. *Hom.* 16, 6 milieu, 5 milieu, et 2.

trois Homélies, en guise d'introduction pour les auditeurs. Et le prédicateur s'efforce de la vérifier, en se bornant d'ailleurs au double sens, à longueur de lecture. Or celle-ci n'est-elle pas trop personnelle, influencée par sa formation et sa manière propres ? En fait, n'a-t-il pas deux cultures, celle d'un lettré, celle d'un bibliste, la première pouvant contaminer l'autre ? Et puis, tant d'écrits et tant de discours vont-ils sans prolixité ? Deux contre-indications pour expliquer la parole de Dieu.

Qu'on l'en ait accusé ne fait guère de doute, à voir la vivacité de sa réaction. Non, il ne se perd pas « dans le nuage de l'allégorie » ou le verbiage ; non, il ne cède pas aux arguments de rhéteur et à l'invention verbale[1]. Il n'a d'autre source que la Bible. Il la prend comme un tout et l'interprète par elle-même. Plus précisément, le sens des expressions, il le demande à l'auteur sacré lui-même, dans les cas d'ailleurs assez rares où c'est possible. Ou bien il interroge un auteur sur les expressions de ses devanciers, parce qu'il a le même esprit étant, pour ainsi dire, de la même famille ou école : de la même tradition. Enfin, à partir de cet exemple, il généralise le procédé et questionne toute la Bible, mais surtout les prophètes, les psaumes et le Nouveau Testament[2]. Quoi qu'il en soit des applications, en nombre bien trop grand et plus ou moins heureuses, n'était-ce pas, pour son temps, l'orientation d'une bonne méthode, d'une bonne critique ? Dans nos Homélies, on peut suivre ses efforts pour justifier son interprétation spirituelle, en distinguant deux domaines : l'allégorie, le symbolisme.

1. *Hom.* 1, 1 ; 16, 2 et 4. Il se défend d'être prolixe, *In Jo.* 5, 4, *GCS* 4, p. 102 ; *CC* 5, 1, *SC* 147, p. 14 s.

2. Cf. *hom.* 2, 4, par exemple.

1. *L'allégorie biblique*

L'autorité et le modèle, c'est l'apôtre Paul. Origène se réclame de lui avec une raison pertinente. « Hébreu parmi les Hébreux, selon la Loi pharisien, instruit aux pieds de Gamaliel. » Cette « défense » de Paul devant son auditoire juif de jadis, pour accréditer son autorité de témoin, devient pour Origène un titre de qualification de son autorité d'interprète de la Loi. Paul, « ayant appris d'une science transmise à lui de la doctrine la plus vraie » quel est le sens du législateur, il peut l'enseigner, *hom.* 7, 4. Au terme de la tradition juive, il est à l'origine de la tradition chrétienne. Or pour lui, l'historicité des vieux récits et des textes législatifs non seulement est compatible avec leur sens allégorique, mais elle l'impose.

On attendrait ici un passage, plusieurs fois cité ailleurs. Voulant donner l'intelligence de la Loi, Paul déclare :

« Abraham eut deux fils... Il y a là une allégorie... Ces femmes sont deux alliances... L'une correspond à la Jérusalem présente, laquelle est esclave avec ses enfants. Mais la Jérusalem d'en haut est libre, et c'est notre mère. »

Passage significatif, dit ailleurs Origène :

« Qui met en doute que cela doive s'entendre à la lettre ? Il est certain en effet qu'Abraham eut pour fils Isaac de Sara et Ismaël d'Agar. L'Apôtre ajoute cependant : Ce sont des allégories[1]. »

Bref, des faits historiques ; mais des faits figuratifs, des figures *réelles* qui annoncent d'autres réalités. C'est un exemple, entre autres, d'une façon de procéder qu'a l'Écriture, lit-on ailleurs ;

« Maintes fois, l'Écriture prend occasion d'événements réels qu'elle décrit, pour exposer en figures des vérités plus profondes[2]. »

1. *Gal.* 4, 21-26. *In Num. hom.* 11, 1, *GCS* 7, p. 71, 29 s.
2. *CC* 4, 44, *SC* 136, p. 296 s.

Le prédicateur eût trouvé dans ce texte un argument topique. Il n'en produira qu'un des derniers versets, sur la Jérusalem d'en haut, par deux fois : *hom.* 11, 3 ; 12, 4.

Hom. 7, 4. Il cite en faveur de sa thèse un autre passage probant, même aux yeux des modernes. Des événements du désert sont des figures : le passage de la mer Rouge celle du baptême, Moïse celle du Christ, la nourriture et la boisson celle de l'eucharistie[1]. Mais il ne retient que la notion d'aliments « spirituels » qu'il utilise à propos des animaux purs et impurs. Un champ plus vaste est ouvert par une autre citation qui parle d'observances et d'institutions : aliment, boisson, fête, nouvelle lune, sabbats : « C'était là l'ombre des biens à venir[2]. » Dès lors on nous invite « à monter de l'ombre à la lumière ». Mais c'est toujours au même sujet :

« Comme dans l'explication de la coupe nous nous sommes élevés de l'ombre à la vérité de la coupe spirituelle, ainsi, des aliments qu'on désigne en ombre, élevons-nous vers ceux qui sont de véritables aliments en esprit. »

Une fois de plus il se défend de faire violence à l'Écriture : il a pour lui l'autorité apostolique de Paul et de Pierre.

Hom. 8, 5. Le prédicateur veut suivre « la voie de l'intelligence que l'apôtre Paul nous ouvre » ; car, dit-il :

« La Loi possède l'ombre des biens à venir, non l'image même des réalités ' ; et ce qui paraît écrit à propos des bœufs dans la Loi ne doit pas être entendu ' des bœufs dont Dieu n'a cure ' mais des apôtres[3]. »

Il faut donc, « par une conséquence assurément logique », dépasser l'ombre... de la lèpre !

1. *I Cor.* 10, 1-6. Cf. la note complémentaire 10.

2. *Col.* 2, 16 s.

3. *Deut.* 25, 4, interprété dans *I Cor.* 9, 9-10 et *I Tim.* 5, 18 ; plusieurs fois cité par Origène : *hom.* 8, 5 ; 9, 8 ; *CC* 2, 3, 11 s. ; 4, 49, 19 s. ; 5, 36, 18 s. (*SC* 132, p. 286 ; 136, p. 298 ; 147, p. 110) ; *De princ.* 2, 4, 2 (*SC* 252, p. 282 s.) ; *In Jos. hom.* 9, 8 (*SC* 71, p. 260).

Hom. 9, 2. Les sacrifices sont « des figures et des types » dont la vérité est montrée dans d'autres réalités, dit Origène. Et de leurs descriptions il s'élève avec noblesse à l'auguste personne de Jésus. Non, il n'infléchit pas violemment la Loi de Dieu. « Aux Hébreux », gens qui certes avaient lu et médité la Loi, « mais auxquels il manquait de comprendre le sens selon lequel on devait interpréter les sacrifices », Paul écrit :

« Ce n'est pas, en effet, dans un sanctuaire fait à la main, simple copie du véritable, que Jésus est entré, mais dans le ciel même, pour paraître désormais devant Dieu en notre faveur. Et encore, il dit à propos des victimes : ‘ Car il l'a fait une fois pour toutes, s'offrant lui-même en victime.’ Mais pourquoi chercher des témoignages ? C'est l'Épître aux Hébreux tout entière qu'il faudrait passer en revue, notamment ce passage où elle compare le pontife de la Loi au pontife de la Promesse, dont il est écrit : ‘ Tu es prêtre pour l'éternité selon l'ordre de Melchisédech ’. »

Vision grandiose qui fascine Origène : de la terre où il s'est offert, au ciel où il intercède pour nous, le Christ exerce son sacerdoce. Le prédicateur a dit le rapport entre la croix et la gloire du Christ, la restitution de ses activités humaines à sa divinité, l'absorption de l'économie de la chair dans l'ordre céleste, « par la passion dans sa chair », la résurrection des morts et la montée au ciel : « L'holocauste de sa chair offert grâce au bois de sa croix a réuni la terre au ciel et l'humain au divin », *hom.* 1, 4. Il a cité et citera le verset : « Il a pacifié par le sang de sa croix soit ce qui est sur terre soit ce qui est au ciel[1]. » La vision un peu hiératique du grand acte rédempteur s'est animée dans les longues pages de méditation sur le Sauveur et son intercession vivante et continuelle pour les hommes, cependant que, par leurs péchés et leurs résistances, ils retardent l'heure où, avec tous, il goûtera l'allégresse parfaite et boira le vin nouveau, *hom.* 7, 2. Et

1. *Hom.* 1, 3 ; 2, 3 ; 4, 4 ; 9, 5.

voici qu'au lieu des hommes concrets, ce sont les institutions qui sont mises en rapport avec la personne de Jésus : sanctuaire, victimes, sacerdoce...

Les indications convergent. Les deux anciens sanctuaires sont figuratifs. Le premier figure l'Église, dans sa fonction sacerdotale universelle. Le pontife en sort pour pénétrer dans le second. « Ce n'est pas dans un sanctuaire fait à la main... », répète-t-il. « C'est donc le lieu du ciel et le trône même de Dieu qui sont désignés par la figure et l'image du sanctuaire intérieur », *hom.* 9, 9. Toute victime est récapitulée dans le Christ, en porte le type et l'image, cf. *hom.* 3, 5 et 8. Il est la victime offerte pour le péché du monde et le prêtre qui l'offre, *hom.* 5, 3. Il est le Grand Prêtre dont l'ancien portait le nom par ombre et par image, *hom.* 12, 1. Thèmes théologiques inépuisables pour la réflexion et la piété.

Hom. 10, 1. Le pontife doit jeûner au jour de la propitiation. Origène traitera du jeûne juif et du jeûne chrétien. Le premier fait partie d'un système qu'on ne peut dissocier, qui comprend le pèlerinage à Jérusalem trois fois l'an, lié au temple, à l'autel, aux victimes, aux prêtres. Or ce cadre n'est plus. Il ne devait plus être. Mais le prédicateur commence par une large introduction. Moïse, prophète, le savait : comme dit l'Apôtre, toute la Loi est imposée « jusqu'au temps de la réforme[1] ». Suit alors une page, partout citée, avec la fameuse comparaison de la maquette d'argile et du chef-d'œuvre qu'elle préfigure, la statue de bronze, d'argent ou d'or...

« La maquette est bien nécessaire, mais jusqu'à l'achèvement du chef-d'œuvre. Une fois terminée l'œuvre pour laquelle avait été modelée la maquette d'argile, on ne cherche plus à s'en servir. Comprends qu'il en va de même pour ce qui a été écrit ou accompli dans la Loi et les prophètes, ' en type ' et en figure des choses à venir. Car est venu en

1. Cf. *Hébr.* 9, 10.

personne l'artiste et l'auteur de toutes choses ; et ' la Loi qui possédait l'ombre des biens à venir ', il l'a transformée en ' l'image même des réalités '. »

Et le prédicateur montre que les figures s'effacent devant les réalités : Jérusalem et son temple célèbre, devant celui qui était le véritable temple de Dieu et dévoilait les mystères de la Jérusalem céleste ; le pontife « purifiant le peuple avec le sang des taureaux et des boucs », devant le véritable pontife qui a sanctifié les croyants par son sang ; l'autel et les sacrifices, « dès que vint l'Agneau véritable qui s'est lui-même offert à Dieu en victime »...

Les auditeurs peuvent comprendre. Ils savent que Dieu intervient dans l'histoire, qu'il a suscité des personnes, des événements et des institutions : pour l'exécution d'un plan, nécessairement organique, selon des rapports de cohésion et d'intelligibilité. Ils constituent l'histoire sainte. L'Écriture les consigne avec leur orientation secrète. Le Christ, dès son premier avènement, accomplit ce plan, dévoile ce secret[1]. Paul, les évangélistes, le Nouveau Testament comprennent et rendent témoignage. Témoins directs du surgissement du nouveau monde, ils le comparent à l'ancien. Ils voient sous ce jour nouveau s'accentuer le relief des anciennes figures, réalités provisoires et passées, préordonnées aux réalités définitives et éternelles. Ils lisent dans l'Écriture et l'attestation des faits et leur visée providentielle ou signification mystérieuse.

Or dire à la fois une chose et en signifier une autre, c'est de l'allégorie. Non plus celle des lettrés. Celle-ci, appliquée à la mythologie par exemple, pour en tirer une vérité morale, comporte au moins un terme imaginaire, la représentation mythique précisément. Dans la Bible, il n'y a pas d'imaginaire. Ce sont deux ordres réels de personnes, d'événements ou de choses qui sont mis en rapport d'annonce et d'accomplissement ; et les réalités

1. Voir H. de Lubac, « L'acte du Christ », *EM*, I, 1, p. 318-328.

correspondantes des deux ordres constituent les deux pôles de l'allégorie scripturaire et chrétienne. L'allégorie est ici un rapport qui va des choses aux choses. « Allegoria facti », et non plus « allegoria verbi », selon les vieux auteurs. « Typologie », disent volontiers les modernes, terme à l'acception légitime, mais trop restreinte[1]. « Sens spirituel », « intelligence spirituelle », répète Origène. Le remarquable est qu'il en découvre chez saint Paul le principe et quelques applications, et ne cesse de le redire. Et il en cherche d'autres exemples dans le Nouveau Testament et même dans l'Ancien. Que s'il s'échappe trop vite, dans une foule d'illustrations qui pour nous sont arbitraires et sans portée[2], cet abus ne saurait remettre en cause un usage légitime de l'exégèse spirituelle solidement fondé sur l'Écriture même. Et, limité, tour à tour incontestable par le recours à saint Paul, ou décevant par sa lecture allégorique désuète de chaque détail de la législation, le témoignage des *Homélies sur le Lévitique* sert, en définitive, la grande thèse qu'a toujours défendue l'Église : le caractère figuratif de l'Ancien Testament est discerné par l'interprétation qu'en donne le Nouveau.

1. Sur le terme « allégorie », au sens ancien, puis paulinien, enfin traditionnel, cf. H. de Lubac, *EM*, I, 2, p. 373-384. Pour tous les auteurs, c'est « l'allegoria facti » qui est fondamentale et constitue le domaine le plus riche et le plus développé. Ils traitent toutefois de « l'allegoria verbi ou dicti », quand ils ne voient pas, au premier terme, de référent historique, par exemple en interprétant le *Cantique des cantiques*, et qu'ils ne croient pas à son sens littéral, on l'a vu pour Origène, cf. *supra*, p. 37 s. Voir Id., *EM*, II, 1, p. 140 s. Pour l'acception du terme « typologie », à la fois légitime, mais trop restreinte, cf. Id., *HE*, p. 387 s. Comme exemples de « typologie », en plus du passage sur la maquette d'argile, on trouve plusieurs pages, tirées d'autres œuvres, traduites dans J. Daniélou, *Origène*, p. 149-157.

2. Cf. la note complémentaire 8.

2. *Le symbolisme*

Le sens spirituel déborde le sens typique. De plus, Origène voit dans toute expression figurée un sens spirituel. Il annexe à cette catégorie le symbolisme foisonnant de la Bible. On n'a point à dresser ici un catalogue des expressions imagées qu'il interprète. Il faut montrer comment il justifie encore cet usage par le même principe : l'autorité de la parole de Dieu ou des écrivains sacrés ; que les images proviennent soit du monde inanimé, soit de la nature animée.

S'il utilise la fameuse comparaison entre le vaste monde et ce « petit monde » qu'est l'homme, c'est sans référence au système dont elle provient et qu'il connaissait, mais comme un thème partout vulgarisé[1]. Il l'intègre dans sa conception théologique. Dieu a créé l'univers et l'homme. Comme à l'extérieur dans l'univers il y a des astres visibles, il existe à l'intérieur de l'homme des astres invisibles. Et à l'habitation de Dieu dans l'univers correspond l'habitation divine dans l'humanité et le cœur de l'homme. C'est le sens spirituel que dévoile la parole même de Dieu dans les bénédictions qu'il accorde à Abraham ou qu'il déclare dans le *Lévitique*, *hom.* 5, 2.

Au symbolisme des astres, issu de l'action créatrice, s'apparente celui des agents atmosphériques, dû à l'action providentielle. C'est Moïse, « l'auteur même de ces lois », qui l'enseigne de par Dieu, comparant la parole divine à la pluie, l'appelant pluie, rosée, ondée, neige. Le dire n'est donc pas infléchir violemment la Loi de Dieu par des arguments de rhéteur. Ainsi font encore Isaïe et Paul lui-même, *hom.* 16, 2.

Or la pluie rend possibles les fruits de la terre. D'où le symbolisme végétal qu'atteste l'Écriture : celui du

1. Cf. la note complémentaire 9.

froment, dans les bénédictions de Jacob par Isaac, dans les paraboles évangéliques du semeur ou de l'homme riche, *hom.* 16, 3 ; celui des arbres et de leurs fruits, qu'on peut dire à l'intérieur de nous, sans invention verbale, bons ou mauvais, selon la distinction du Sauveur dans la parabole..., *hom.* 16, 4. A l'action de la nature s'ajoute l'activité humaine agricole et artisanale, et deviennent à leur tour symboles, mentionnés dans les bénédictions : les semailles, la moisson, le battage, la vendange, le pain et le vin..., *hom.* 16, 5.

Le symbolisme animal est plus longuement exposé, toujours au témoignage de la parole divine. Dans l'Église, à côté des hommes, il y a des animaux. Le *Psaume* n'avait-il pas dit : « Hommes et bêtes, tu les sauveras Seigneur. » Animaux purs : à côté des hommes de Dieu, « les brebis de Dieu », selon l'appellation que le prophète rapporte à Dieu, et selon le Christ parlant de ses brebis. Animaux impurs : « celui qui, vivant d'abord selon la raison et s'adonnant à la parole de Dieu, est tombé ensuite dans le péché » ; d'autres encore, « ceux qui sont hors du Christ, dénués de toute raison et religion », ceux que figure le précepte lévitique de ne pas toucher des cadavres d'hommes, *hom.* 3, 3. La loi de pureté parle d'animaux purs et d'animaux impurs. On doit l'interpréter des hommes. Et Origène se fait fort, si le temps lui en était donné, de le montrer même par l'Ancien Testament. Pour l'instant il se contente du témoignage de Paul et du principe d'interprétation donné à propos des événements du désert, on l'a vu ; du témoignage de Pierre, comprenant que les quadrupèdes, les reptiles, les oiseaux, tout ce qui lui était montré dans la nappe descendue du ciel, devait être compris des hommes, *hom.* 7, 4 ; et pour les poissons s'ajoute l'autorité de Notre Seigneur lui-même, dans la parabole du filet, *hom.* 7, 5.7.

Il y a enfin des animaux qui figurent les mauvais esprits, et parfois leurs suppôts. La bénédiction du Lévitique :

« J'exterminerai de votre terre les bêtes mauvaises » ne peut s'entendre de bêtes corporelles, qui ne sont ni mauvaises ni bonnes mais choses indifférentes, des animaux muets. Il s'agit de mauvaises bêtes spirituelles, identifiées par Paul : « Esprits du mal dans les régions célestes » ; par l'Écriture : « Le serpent, le plus rusé des animaux » ; par Pierre : « Votre adversaire le diable, comme un lion rugissant... » ; et Isaïe, en un passage qui, au sens littéral, serait absurde[1], *hom.* 16, 6.

On note des emprunts à l'opinion du temps, par exemple : à propos du lin et de ce qu'il suggère, *hom.* 4, 6 ; du couple de tourterelles réputé fidèle, *hom.* 2, 2 ; de la colombe déjouant les pièges de l'épervier, *hom.* 3, 8 ; des caractéristiques de certains poissons, *hom.* 7, 7. Comme les allégories philoniennes qu'il intègre, ces extraits d'auteurs profanes n'infléchissent pas ses développements. Les exemples, jugés probants, sont tous pris dans le texte sacré. Origène sort peu de la Bible. Il ne s'adonne guère à l'observation directe des choses et paraît peu sensible à la valeur poétique des métaphores. Il aligne les mots et les tournures, déjà pris au sens figuré dans différents contextes, les associations d'images inspirées, porteuses de sève spirituelle. Comme ici pour les astres, l'atmosphère, la flore, la faune, l'agriculture, l'artisanat, pour tout autre domaine sa méthode est constante. Elle prélude à la recherche moderne des thèmes bibliques, où sur ce point on suivrait, dans la mouvance du texte sacré, les emplois et remplois de comparaisons de toutes sortes : de termes figurés, métaphoriques ou allégorisés, par lesquels se prépare l'emploi des grands symboles johanniques de l'eau de la vie, du pain vivant descendu du ciel, de la vigne véritable... Symbolisme non plus naturel, mais

1. Cité plus haut, p. 39.

littéraire et, si l'on veut, historique, lu dans l'Histoire sainte écrite. Même sur ce point, Origène pratique la règle fixée dans cette formule lapidaire que Pascal tirera de saint Augustin : « Qui veut donner le sens de l'Écriture et ne le prend point de l'Écriture est ennemi de l'Écriture », *Pensées* (Laf. 251 ; Br. 900).

II. LES HOMÉLIES ET LA CRITIQUE

A. Date et lieu des Homélies

Dans la chronologie des œuvres d'Origène, on s'accorde à situer l'ensemble des Homélies à une époque un peu imprécise, mais relativement brève. Leur histoire est commune et les mêmes constatations les concernent. Pour les *Homélies sur le Lévitique* valent aussi les observations du dernier éditeur des *Homélies sur la Genèse* que nous pouvons suivre[1]. D'abord, il cite divers témoignages et en dégage l'intérêt : « Des renseignements fournis par Eusèbe[2], par Pamphile[3], par Jérôme[4], on conclut qu'elles ont été prononcées à Césarée dans la quatrième décennie du IIIe siècle, alors qu'Origène avait une soixantaine d'années. » Ensuite, il exploite quelques notations d'Eusèbe et s'interroge sur la manière dont le texte écrit a été fixé...

Plus récemment, les questions que posent les Homélies ont été reprises à neuf, dans une étude à la fois érudite et subtile[5]. Son ampleur ne permet pas d'en reproduire les arguments de critique et d'histoire, encore moins d'en esquisser l'examen. Mais certaines de ses conclusions peuvent fournir au lecteur un cadre provisoire et l'inciteront à consulter l'ouvrage. Les assemblées liturgiques

1. L. Doutreleau, dans *Homélies sur la Genèse, SC 7 bis*, 1976, p. 13.

2. Eusèbe, *H.E.*, VI, 36, 1.

3. Pamphile, *Apologie pour Origène, PG* 17, 545 BC.

4. Jérôme, *Lettre* 33, à Paula, *CSEL* 54, p. 257.

5. P. Nautin, *Origène, sa vie et son œuvre* (*Christianisme antique* I), Paris 1977, p. 389-435. Par le même auteur, présentation de la prédication origénienne, dans *Homélies sur Jérémie* I, *SC* 232, p. 100-190. Voir, sous un autre aspect, « le point de vue du prédicateur », H. de Lubac, *HE*, p. 125-138.

d'alors se répartissent en trois types : assemblées eucharistiques, le dimanche ; eucharistiques encore, le mercredi et le vendredi ; non eucharistiques, les autres jours. Le cycle de lectures de la Bible entière durait trois ans. Pour ce qui reste des Homélies sur l'Ancien Testament, l'ordre des lectures aurait été : les Sapientiaux, les Prophètes *(Is., Jér., Éz.)*, l'Octateuque. Et cette lecture et cette prédication auraient été faites dans la période de 239 à 242.

Les *Homélies sur le Lévitique* n'ont pas été conservées en grec, leur langue originale, à part quelques fragments transmis par les Chaînes et par Procope, comme nous verrons. Elles nous sont parvenues dans la traduction qu'en donna Rufin un siècle et demi plus tard, vers 400-404. C'est de cette traduction latine qu'il faut indiquer la tradition manuscrite.

B. **La tradition manuscrite**

Le texte latin des Homélies d'Origène sur l'Hexateuque, publiées dans le Corpus de Berlin, a été établi par Baehrens. Après avoir consigné à part le résultat de ses recherches[1], l'éditeur allemand en fit une présentation abrégée dans l'Introduction de son premier volume. Il y donne la liste des classes de manuscrits inventoriés, avec leurs caractéristiques, précisant leur contenu variable : la majorité d'entre eux contiennent des homélies faites sur plusieurs livres bibliques, et quelques-uns, celles faites sur un seul livre. Enfin il établit l'existence d'un archétype unique, originaire de la Campanie au tournant du ve-vi^e^ siècle. De cet archétype, Cassiodore allait faire prendre une copie. Et c'est d'elle, évidemment perdue, que dépendent tous les manuscrits actuellement existants[2].

1. W. A. Baehrens, *Überlieferung und Textgeschichte der lateinisch erhaltenen Origeneshomilien zum Alten Testament*, *TU* 42, 1, Leipzig 1916.

2. *GCS* 6, p. ix-xxv.

Dans la nouvelle édition des *Homélies sur la Genèse*, sont résumées les données critiques de l'édition allemande[1]. On n'ajoutera rien à la présentation de l'archétype ; ni à celle de l'excellente copie qu'est le *Lugdunensis 443*, à ce détail près qu'elle contient dans une première partie, en demi-onciales, les *Homélies sur la Genèse* et *sur l'Exode*, et dans une seconde, en onciales, celles *sur le Lévitique*[2]. Mais le classement sommaire des manuscrits doit ici être modifié. Il faut naturellement omettre ceux qui ne comprennent pas nos Homélies : soit ceux de la *Classe D*, de la *Classe F* et de la *Classe P*[3]. Par contre, il faut ajouter : d'une part, dans la même liste de manuscrits, ceux qui contiennent nos *Homélies* avec d'autres que celles *sur la Genèse* ; d'autre part, une autre liste plus courte de manuscrits indiqués par Baehrens comme contenant les seules *Homélies sur le Lévitique*[4]. Ce qui donne la répartition suivante.

C. Classement des manuscrits

1. Manuscrits contenant les Homélies sur le Lévitique avec d'autres, notamment celles sur la Genèse et sur l'Exode :

Classe A

A *Lugdunensis 443*, s. VI-VII.

Classe B

a deux manuscrits étroitement apparentés :
Amiatinus 3, s. X.
Vindobonensis 1028 (Theol. 402), s. XI (nos seules Hom.).

b *Berolinensis 42* (Philipp. 1670), s. X ex.

g *Berolinensis 326*, s. XII in.

1. *SC* 7 *bis*, p. 16 s.
2. Cf. *GCS* 6, p. IX, corrigé dans *GCS* 7, p. XXXV.
3. *SC* 7 *bis*, p. 18 et 19.
4. *GCS* 6, p. XVII-XIX.

Classe C

r *Parisinus 1628*, s. XII.
k *Pragensis X D 14*, s. XV.
p *Parisinus 16834* (Navarre 111), s. XII.
c *Vindobonensis 939* (Salsbourg 115) ; s. IX.

Classe E

Cassinensis 345, s. X-XI.
v *Vaticanus 204*, s. XI.

Classe F

Sangallensis 87, s. IX.

2. Manuscrits contenant les seules Homélies sur le Lévitique :

P *Petropolitan. Q. v. J. nº 2*, s. VI-VII

D modèle d'où proviennent :
l *Laudunensis* (Laon) 11, s. X.
d *Petropolitan. F. v. J. nº 13*, s. IX.

J *Carnotensis* (Chartres) 101 (93), s. IX.

G deux manuscrits étroitement apparentés :
q *Parisinus 2965*, s. XII.
w *Parisinus 1631*, s. XII.
Admontens. 698, s. XI.

D. **Le texte suivi**

L'existence de manuscrits contenant les seules *Homélies sur le Lévitique* serait-elle l'indice d'une plus grande diffusion, vraisemblablement due à l'intérêt porté, moins au texte biblique difficile, qu'à sa constante interprétation spirituelle? En tout cas, elle a fourni à l'éditeur une base plus large pour l'établissement du texte : 10 manuscrits ou classes de manuscrits, au lieu de 8 pour les *Homélies sur la Genèse*, et de 7 pour celles *sur l'Exode*[1]. C'est ce texte que nous reproduisons, en effectuant, outre quelques menues corrections demandées dans les addenda, seulement quatre modifications : la plus importante, *hom.* 15, 2, la suppression de *mortalis* (Bae. 489, 13), justifiée semble-t-il, comme nous le verrons, par l'analyse à la fois du contexte et de la doctrine d'Origène ; *hom.* 11, 3, la substitution du nom propre *Paulus* à celui de *Jacobus* (Bae. 448, 8), faute évidente ; enfin deux lectures différentes, d'ailleurs conjecturées en note par l'éditeur : *hom.* 11, 1, *forti* au lieu de *fortis* (Bae. 448, 28), et *hom.* 16, 7, *eiecimus* au lieu de *eicimus* (Bae. 506, 11).

E. **Les fragments grecs**

Un fragment grec de l'homélie 5, 1 a été conservé dans la *Philocalie* 1, 30 (Robinson, p. 35, 23 s.). Le texte grec est plus court que le latin, 21 lignes au lieu de 25 (Bae.). Mais paradoxalement, sur un point qui n'est pas sans importance, il est plus explicite[2].

L'édition allemande fait état d'autres fragments grecs de l'homélie 8. Elle en cite en note quelques-uns, très brefs. Elle présente les autres, plus étendus, sous le texte latin correspondant, *hom.* 8, 2.5-11, tels qu'ils ont été transmis par Procope, *Commentaire sur l'Hexateuque*, *Sur le Lévitique*, *PG* 87, 1, 729 s. Il sera reproduit, et l'on verra que le texte latin est sensiblement plus développé que le grec : environ 300 lignes au lieu de 125 (Bae.).

F. **La traduction de Rufin**

Par là se pose la question de la fidélité de la traduction de Rufin. Le Père L. Doutreleau lui consacre, dans son Introduction, une brève mais substantielle étude, à

1. *GCS* 6, p. XIX.
2. Cf. *supra*, p. 20-21.

laquelle on ne peut que renvoyer[1]. Il signale les libertés que prend le traducteur par rapport au texte original : déplacements, suppressions, que l'on ne peut ici vérifier ; tendance à l'amplification, qui est manifeste dans les textes parallèles de l'homélie 8 ; procédé habituel de redoublements de termes à peu près synonymes, qu'on observera tout au long de l'ouvrage. Cet emploi de termes redoublés attire l'attention quand il s'agit du sens de l'Écriture, cf. *Index III* : figure, image, ombre, type. Fallait-il opérer une réduction ? Lequel des deux termes alors sacrifier ? Un certain durcissement de leur sens n'était-il pas à craindre ? Ils se présentent dans un ordre variable, comme si la redondance voulait en assouplir la signification. Mais garder le double emploi dans les cas de ce genre incitait à le maintenir partout.

De ce procédé oratoire, le prédicateur s'est peut-être moins soucié que l'écrivain soignant son style. Mais il est caractéristique d'une traduction où l'auteur a, plus que jamais, volontairement laissé sa marque. Qu'il ait remanié le texte original des homélies, il l'avoue bonnement à deux reprises. Dans sa préface à la traduction des *Homélies sur les Nombres*, il dit avoir traduit de son mieux en latin, après l'avoir fondu en une série unique, tout ce qu'il a trouvé écrit « sur le livre des *Nombres*, soit sous forme d'homélie, soit dans ce qu'on appelle Excerpta[2] ». Mais surtout, il revendique ailleurs une part personnelle dans la rédaction, quand il dit en avoir usé très librement dans sa traduction des *Homélies sur le Lévitique*[3]. Comme à César son effigie, c'était un devoir ici de rendre à Rufin cette frappe de son style.

1. *SC* 7 *bis*, p. 21-22.
2. *GCS* 7, p. 1, 16 s.
3. *Peroratio in explanationem Origenis super Epist. Pauli ad Rom.*, *PG* 14, 1293.

III. LE LÉVITIQUE DANS LES HOMÉLIES

A. **Vue d'ensemble**

Les *Homélies sur le Lévitique* n'en déroulent évidemment pas le texte continu, pas plus que ne le font pour leur part les autres homélies sur l'Hexateuque. Elles ne contiennent même jamais la citation intégrale et l'explication suivie de tout un chapitre comme font, par exemple, la 1re homélie sur la *Genèse*, pour le récit de la création[1], ou la 8e, pour le sacrifice d'Isaac[2] ; ni, comme la 27e sur les *Nombres*, pour les quarante-deux étapes de l'Exode, tous les versets d'un chapitre, à peine abrégés çà et là, trois d'entre eux exceptés qui interrompent le fil du récit de la marche historique[3]. Se rapprocherait le plus de ces exemples l'interminable *homélie* 8, qui envisage les six espèces de la lèpre humaine et la purification qui leur est appropriée, *Lév.* 13, 1-45 et 14, 1-32. Des deux chapitres, la dernière partie, traitant des vêtements et des maisons, est omise : toutefois l'homélie suit au plus près la majeure partie des chapitres. On peut lui joindre les *homélies* 4 et 5, qui citent in extenso *Lév.* 6 et 7. Mais des blocs transcrits, le prédicateur isole quelques traits auxquels il borne son interprétation ; à l'intérieur de chacun, il y a des omissions, et de l'un à l'autre, des coupures. Mosaïque de textes législatifs, le *Lévitique* se prêtait plus que tout autre aux sectionnements, aux extraits, aux citations isolées.

Un rapide coup d'œil sur l'ensemble des citations paraît donc utile, sinon indispensable, pour préparer à la lecture

1. *Gen.* 1.
2. *Gen.* 22.
3. *Nombr.* 33.

d'une paraphrase originale du texte le plus discontinu qui soit. Le livre biblique, divisé en 27 chapitres, comprend un total de près de 850 versets. De trois chapitres, les 12e, 22e et 27e, on ne rencontre aucune citation par le prédicateur. De trois autres on en trouve une : *Lév.* 9, 7 à *hom.* 7, 1 ; *Lév.* 17, 6 à *hom.* 9, 9 ; *Lév.* 18, 15 à *hom.* 11, 2. Et de deux autres, deux citations : *Lév.* 19, 6 s. et 6 à *hom.* 5, 8 ; *Lév.* 23, 1 s. et 44 à *hom.* 13, 1. Les dix-neuf autres chapitres fournissent des citations parsemées à travers l'œuvre : soit près de 150 citations littérales, dont plus d'un cinquième sont des reprises ; et près de 300 citations non littérales, dont près de la moitié sont des reprises. Les passages qui forment le point de départ des développements du prédicateur sont plus rares. Mises à part des énumérations qui rappellent une explication ou annoncent un exposé, les versets qu'Origène se propose de scruter sont relativement peu nombreux. En dehors des *homélies* 4, 5 et 8, déjà signalées, leur nombre s'élève à la dizaine ou la dépasse à peine dans les *homélies* 3, 6, 7 et 9. Il est moindre dans les autres.

Du livre de la Bible le plus composite, Origène ne donne que des extraits. Les citations elles-mêmes sont disjointes et morcelées par l'insertion de développements qu'illustrent une foule de citations tirées de toute l'Écriture. Pour remédier à ce démembrement plus poussé qu'ailleurs, il a semblé utile de constituer un sommaire des passages expressément cités avec, en regard, les références aux passages des homélies qui les examinent. Ce qui présente un double avantage : celui d'esquisser le florilège des textes du *Lévitique* constitué par Origène, et au sujet desquels il élabore comme un catalogue thématique de son interprétation propre ; et, plus important peut-être, celui de fournir une table des matières un peu détaillée, permettant de se reporter directement aux passages bibliques pour consulter les explications et commentaires de l'exégèse moderne[1]. Ces éclaircissements ne pouvaient être reproduits tout au long des *Homélies*. Ils sont néanmoins indispensables à leur lecteur, soit pour comprendre le détail des vieux textes législatifs et des rituels, soit, par là même, pour mieux apprécier la manière dont s'opère pas à pas la transposition origénienne.

B. **Sommaire**

1. *Rituel des sacrifices* (Lév. *1-7*)

(Au point de vue des offrants)

	Lév.	*Hom.*
Holocauste d'un jeune taureau	1, 1-9	1, 2-4
Oblation : par l'âme	2, 1.4-7	2, 1.2
des prémices	2, 14	2, 1.2
Sacrifice de salut	3, 1.6.12	2, 1.2
Sacrifice pour le péché :		
de l'âme	4, 2	2, 1.2
du pontife	4, 3-11	2, 1.3.4
de la communauté	4, 13	2, 1.4
du chef	4, 22-26	2, 1.4
d'une âme du peuple de la terre	4, 27-28	2, 5
Cas particuliers :		
connivence	5, 1	3, 2
contact impur	5, 2-3.7-11	3, 3.6
parjure	5, 4-6	3,4
Sacrifice de réparation :		
pour détournement de biens sacrés	5, 14-16	3, 6.8
pour dommage causé au prochain : dépôt, association, vol, objets perdus	6, 1-5 (5, 20-24)[2]	4, 2-5

1. Voir, par exemple, R. de Vaux, *Les sacrifices de l'Ancien Testament* (*Cahiers de la Revue Biblique* I), Gabalda 1964.

2. Les chiffres entre parenthèses renvoient à la Bible hébraïque et ses traductions modernes, dont la numérotation est différente ici de celle de la Bible grecque.

	Lév.	*Hom.*
bélier du sacrifice	6, 6-7 (5, 25-26)	4, 5
(Au point de vue des officiants)		
Holocauste	6, 8-13 (1-6)	4, 6
Oblation : des prêtres	6, 14-18 (7-11)	4, 7-9
pour leur onction	6, 19-23 (12-16)	4, 10
Sacrifice pour le péché	6, 24-30 (17-23)	5, 1-3
Sacrifice pour la faute	6, 31-32.37-40 (7, 1-2.7-10)	5, 4-6
Sacrifice de salut		
avec louange	7, 1-5 (11-15)	5, 7.8
votif ou spontané	7, 6-8 (16-18)	5, 9
trois impuretés	7, 9-11 (19-21)	5, 10
graisse et sang	7, 12-17 (22-27)	5, 11
part des prêtres	7, 18-24 (28-34	5, 12
Récapitulation	7, 25-28 (35-38)	6, 2

2. *Investiture des premiers prêtres* (Lév. *8-10*)

Ordination		
rites et ornements sacerdotaux	8, 3.6-9.13	6, 2.3
Interdiction du vin aux officiants	10, 8-11	7, 1
Part des prêtres :		
poitrine mise à part, épaule prélevée	10, 14-15	7, 3

3. *Instructions sur le pur et l'impur* (Lév. *11-16*)

Animaux purs et impurs		
terrestres	11, 3-7	7, 6
aquatiques	11, 9-10	7, 5.6
oiseaux	11, 13	7, 7
Purification de la femme qui conçoit et enfante,		
circoncision de l'enfant	12, 1-7	8, 2-4
offrandes	12, 6.8	8, 4
Lèpre humaine. Six espèces :		
1o dartre et lèpre	13, 2	8, 5
2o lèpre invétérée	13, 12.13.14	8, 6
3o lèpre suite d'ulcère	13, 18.19.20	8, 7

	Lév.	*Hom.*
4° lèpre après brûlure	13, 24.25	8, 8
5° lèpre de la tête	13, 29-30	8, 9
6° lèpre et calvitie	13, 42	8, 10
Statut du lépreux	13, 45.46	8, 10
Purification		
rites	14, 3-7	8, 10
degrés	14, 7.8.9.20	8, 11
autres rites	14, 8-9	8, 11
cinquième purification	14, 10.13.19.20	8, 11
rôle du prêtre	14, 11.14-18	8, 11
Jour et sacrifices de propitiation		
mort de Nadab et Abiud	16, 1.2	9, 1
vêtements du pontife	16, 4	9, 2
victimes	16, 3.5-10.21.22	9, 3-6
rites	16, 12-13	9, 7-9
entrée du pontife derrière le voile intérieur	16, 17	9, 11
Jeûne et bouc émissaire	16, 5.10.21.22	10, 2

4. *Loi de sainteté* (Lév. *17-26*)

Pour tout homme :		
exigence : « Soyez saints... »	20, 7	11, 1
défense :		
de maudire son père ou sa mère	20, 8-9	11, 2.3
de commettre l'adultère	20, 10 s.	11, 2
Pour le grand prêtre :		
dignité, obligations	21, 10-12	12, 3.4
choix de l'épouse	21, 13-15	12, 5-7
Fêtes (allusions)	23, 1-2.44	13, 1
et prescriptions rituelles :		
flamme permanente	24, 1-3	13, 1.2
pains de proposition	24, 5-9	13, 4-5
Châtiment d'un blasphémateur :		
récit	24, 10-14.23	14, 1-3
loi pénale : qui maudit Dieu portera son péché, qui pro-		

	Lév.	*Hom.*
nonce le nom du Seigneur sera mis à mort	24, 15-16	14, 4
Vente et rachat des maisons :		
dans une ville entourée de murs, droit de rachat durant l'année de vente ; dans un village sans murs, droit illimité ;	25, 29-31	15, 1.2
pour les prêtres et les lévites, droit continuel	25, 32	15, 1.3
Bénédictions du Lévitique :		
Condition posée	26, 3	16, 2
1° pluie en son temps, produits de la terre, fruits des arbres ; le battage atteindra la vendange, et la vendange, les semailles ; pain à satiété, sécurité	26, 4-5	16, 2-5
2° paix et repos, protection contre les ennemis et victoire sur eux	26, 6-8	16, 5-7
3° postérité nombreuse et alliance de Dieu	26, 9	16, 7
4° l'ancienne récolte fera place à la nouvelle	26, 10	16, 7
5° demeure et marche de Dieu parmi les siens, les constituant son peuple. Dieu libérateur	26, 11-13	16, 7

IV. INDICATIONS BIBLIOGRAPHIQUES

Les citations traduites de PHILON sont empruntées à la collection : *Les œuvres de Philon d'Alexandrie*, publiée aux éditions du Cerf, sous la direction de R. Arnaldez, C. Mondésert et J. Pouilloux.

Abréviations d'œuvres fréquemment citées en notes

H. URS VON BALTHASAR, *Parole* = *Parole et Mystère chez Origène*, Paris 1957.

H. CROUZEL, *Image* = *Théologie de l'Image de Dieu chez Origène* (*Théologie* 34), Paris 1956.

— *Connaissance* = *Origène et la « connaissance mystique »* (*Museum Lessianum*, section théologique n° 56), Paris 1961.

J. DANIÉLOU, *Origène* = *Origène (Le génie du christianisme)*, Paris 1948.

H. DE LUBAC, *HE* = *Histoire et Esprit, L'intelligence de l'Écriture d'après Origène* (*Théologie* 16), Paris 1950.

— *EM* = *Exégèse Médiévale. Les quatre sens de l'Écriture* : 1re partie, 2 vol. (*Théologie* 41), Paris 1959. 2e partie, 2 vol. (*Théologie* 42 et 59), Paris 1961 et 1964.

K. RAHNER, *Doctrine* = « La doctrine d'Origène sur la pénitence », *RSR* 1950, p. 47-97, 252-286, 422-456.

Autres abréviations

BJ	Bible de Jérusalem
CC	ORIGÈNE, *Contre Celse*
CCL	Corpus Christianorum, series Latina
DBS	Dictionnaire de la Bible, Supplément
GCS	Die Griechischen Christlichen Schriftsteller (Berlin)
JTS	Journal of Theological Studies
OSTY	Bible, traduction Osty

RAM	Revue d'Ascétique et de Mystique
RSR	Recherches de Science Religieuse
SC	Sources Chrétiennes
TOB	Traduction Œcuménique de la Bible
TU	Texte und Untersuchungen der Altchristlichen Literatur
TWNT	Theologisches Wörterbuch zum Neuen Testament (G. Kittel)

TEXTE ET TRADUCTION

ORIGENIS IN LEVITICUM

HOMILIA I

1. Sicut *in novissimis diebus*[a] Verbum Dei ex Maria carne vestitum processit in hunc mundum et aliud quidem erat, quod videbatur in eo, aliud, quod intelligebatur — carnis namque adspectus in eo patebat omnibus, paucis
5 vero et electis dabatur divinitatis agnitio —, ita et cum per prophetas vel legislatorem Verbum Dei profertur ad homines, non absque competentibus profertur indumentis. Nam sicut ibi carnis, ita hic litterae velamine tegitur[b], ut littera quidem adspiciatur tamquam caro, latens vero
10 intrinsecus spiritalis sensus tamquam divinitas sentiatur. Tale ergo est quod et nunc invenimus librum Levitici revolventes, in quo sacrificiorum ritus et hostiarum diversitas ac sacerdotum ministeria describuntur. Sed haec secundum litteram, quae tamquam caro Verbi Dei
15 est et indumentum divinitatis eius, digni fortassis vel adspiciant, vel audiant et indigni. Sed *beati sunt illi oculi*[c], qui velamine litterae obtectum intrinsecus divinum Spiritum vident; et beati sunt, qui ad haec audienda mundas aures interioris hominis deferunt. Alioquin aperte
20 in his sermonibus *occidentem litteram*[d] sentient.

1 a. Cf. p. ex. Act. 2, 17 || b. Cf. II Cor. 3, 14 || c. Cf. Lc 10, 23 || d. Cf. II Cor. 3, 6

I

< HOLOCAUSTE DU JEUNE TAUREAU >

La lettre, l'esprit

1. Aux derniers jours[a], le Verbe de Dieu, revêtu d'une chair tirée de Marie, fit son entrée dans ce monde : et autre était ce qu'on voyait en lui, autre ce que l'on comprenait, car la vue de la chair en lui était offerte à tous, et seulement à peu d'élus donnée la connaissance de la divinité. Il en va de même quand, par les prophètes et le législateur, le Verbe de Dieu s'exprime devant les hommes : ce n'est pas sans revêtements appropriés qu'il s'exprime. Couvert là du voile de la chair, il l'est ici du voile de la lettre[b] : si bien que la lettre est vue comme la chair, mais caché à l'intérieur le sens spirituel est perçu comme la divinité[1]. Voilà ce que nous allons trouver en feuilletant le livre du *Lévitique*, où sont décrits les rites des sacrifices, la variété des victimes, les ministères des prêtres. Tout cela selon la lettre, qui est comme la chair du Verbe de Dieu et le revêtement de sa divinité, dignes et indignes peuvent l'apercevoir et l'entendre. Mais « heureux sont les yeux[c] » qui voient l'Esprit divin caché à l'intérieur sous le voile de la lettre ; et heureux sont ceux qui prêtent à cette audition les oreilles pures de l'homme intérieur. Sinon, ils percevront en clair dans ces paroles « la lettre qui tue[d] ».

1. Fréquente est l'affirmation de deux plans de perception qu'offrait le Christ et, conjointement, de deux niveaux de lecture que présente le texte scripturaire, cf. *Introd.* p. 15 s.

Si enim secundum quosdam etiam nostrorum intellectum simplicem sequar et absque ulla — ut ipsi ridere nos solent — stropha verbi et allegoriae nubilo vocem legislatoris excipiam, ego ecclesiasticus sub fide Christi vivens
25 et in medio Ecclesiae positus ad sacrificandum vitulos et agnos et ad offerendam similam cum ture et oleo divini praecepti auctoritate compellor. Hoc enim agunt, qui deservire nos historiae et servare legis litteram cogunt. Sed tempus est nos adversum improbos presbyteros uti
30 sanctae Susannae vocibus, quas illi quidem repudiantes historiam Susannae de catalogo divinorum voluminum desecarunt, nos autem et suscipimus et opportune contra ipsos proferimus dicentes : *Angustiae mihi undique.* Si enim consensero vobis, ut legis litteram sequar, *mors mihi*
35 *erit*; si autem non consensero, *non effugiam manus vestras. Sed melius est me nullo gestu incidere in manus vestras quam peccare in conspectu Domini*[e].

Incidamus ergo et nos, si ita necesse est, in obtrectationes vestras, tantum ut veritatem verbi Dei sub litterae
40 tegmine coopertam ad Christum iam Dominum conversa cognoscat Ecclesia; sic enim dixit et Apostolus quia : *Si conversus quis fuerit ad Dominum, auferetur velamen;*

1 e. Dan. 13, 22-23

---

1. Le terme « allégorie » apparaît seulement ici dans l'ouvrage, et l'adjectif correspondant, au début de l'*hom.* 10, 1. Comme partout cependant, et ici d'un bout à l'autre, Origène traite de l'allégorie chrétienne, mais sous l'appellation expresse ou équivalente de sens spirituel, sens toujours perçu au-delà du sens littéral, quoi qu'il en soit de la valeur de celui-ci. Voir *Index III*, « Écriture sainte », et la note complémentaire 7.

2. La question de l'histoire de Suzanne fit l'objet d'un échange de lettres entre Jules Africain et Origène, cf. *PG* 11, 41-86. Le premier, parce que le passage est absent de la Bible hébraïque, le tient pour apocryphe et croit en relever plusieurs preuves. Origène s'efforce de répondre aux objections point par point, en élargissant chacun d'eux par des exemples. Il dit, entre autres, connaître des Juifs

Devrais-je en effet, au gré de certains même parmi les nôtres, suivre le sens obvie et, sans nul recours — c'est leur façon de se moquer de nous — à l'entortillement de la parole et au nuage de l'allégorie[1], accueillir l'expression du législateur : alors moi, homme d'Église, vivant sous la foi au Christ, placé au centre de l'Église, c'est à sacrifier des veaux et des agneaux, à offrir de la fleur de farine avec de l'encens et de l'huile, que l'autorité du précepte divin me force. Voilà bien à quoi poussent ceux qui nous engagent à être esclave de l'histoire et à garder la lettre de la Loi. Mais c'est l'occasion pour nous de citer à l'adresse de vieillards pervers les paroles de sainte Suzanne, qu'eux sans doute ont rejetées en retranchant l'histoire de Suzanne du recueil des divins volumes[2], mais que nous, nous recevons et alléguons fort à propos contre eux : « Me voici traquée de toute part. » Que je vous cède, et conformément à la loi « ce sera pour moi la mort ». Que je ne cède pas, « je n'échapperai pas de vos mains. Mais mieux vaut pour moi, sans avoir rien fait, tomber entre vos mains que de pécher en présence du Seigneur[e] ».

Eh bien, tombons nous-même, s'il le faut, sous vos blâmes, pourvu que l'Église, à présent convertie au Christ son Seigneur, connaisse la vérité de la parole de Dieu cachée sous le voile de la lettre ; car telle est la déclaration de l'Apôtre : « Quand on se convertit au Seigneur, le voile est enlevé : ...[3] où est l'Esprit du Seigneur,

parlant hébreu qui savent l'histoire de Suzanne. Si l'épisode est absent de leur livre de Daniel, c'est, pense-t-il, qu'on a supprimé de la Bible les histoires qui accusent les chefs, les anciens et les juges, pour qu'elles restent ignorées du peuple. On trouvera une analyse des lettres dans P. NAUTIN, *Origène, sa vie et son œuvre*, Paris 1977, p. 176-182.

3. Ici est omise l'affirmation : « Car le Seigneur est Esprit ». Au début de l'*hom.* 4, elle sera citée avec d'autres, aussi capitales pour fonder théologiquement l'interprétation spirituelle. Cf. *Introd.* p. 17 s. ; voir la note complémentaire 10. Sur « le voile », cf. la note complémentaire 11.

ubi enim Spiritus Domini, ibi libertas[f]. Ipse igitur nobis Dominus, ipse sanctus Spiritus deprecandus est, ut
45 omnem nebulam omnemque caliginem, quae peccatorum sordibus concreta visum nostri cordis obscurat, auferre dignetur, ut possimus legis eius intelligentiam spiritalem et mirabilem contueri, secundum eum qui dixit : *Revela oculos meos, et considerabo mirabilia de lege tua*[g].
50 Igitur quam possumus breviter pauca perstringamus ex multis, non tam singulorum verborum explanationi studentes — hoc enim facere per otium scribentis est — sed quae ad aedificationem Ecclesiae pertinent, proferentes; ut occasiones potius intelligentiae auditoribus demus quam
55 expositionum latitudinem persequamur, secundum illud, quod scriptum est : *Da occasionem sapienti, et sapientior erit*[h].

2. Principium ergo Levitici dicit quia *vocavit Dominus Moysen et locutus est illi de tabernaculo testimonii*, ut promulgaret filiis Istrahel sacrificiorum leges et munerum, et ait : *Si homo munus offeret Deo, offeret ex bobus vel*
5 *pecudibus*, id est, agnis vel haedis; *Si vero ex avibus, turtures vel pullos columbarum*[a].

Si vero non homo, sed *anima offerat munus Deo, ex simila* inquit *offerat panes azymos coctos in clibano, vel certe similam ex sartagine in oleo conspersam aut ex craticula*
10 *in oleo nihilominus subactam*[b].

Tum deinde edocemur quia *fermentatum* nihil omnino oportet offerri ad altare Dei neque *mel* usquam sacrificiis admisceri, sed *sale* saliri omne sacrificium vel munus[c].

1 f. II Cor. 3, 16-17 || g. Ps. 118, 18 || h. Prov. 9, 9
2 a. Cf. Lév. 1, 1-2.14 || b. Cf. Lév. 2, 1.4.5 || c. Cf. Lév. 2, 11.13

---

1. Sont à exclure tout agent de fermentation ou de corruption, notamment le levain et le miel. Mais « le sel donne saveur et préserve de la corruption, entre dans les offrandes végétales — cf. *hom.* 13, 3 — comme condiment indispensable du repas, et le repas conclut l'amitié,

là est la liberté[f]. » C'est donc le Seigneur lui-même, l'Esprit Saint lui-même que nous devons supplier, pour qu'il daigne dissiper toute brume et toute obscurité qui, épaissies par les souillures de nos péchés, enténèbrent la vision de notre cœur, afin de pouvoir saisir l'intelligence spirituelle et merveilleuse de sa Loi, selon l'auteur qui a dit : « Ôte le voile de mes yeux et je contemplerai les merveilles de ta Loi[g]. »

Dès lors, le plus brièvement possible, bornons-nous à quelques points entre autres, moins en nous attachant à expliquer chacune des paroles — c'est l'affaire de qui écrit à loisir —, qu'en soulignant ce qui vise à édifier l'Église : à dessein de fournir aux auditeurs des occasions de comprendre, plutôt que parcourir l'étendue des interprétations, suivant ce qui est écrit : « Donne l'occasion au sage, et il sera plus sage[h]. »

Début du Lévitique

2. Voici donc le début du *Lévitique* : « Le Seigneur appela Moïse et, de la tente du témoignage, il lui parla » pour lui faire promulguer aux fils d'Israël les lois des sacrifices et des offrandes, et il dit : « Si un homme fait une offrande à Dieu, il offrira du gros ou du petit bétail », soit des agneaux ou des chevreaux ; « mais s'il s'agit d'oiseaux, des tourterelles ou des petits de colombes[a]... »

« Que si », non pas un homme mais « une âme fait une offrande à Dieu, qu'elle offre de la fleur de farine en pains azymes cuits au four, ou du moins de la fleur de farine cuite à la poêle et trempée d'huile, ou cuite sur le gril également pétrie à l'huile[b]. »

Nous apprenons ensuite qu'on ne doit absolument rien offrir de « fermenté » à l'autel de Dieu, ni nulle part mêler du « miel » aux sacrifices[1], mais saupoudrer de « sel » tout sacrifice ou offrande[c].

'l'alliance'; d'où 'le sel de l'alliance' et 'l'alliance de sel', de *Nombr.* 18, 19 et *II Chron.* 13, 5 » (Osty, *ad loc.*).

Secundo in loco de *primitiarum* praecepit *sacrificiis*,
15 quae *recentia*, *tosta*, *bene purgata* offerri Domino iubet[d].
Post haec sub eadem legis continentia de *sacrificiis salutaribus* iungitur, primo *ex bobus*, secundo *ex ovibus*, in quibus tamen liceat sive in *agnis*, sive in *haedis* vel *feminas* offerre vel *mares*[e], et nihil praeter haec animalia
20 decernit in sacrificiis salutaribus offerendum.

Sed repetamus paululum et videamus primo omnium quid est quod dicit : *Homo ex vobis si offerat munus*[f], quasi vero possit alius aliquis offerre quam homo. Et utique suffecisset dicere : si qui ex vobis offerat munus, sed
25 nunc dicit : *Homo ex vobis si offerat munus*; in consequentibus vero dicit : *Si autem anima offerat munus*[g]. In posterioribus porro, cum secundo iam loquitur Dominus ad Moysen et mandat de sacrificiis pro peccato offerendis, ita dicit : *Si pontifex peccaverit, offeret illud et illud*[h]. Vel
30 *si omnis synagoga peccaverit* vel *si princeps peccaverit* vel si *anima una peccaverit*[i], mandatur singulis quibusque, quid offerant. Quid ergo ? Inanem putamus esse istam personarum distinctionem, ut aliud quidem offerendum sub *hominis* appellatione, aliud sub *animae*, aliud sub
35 *pontificis*, aliud vero sub *synagogae*, aliud etiam sub *principis* vel *unius animae* cognominatione mandetur ? Ego interim pro exiguitate sensus mei hoc in loco *hominem*, quem appellavit et primum in omnibus posuit ad offerendum munus Deo, intelligendum esse omne humanum
40 arbitror genus et ipsum dici hominem, qui *holocaustum* offerat *vitulum ex bobus sine macula*[j].

Iste autem *vitulus sine macula* vide, si non ille *saginatus* est *vitulus*, quem pater pro regresso ac restituto sibi illo, qui perierat, filio, quique *omnem eius substantiam dila-*
45 *pidaverat*, iugulavit et fecit convivium magnum et laetitiam

2 d. Cf. Lév. 2, 14 || e. Cf. Lév. 3, 1.6.7.12 || f. Lév. 1, 2 || g. Cf. Lév. 2, 1 || h. Cf. Lév. 4, 3 || i. Cf. Lév. 4, 13.22.27 || j. Cf. Lév. 1, 3-5

En second lieu, il fait une prescription sur « les oblations de prémices » et ordonne qu'on les offre au Seigneur « fraîches, grillées, bien purifiées[d] ».

Ensuite, la même loi contient une addition sur « les sacrifices de salut », d'abord « de gros » puis « de petit bétail », dont il est toutefois permis d'offrir, tant pour « les agneaux » que pour « les chevreaux », ou des « femelles » ou des « mâles[e] » et, à part ces animaux, ne prescrit rien à offrir dans les sacrifices de salut.

L'homme

Mais revenons un peu en arrière et voyons tout d'abord ce que veut dire : « Si un homme d'entre vous fait une offrande[f]. » Comme si vraiment quelqu'un d'autre qu'un homme pouvait l'offrir ! Sans doute eût-il suffi de dire : Si l'un de vous fait une offrande, mais il déclare ici : « Si un homme d'entre vous fait une offrande » ; et, dans la suite : « si une âme fait une offrande[g] ». En outre, plus loin, quand pour la seconde fois le Seigneur parle à Moïse et enjoint d'offrir des sacrifices pour le péché, il dit : « Si un pontife pèche, il offrira ceci et cela[h]. » Ou encore, « si toute la communauté pèche », ou « si un chef pèche », ou si « une âme pèche[i] », on fixe à chacun en particulier ce qu'il doit offrir. Eh quoi ? Jugeons-nous futile cette distinction des personnes qui fait prescrire une offrande pour l'homme, une pour l'âme, une pour le pontife, une autre pour la communauté, une autre encore pour le chef ou une seule âme ? Pour moi, cependant, à mon humble avis, dans ce passage, par « l'homme » nommé et désigné en tête de tous pour faire une offrande à Dieu, j'estime qu'il faut comprendre tout le genre humain : c'est lui qu'on appelle l'homme qui doit offrir « en holocauste un jeune taureau sans tache venant du troupeau[j] ».

Sacrifice de Jésus pour le genre humain

Or ce « jeune taureau sans tache » n'est-il pas ce « veau gras » que le père, quand lui fut revenu et restitué ce fils qui était perdu et qui « avait dilapidé tous ses biens », fit égorger pour lui ? Et il donna

habuit, ita ut *laetarentur angeli in caelo super uno peccatore paenitentiam agente.* Homo ergo iste, qui *perierat et inventus est*, quoniam nihil habuit propriae substantiae, quod offeret — *cuncta* namque *dilapidaverat vivens luxuriose*[k] —
50 invenit istum vitulum caelitus quidem missum, sed ex patriarcharum ordine et connexis ex Abraham generationum successionibus venientem[l], et idcirco non dixit vitulum et siluit, ut videatur vitulus quicumque mandatus, sed vitulum ex bubus, id est ex patriarcharum generatione
55 venientem.

Est autem *masculus sine macula*[m]. *Masculus* vere est, qui peccatum, quod est femineae fragilitatis, ignorat. Solus ergo ille *masculus*, solus *sine macula* est, qui *peccatum non fecit, nec dolus inventus est in ore eius*[n], et qui *acceptus*
60 *contra Dominum* offertur *ad ostium tabernaculi*[o]. *Ad ostium tabernaculi* non est intra ostium, sed extra ostium. Extra ostium etenim fuit Iesus, quia *in sua propria venit, et sui eum non receperunt*[p]. Non est ergo ingressus tabernaculum illud, ad quod venerat, sed *ad ostium* eius oblatus est
65 *holocaustum*, quia *extra castra*[q] passus est. Nam et illi mali *coloni venientem filium patrisfamilias eiecerunt foras extra vineam et occiderunt*[r]. Hoc est ergo quod offertur *ad*

2 k. Cf. Lc 15, 23s.10.30.32 || l. Cf. Matth. 1, 1 s. || m. Cf. Lév. 1, 3 || n. Is. 53, 9 || o. Cf. Lév. 1, 3 || p. Jn 1, 11 || q. Cf. Lév. 4, 12 || r. Cf. Matth. 21, 38 s.

---

1. Le symbolisme des âges de la vie, enfance, etc., fréquemment exploité par Origène, s'autorise de textes pauliniens, cf. *hom.* 5, 7, et *Index III*, « perfection ». Celui de la distinction homme-femme parfois lui est joint, cf. *hom.* 4, 8 fin, plus souvent est présenté à part. Origène partage le préjugé masculin sur l'infériorité de la femme. Toutefois il avoue ne pas trouver celle-ci comme telle dans l'Écriture : la faiblesse féminine mentionnée çà et là n'est pas d'ordre physique mais, déjà allégorisée, d'ordre moral : « L'Écriture divine ne fait pas de distinction entre les hommes et les femmes selon le sexe. Car devant Dieu il n'y a nulle différence de sexe : c'est d'après la différence

un grand festin, et il y eut une joie telle que « les anges se réjouirent au ciel pour un seul pécheur faisant pénitence ». Donc cet homme qui « était perdu et fut retrouvé », n'ayant plus de bien personnel à offrir — car « il avait tout dépensé dans une vie de débauche[k] » — trouva ce jeune taureau, certes envoyé du ciel, mais venant de la suite des descendants des générations issues d'Abraham[l] ; aussi la loi ne dit-elle pas « un jeune taureau » sans plus, comme pour prescrire un jeune taureau quelconque, mais : un jeune taureau venant du troupeau, c'est-à-dire de la génération des patriarches.

Et c'est « un mâle sans tache[m] ». Mâle véritablement est celui qui ignore le péché, lot de la fragilité féminine[1]. Seul donc est mâle, seul sans tache, celui qui « n'a point fait le péché, dans la bouche de qui ne s'est point trouvée de fraude[n] », et qui, « agréable au Seigneur », est offert « à l'entrée de la tente[o] ». « A l'entrée de la tente » : non pas à l'intérieur, mais à l'extérieur de l'entrée. En effet, c'est à l'extérieur de l'entrée qu'a été Jésus, car « il est venu chez lui, et les siens ne l'ont pas reçu[p] ». Il n'est donc pas entré dans cette tente vers laquelle il était venu, c'est à son entrée qu'il fut offert en holocauste : c'est « hors du camp[q] » qu'il a souffert. De fait, ces méchants « vignerons, quand vint le fils du père de famille, le jetèrent hors de la vigne et le tuèrent[r] ». Voilà donc l'offrande « à l'entrée de la

des cœurs que se répartissent les hommes et les femmes. Combien appartiennent au sexe féminin qui devant Dieu sont au nombre des hommes forts, et combien d'hommes forts doivent être rangés parmi les femmes molles et indolentes ! » *In Jos. hom.* 9, 9, *SC* 71, p. 266, tr. A. Jaubert. Mais partout ailleurs il allégorise. L'homme est fort, fort contre le péché, la femme est fragile, pécheresse : cf. outre notre passage, *hom.* 4, 8. L'homme représente la raison, la femme la chair, *In Gen. hom.* 4, 4, *SC* 7 *bis*, p. 152. Les fils signifient les bonnes œuvres, les filles les œuvres charnelles, *In Ex. hom.* 2, 2, *GCS* 6, p. 157 fin ; cf. *Sel. in Ex.* 23, 17, *PG* 12, 296 D. Les saints ont des fils, rarement des filles, *In Num. hom.* 11, 7, *GCS* 7, p. 89, 12.

ostium tabernaculi acceptum contra Dominum[s], et quid tam *acceptum* quam hostia Christi, *qui se ipsum obtulit Deo*[t] ?

3. Et tamen : *Imponet manum suam* inquit *super caput hostiae et iugulabunt vitulum contra Dominum, et offerent filii Aaron sacerdotis sanguinem, et effundent sanguinem ad altare in circuitu, quod est ad ostium tabernaculi testi-*
5 *monii*[a]. Potest quidem videri ob hoc dictum, quod de filiis Aaron erant Annas et Caiphas et ceteri *omnes qui consilium agentes adversum Iesum pronuntiaverunt eum reum mortis*[b] et effuderunt sanguinem eius *circa basim altaris tabernaculi testimonii*[c]. Ibi etenim effunditur sanguis,
10 ubi erat altare et basis eius, sicut et ipse Dominus dixit : *Quia non capit perire prophetam extra Hierusalem*[d]. *Posuit* ergo et *manum suam super caput vituli*[e], hoc est peccata generis humani imposuit super corpus suum; ipse est enim caput corporis Ecclesiae suae[f].
15 Sed et hoc fortasse non sine causa fit quod, cum superius dixisset : *Applicabit eum ad ostium tabernaculi testimonii*[g], in posterioribus repetit et iterum dicit : *Ad altare, quod est ad ostium tabernaculi testimonii*[h], quasi non eundem locum sub eadem narratione semel designasse suffecerit. Nisi quia
20 forte hoc intelligi voluit quod sanguis Iesu non solum in Hierusalem effusus est, ubi erat altare et basis eius et tabernaculum testimonii, sed et quod supernum altare, quod est in caelis, ubi et *ecclesia primitivorum*[i] est, idem ipse sanguis adsperserit, sicut et Apostolus dicit quia :
25 *Pacificavit per sanguinem crucis suae sive quae in terra sunt, sive quae in caelis*[j]. Recte ergo secundo nominat

2 s. Cf. Lév. 1, 3 || t. Cf. Hébr. 9, 14
3 a. Lév. 1, 4.5 || b. Cf. Matth. 27, 1 ; Jn 18, 13 s. || c. Cf. Lév. 4, 7 ; 1, 5 || d. Lc 13, 33 || e. Cf. Lév. 1, 4 || f. Cf. Éphés. 1, 22.23 || g. Lév. 1, 3 || h. Lév. 1, 5 || i. Cf. Hébr. 12, 23 || j. Col. 1, 20

tente, agréable aux yeux du Seigneur[s] » ; qu'y a-t-il d'aussi agréable que la victime du Christ « qui s'est lui-même offert à Dieu[t] »?

3. « Il imposera sa main sur la tête de la victime ; on égorgera le jeune taureau devant le Seigneur ; puis les fils d'Aaron le prêtre offriront le sang et le répandront tout autour de l'autel qui est à l'entrée de la tente du témoignage[a]. » Cela peut sembler dit pour la raison qu'au nombre des fils d'Aaron se trouvaient Anne, Caïphe et tous les autres « qui tenant conseil contre Jésus le déclarèrent digne de mort[b] », et répandirent son sang « autour de la base de l'autel de la tente du témoignage[c] ». En effet le sang est répandu là où étaient l'autel et sa base, comme l'a déclaré le Seigneur lui-même : « Il ne convient pas qu'un prophète meure hors de Jérusalem[d]. » Donc, « il a posé sa main sur la tête du jeune taureau[e] », c'est-à-dire qu'il a placé sur son corps les péchés du genre humain ; car c'est lui la tête du corps de son Église[f].

Sacrifice terrestre et céleste

Et ce n'est peut-être pas sans raison qu'après avoir dit plus haut : « Il le mènera à l'entrée de la tente du témoignage[g] », il reprend par la suite et répète : « vers l'autel qui est à l'entrée de la tente du témoignage[h] », comme s'il n'avait pas suffi de désigner une seule fois le même lieu dans un même récit. A moins par hasard qu'il n'ait voulu faire comprendre que le sang de Jésus, non seulement fut répandu à Jérusalem où étaient l'autel et sa base ainsi que la tente du témoignage, mais que ce même sang aspergea aussi l'autel d'en haut qui est au ciel[1], où est aussi « l'assemblée des premiers-nés[i] », comme le dit encore l'Apôtre : « Il a pacifié par le sang de sa croix soit ce qui est sur terre soit ce qui est au ciel[j]. » C'est donc à juste titre qu'il mentionne une seconde fois « l'autel qui

1. Cf. la note complémentaire 12.

altare, quod est ad ostium tabernaculi testimonii[k], quia non solum pro terrestribus, sed etiam pro caelestibus oblatus est hostia Iesus, et hic quidem pro hominibus ipsam
30 corporalem materiam sanguinis sui fudit, in caelestibus vero, ministrantibus — si qui illi inibi sunt — sacerdotibus, vitalem corporis sui virtutem velut spiritale quoddam sacrificium immolavit.

Vis autem scire quia duplex hostia in eo fuit, conveniens
35 terrestribus et apta caelestibus ? Apostolus ad Hebraeos scribens dicit : *Per velamen, id est carnem suam*[l]. Et iterum interius velamen interpretatur *caelum*, quod *penetraverit* Iesus, et *adsistat nunc vultui Dei pro nobis*[m], *semper* inquit *vivens ad interpellandum pro his*[n]. Si ergo duo intelliguntur
40 velamina, quae velut pontifex ingressus est Iesus, consequenter et sacrificium, duplex intelligendum est, per quod et terrestria salvaverit et caelestia. Denique et ea, quae sequuntur, plus caelesti sacrificio quam terreno videntur aptanda.

4. *Et decoriantes* inquit *holocaustum divident illud membratim, et imponent filii Aaron sacerdotis ignem super altare, et constipabunt ligna in ignem; et imponent filii Aaron sacerdotis divisa membra et caput et adipes et ligna,*
5 *quae sunt super altare. Interanea vero et pedes lavabunt aqua, et imponet sacerdos omnia super altare; hostia est et sacrificium odor suavitatis Domino*[a]. Quomodo decorietur caro verbi Dei, quod hic *vitulus* nominatur et quomodo *membratim* dividatur a sacerdotibus[b], operae pretium est
10 advertere.

Ego puto quod ille sacerdos detrahit corium *vituli* oblati in *holocaustum* et deducit pellem, qua membra eius

3 k. Cf. Lév. 1, 5 || l. Hébr. 10, 20 || m. Cf. Hébr. 9, 24 || n. Hébr. 7, 25
4 a. Lév. 1, 6-9 || b. Cf. Lév. 1, 4

est à l'entrée de la tente du témoignage[k] », car non seulement pour les habitants de la terre mais encore pour ceux du ciel Jésus s'est offert en victime ; ici-bas pour les hommes il a répandu la matière corporelle de son sang ; au ciel, par le ministère des prêtres, s'il en existe là-haut, il a offert la force vitale de son corps en guise de sacrifice spirituel.

Veux-tu savoir qu'il y eut en lui une double victime, convenant aux habitants de la terre et appropriée à ceux du ciel ? L'Apôtre, écrivant aux Hébreux, dit : « A travers le voile, c'est-à-dire sa chair[l] ». D'autre part il interprète ce voile intérieur comme « le ciel » où Jésus « a pénétré » et « se tient désormais présent pour nous devant la face de Dieu[m] », « toujours vivant pour intercéder en leur faveur[n] ». Si donc on admet deux voiles à travers lesquels Jésus a fait son entrée en qualité de pontife, il faut en conséquence admettre aussi un double sacrifice par lequel il a sauvé et ce qui est sur terre et ce qui est au ciel. Enfin, la suite semble aussi devoir mieux convenir à un sacrifice céleste qu'à un terrestre.

Dépeçage de l'holocauste

4. « En dépouillant l'holocauste, on le dépècera membre à membre ; les fils du prêtre Aaron placeront du feu sur l'autel et disposeront du bois sur le feu ; les fils du prêtre Aaron disposeront membres dépecés, tête, graisse et bois qui sont sur l'autel. Les entrailles et les pieds, on les lavera dans l'eau, et le prêtre placera le tout sur l'autel : c'est une victime et un sacrifice en odeur suave pour le Seigneur[a]. » Comment dépouille-t-on la chair du Verbe de Dieu, ici nommé jeune taureau, et comment les prêtres la dépècent-ils membre à membre[b], il vaut la peine de le remarquer.

Pour moi, je pense que le prêtre qui arrache le cuir du « jeune taureau » offert « en holocauste » et retire la peau qui recouvre ses membres, c'est celui qui enlève à la

conteguntur, qui de verbo Dei abstrahit velamen litterae[c] et interna eius, quae sunt spiritalis intelligentiae membra, 15 denudat et haec membra verbi interioris scientiae non in humili aliquo loco ponit, sed in alto et sancto, id est *super altare* collocat, cum non indignis hominibus et humilem vitam ac terrenam ducentibus pandit divina mysteria, sed illis, qui altare Dei sunt, in quibus semper 20 ardet divinus ignis et semper consumitur caro.

Super hos ergo tales membratim divisus iste *holocausti vitulus* collocatur. Dividit namque *membratim vitulum*, qui explanare per ordinem potest et competenti distinctione disserere, qui sit profectus, Christi *fimbriam contigisse*[d], 25 qui vero *pedes eius lavisse lacrimis et capillis capitis extersisse*[e], quanto autem his potius sit *caput eius unxisse myrro*[f]; sed et *in pectore eius recubuisse*[g] quid habeat eminentiae. Horum ergo singulorum causas disserere et alia quidem incipientibus, alia vero his, qui iam proficiunt 30 in fide Christi, alia autem illis, qui iam perfecti sunt in scientia et caritate eius, aptare, hoc est *membratim vitulum divisisse.*

Sed et qui novit ostendere, quae fuerint legis principia, qui etiam in prophetis profectus accesserit, quae vero 35 in Evangeliis plenitudo perfectionis habeatur; vel qui docere potest, quo verbi *lacte* alendi sint *parvuli* in Christo et quo verbi *olere* refovendi sint, *qui infirmantur in fide*,

4 c. Cf. II Cor. 3, 14 || d. Cf. Matth. 9, 20 || e. Cf. Lc 7, 44 || f. Cf. Lc 7, 46 || g. Cf. Jn 13, 25 ; 21, 20

---

1. Passage à verser au dossier de la doctrine origénienne *des* sens spirituels. Ayant évoqué les sens « intérieurs », Origène envisage ici l'un d'eux, le toucher. Cf. *hom.* 3, 7.

2. « Il faut donc oser dire que, de toutes les Écritures, les Évangiles sont les prémices, et que parmi les Évangiles, les prémices sont celui de Jean, dont nul ne peut saisir le sens s'il ne s'est renversé sur la poitrine de Jésus et n'a reçu de Jésus Marie pour mère »,

parole de Dieu le voile de la lettre[c] et en met à nu les membres intérieurs qui sont ceux de l'intelligence spirituelle ; ces membres de la science intérieure de la parole, il ne les dépose point dans quelque bas endroit, mais à une place haute et sainte, « sur l'autel » : car ce n'est point à des hommes indignes, menant une vie basse et terre à terre qu'il découvre les mystères divins, mais à ceux qui sont l'autel de Dieu, en qui sans cesse brûle le feu divin et sans cesse se consume la chair.

C'est donc sur de tels hommes qu'on place ce « jeune taureau de l'holocauste » dépecé membre à membre. Car on dépèce membre à membre le jeune taureau quand on peut expliquer dans l'ordre et exposer avec les distinctions convenables quel progrès constitue le fait de « toucher[1] la frange » du Christ[d], quel autre de « baigner ses pieds de larmes et les essuyer des cheveux de sa tête[e] », mais combien il est préférable « d'oindre sa tête de myrrhe[f] » ; de plus, « se reposer sur sa poitrine[g] », quelle supériorité cela suppose[2] ! Fournir les raisons de chacun de ces degrés, adapter ces explications, les unes aux commençants, les autres à ceux qui progressent déjà dans la foi au Christ, les autres à ceux qui sont déjà parfaits dans sa connaissance et son amour, c'est « dépecer le jeune taureau membre à membre ».

En outre, celui qui sait montrer quels ont été les débuts de la Loi, quel progrès s'y ajouta chez les prophètes, enfin quelle plénitude de perfection se trouve dans les Évangiles ; ou qui peut enseigner avec quel « lait » de la parole on doit nourrir « les tout petits » dans le Christ, avec quel « légume » de la parole revigorer « ceux qui sont faibles dans

In Jo. 1, 4, 23, *SC* 120, p. 70, tr. C. Blanc. La traductrice note : « Au livre 32, 20 et 21, Origène expliquera que Jean reposait dans le Verbe et ses mystères d'une manière analogue à celle dont le Fils repose dans le sein du Père, puis, qu'il vaut mieux se renverser sur la poitrine que reposer dans le sein de Jésus. »

quis etiam sit *cibus solidus et fortis*[h], quo impinguandi sint athletae Christi; qui haec singula novit spiritali
40 ratione dividere, potest huiusmodi doctor ille sacerdos videri, qui *imponit super altare holocaustum per membra divisum.*

Addit et *ligna* altari[i], quo ignis animetur et ardeat, is, a quo non solum de corporalibus virtutibus Christi, sed
45 etiam de divinitate eius sermo miscetur. Desursum enim est divinitas Christi, quo ignis iste festinat. Convenienter ergo omnia haec, quae in corpore a Salvatore gesta sunt, caelestis ignis absumpsit et ad divinitatis eius naturam cuncta restituit. Lignis tamen adhibitis ignis iste succen-
50 ditur; usque ad lignum enim in carne passio fuit Christi. Ubi autem suspensus in ligno est, dispensatio carnis finita est; resurgens enim a mortuis adscendit ad caelum, quo iter eius natura ignis ostendit. Unde et Apostolus dicebat quia : *Et si cognovimus Christum secundum*
55 *carnem, sed nunc iam non novimus*[j]. Holocaustum namque carnis eius per lignum crucis oblatum terrena caelestibus et divinis humana sociavit.

Interanea sane *cum pedibus aqua dilui*[k] iubet sermo praecepti sacramentum baptismi sub figurali praedicatione

4 h. Cf. Hébr. 5, 12.14 ; Rom. 14, 1.2 || i. Cf. Lév. 1, 6-8 || j. II Cor. 5, 16 || k. Cf. Lév. 1, 9

---

1. Le parallèle est à noter : trois étapes de l'histoire de la révélation dans l'Écriture ; trois degrés de l'instruction, de l'éducation, de la vie chrétienne par assimilation de cette Écriture. La même pédagogie divine est à l'œuvre dans la conduite de l'histoire sainte et dans la formation de l'âme individuelle à la sainteté. Mais, reconnu çà et là, le thème du développement historique reste peu élaboré, tandis que celui du progrès de l'âme est plus riche d'aspects et inlassablement repris, cf. *hom.* 5, 7. Voir H. de Lubac, *HE*, p. 246-258.

2. Cette absorption est le contraire d'un anéantissement : « Celui que nous croyons avec conviction être dès l'origine Dieu et Fils de

la foi », et quelle « nourriture solide et forte[h] » met en forme les athlètes du Christ[1] : celui qui sait distinguer chacun de ces degrés par une explication spirituelle, un pareil docteur peut être considéré comme ce prêtre qui « dispose sur l'autel l'holocauste dépecé membre à membre ».

Le feu et le bois

On ajoute « du bois » sur l'autel[i] pour aviver l'ardeur du feu quand on traite non des seuls actes de puissance corporels du Christ, mais conjointement de sa divinité. Car elle vient d'en haut la divinité du Christ qui active ce feu. En conséquence, tout ce que le Sauveur accomplit dans son corps, le feu céleste l'a absorbé et entièrement restitué à sa nature divine[2]. C'est bien par le bois que l'on dispose que ce feu s'embrase ; et c'est jusqu'au bois qu'eut lieu la passion du Christ dans sa chair. Mais dès qu'il fut suspendu au bois, l'économie de la chair a pris fin ; ressuscitant des morts, il est monté au ciel dont le feu, par sa nature, montre la route. De là ce que disait l'Apôtre : « Même si nous avons connu le Christ selon la chair, désormais nous ne le connaissons plus[j]. » En effet l'holocauste de sa chair grâce au bois de la croix a réuni la terre au ciel et l'humain au divin.

L'eau

Le texte du précepte enjoint de « laver dans l'eau les entrailles avec les pieds[k] », assurément pour annoncer par une prédiction figurée le sacrement du baptême. Car c'est laver ses

Dieu est, par le fait, le Logos en personne, la Sagesse en personne, la Vérité en personne. Et nous affirmons que son corps mortel et l'âme humaine qui l'habite ont acquis la plus haute dignité, non seulement par l'association, mais encore par l'union et le mélange avec lui et que, participant à sa divinité, ils ont été transformés en Dieu. » *CC* 3, 41, *SC* 136, p. 96 s. C'est donc bien Jésus tout entier, notre Grand Pontife, qui a traversé les cieux, cf. *Hébr.* 4, 14 ; cf. *hom.* 12, 1 début.

60 denuntians. Nam *interanea* diluit, qui conscientiam purgat; pedes abluit, qui consummationem suscipit sacramenti et scit quia *qui mundus est, non indiget nisi ut pedes lavet*[l] et quia *partem quis habere non potest cum Iesu, nisi laverit pedes eius*[m].

5. Verum si haec etiam ad moralem locum inclinare velis, habes et tu *vitulum*, quem offerre debeas. *Vitulus* est et quidem valde superbus caro tua; quam si vis munus Domino offerre, ut eam castam pudicamque custodias,
5 adduc eam *ad ostium tabernaculi*, id est ubi divinorum librorum suscipere possit auditum. *Masculinum* sit munus tuum, feminam nesciat, concupiscentiam respuat, fragilitatem refugiat, nihil dissolutum requirat aut molle. *Impone* etiam *manum tuam super hostiam* tuam, ut sit
10 accepta Domino, et iugula illam *contra Dominum*[a], hoc est impone ei continentiae frenum et manum disciplinae ne auferas ab ea, sicut imposuit manum carni suae ille, qui dicebat : *Macero corpus meum et servituti subicio, ne forte, cum aliis praedicavero, ipse reprobus efficiar*[b]. Et
15 iugula eam *contra Dominum*, mortificans sine dubio *membra* tua, *quae sunt super terram*[c]. Sed et *filii Aaron sacerdotis* offerant sanguinem eius[d]. Sacerdos in te est et filii eius mens quae in te est et sensus eius, qui merito sacerdos vel *filii sacerdotis* appellantur; soli enim sunt,
20 qui intelligant Deum et capaces sint scientiae Dei. Vult

4 l. Cf. Jn 13, 10 || m. Cf. Jn 13, 8
5 a. Cf. Lév. 1, 3 s. || b. I Cor. 9, 27 || c. Cf. Col. 3, 5 || d. Cf. Lév. 1, 6

---

1. Pour le « sens moral », cf. *Introd.*, p. 28 s.
2. Cf. p. 74, n. 1.
3. Comme les termes grecs qu'ils traduisent, *capax* et *capere* signifient le pouvoir de contenir ou de comprendre, expriment presque toujours chez Origène une aptitude spirituelle. Celle-ci relève de l'intériorité graciée : ici, de l'intelligence — nous traduisons

entrailles que de purifier sa conscience ; c'est laver ses pieds que de recevoir le plein effet du sacrement et de savoir que « celui qui est pur n'a besoin de laver que ses pieds[l] », et que « nul ne peut avoir de part avec Jésus s'il n'a lavé ses pieds[m] ».

Le sacrifice spirituel du chrétien

5. Mais si l'on veut en venir au sens moral[1], tu as, toi aussi, un jeune taureau que tu dois offrir. Ce jeune taureau, certes bien fougueux, c'est ta chair ; si tu veux l'offrir en présent au Seigneur, pour la garder chaste et pure, conduis-la « à l'entrée de la tente », c'est-à-dire là où elle puisse entendre la lecture des livres saints. Que ton présent soit « mâle », ignore la femme[2], repousse la concupiscence, se défie de sa faiblesse, ne cherche en rien la débauche ou la mollesse. « Impose ta main sur ta victime » pour qu'elle soit agréable au Seigneur ; égorge-la « devant le Seigneur[a] », c'est-à-dire impose lui le frein de la continence, n'écarte point d'elle la main de la discipline, comme il a imposé sa main à sa chair celui qui disait : « Je mortifie mon corps et le réduis en servitude, de peur qu'après avoir prêché aux autres, je ne sois moi-même disqualifié[b]. » Égorge-la « devant le Seigneur », n'hésitant point à mortifier tes « membres terrestres[c] ». De plus que « les fils du prêtre Aaron » offrent son sang[d]. Il y a en toi un prêtre et ses fils, l'esprit qui est en toi et ses sens (spirituels) ; ils méritent ces noms de prêtre et fils de prêtre, car ils sont les seuls à comprendre Dieu, à être capables de la science de Dieu[3]. La parole divine veut donc que tu offres

« esprit » pour garder le même genre que « prêtre » — avec ses sens spirituels ; ailleurs, du « cœur pur », *hom.* 16, 7. Elle concerne des réalités intelligibles : ici, la connaissance supérieure, la science de Dieu ; ailleurs, la présence de Dieu, Dieu lui-même, « capax Dei », *ibid.* Voir une liste d'autres exemples chez H. CROUZEL, *Connaissance*, p. 394 s.

ergo sermo divinus, ut rationabili sensu carnem tuam in castitate offeras Deo, secundum quod Apostolus dicit : *Hostiam vivam, sanctam, placentem Deo, rationabile obsequium vestrum*[e]. Et hoc est per sacerdotem vel filios
25 sacerdotis offerre sanguinem ad altare, cum et corpore et spiritu quis castus efficitur.

Sunt enim et alii, qui offerunt quidem holocaustum carnem suam, sed non per ministerium sacerdotis. Non enim scienter nec secundum legem quae in ore sacerdotis
30 est, offerunt, sed sunt quidem casti corpore, animo autem inveniuntur incesti. Aut enim gloriae humanae concupiscentia maculantur aut cupiditate avaritiae polluuntur aut invidiae ac livoris infelicitate sordescunt vel furentis odii et irae immanitate vexantur. Quicumque ergo tales
35 sunt, licet corpore casti sint, tamen non offerunt holocausta sua per manus et ministerium sacerdotis. Non est enim in iis consilium et prudentia, quae sacerdotio fungitur apud Deum, sed sunt ex illis *quinque virginibus stultis*, quae virgines quidem fuerunt et castitatem corporis
40 servaverunt, *oleum* autem caritatis et pacis et reliquarum virtutum *in vasis suis* condere nescierunt et idcirco exclusae sunt a thalamo sponsi[f]; quoniam sola carnis continentia ad altare dominicum non potest pervenire, si reliquis virtutibus et sacerdotalibus ministeriis
45 deseratur.

Et ideo qui haec legimus vel audimus, in utramque partem operam demus casti esse corpore, recti mente, mundi corde, moribus emendati, proficere in operibus,

5 e. Rom. 12, 1 || f. Cf. Matth. 25, 1 s.

à Dieu au sens spirituel ta chair dans la chasteté, selon l'expression de l'Apôtre : « en victime vivante, sainte, agréable à Dieu, c'est là votre culte spirituel[e] ». Et on offre le sang à l'autel par le prêtre ou les fils du prêtre quand on devient chaste de corps et d'esprit.

Il en est d'autres qui offrent bien leur chair en holocauste, mais non par le ministère du prêtre. Ce n'est pas en pleine connaissance, ni selon la Loi qui est dans la bouche du prêtre qu'ils l'offrent : ils sont chastes de corps, mais se trouvent incestueux d'esprit[1]. Ils sont, en effet, ou flétris par le désir de la gloire humaine, ou souillés par la convoitise de l'avarice, ou avilis par la tare de l'envie et de la jalousie, ou tourmentés par la fureur de la haine ou la férocité de la colère. Tous ceux qui sont tels, bien qu'ils soient chastes de corps, n'offrent pourtant pas leurs holocaustes par les mains et le ministère du prêtre. Il n'y a en eux ni la réflexion, ni la prudence qui s'acquittent d'un sacerdoce auprès de Dieu ; ils sont de ces « cinq vierges sottes » qui furent vraiment vierges et gardèrent la chasteté du corps, mais ne surent pas mettre en réserve, « dans leurs vases, l'huile » de la charité, de la paix et des autres vertus ; et elles furent exclues de la chambre nuptiale de l'époux[f] pour cette raison que la seule continence de la chair ne peut parvenir à l'autel du Seigneur si elle est séparée du reste des vertus et des ministères sacerdotaux.

C'est pourquoi, nous qui lisons ou entendons cela, appliquons-nous dans l'un et l'autre sens à être chastes de corps, droits d'esprit, purs de cœur, irréprochables de mœurs ; à progresser dans les bonnes œuvres, à être

1. « Il peut arriver qu'on garde la virginité du corps, mais qu'on connaisse ce mari pervers qu'est le diable, qu'on accueille dans son cœur les traits de la convoitise », *In Gen. hom.* 10, 4, *SC* 7 *bis*, p. 269, tr. L. Doutreleau.

vigilare in scientia, fide et actibus, gestis et intellectibus
50 esse perfecti, ut ad similitudinem hostiae Christi conformari
mereamur per ipsum Dominum nostrum Iesum Christum,
per quem Deo Patri omnipotenti cum Spiritu sancto est
gloria et imperium in saecula saeculorum. Amen[g].

5 g. Cf. I Pierre 4, 11 ; Apoc. 1, 6

vigilants dans la science, la foi et la conduite, à être parfaits dans les actes et les pensées, pour mériter de nous modeler à la ressemblance du Christ victime, par notre Seigneur Jésus-Christ lui-même, par qui est, à Dieu le Père tout-puissant avec le Saint-Esprit, « gloire et puissance pour les siècles des siècles. Amen[g] ».

HOMILIA II

De sacrificiorum ritu, hoc est de muneribus et sacrificiis salutaribus et pro peccatis; et quomodo *offert pontifex pro peccato suo* et pro peccato Synagogae vel pro anima, quae *ex populo terrae peccaverit non voluntate*[a].

1. Superior quidem de principiis Levitici disputatio edocuit nos legem sacrificiorum, quae munera appellantur, ut *si homo munus offerret* ex animalibus *id offerret*, id est *ex bobus vel ovibus, vel etiam capris; si vero ex avibus,* 5 *turturum par aut duos pullos columbinos adhiberet*[a].

Si vero anima offeret munus, similam offeret ex clibano, id est panes ex simila azymos aut similam oleo conspersam ex sartagine vel etiam a craticula. Si autem sacrificium offerat primitiarum, [*de primis frugibus,*] *ut simila sit* 10 *recens, id est nova* [*igni quoque eam torreri vult, medio fractam esse, ne multum minutum sit, quia primitiae sunt*] *et bene purgata sit. Oleum quoque et tus ut imponatur super eam, et sic offeratur*[b].

At vero si quis offerat *sacrificium salutare, ex bobus* 15 iubetur offerre, vel etiam *ex ovibus* sive *capris*[c] et exceptis his nullum aliud sacrificii genus substituitur in salutaribus hostiis.

Tit. a. Cf. Lév. 4, 3.27

1 a. Cf. Lév. 1, 2.10.14 || b. Cf. Lév. 2, 1.4.5.14.15 || c. Cf. Lév. 3, 1.6.12

II

< OBLATION. SACRIFICE DE SALUT. SACRIFICE POUR LE PÉCHÉ >

Rite sacrificiel des offrandes et des sacrifices de salut et pour les péchés ; manière dont « le pontife fait l'offrande pour son péché » et pour le péché de la communauté, ou pour une âme « du peuple de la terre, qui pèche sans le vouloir[a] ».

Loi des offrandes et des sacrifices

1. L'examen précédent du début du *Lévitique* nous a enseigné la loi des sacrifices qu'on appelle offrandes : « Si un homme présente une offrande, qu'il la fasse avec du bétail, soit des taureaux ou des brebis, ou encore des chèvres... S'il s'agit d'oiseaux, qu'il offre une paire de tourterelles ou deux petits de colombes[a]. »

« Si une âme présente une offrande, elle offrira de la fleur de farine cuite au four, c'est-à-dire des pains azymes faits de fleur de farine, ou de la fleur de farine pétrie à l'huile, cuite à la poêle ou encore sur le gril... Mais si elle offre un sacrifice de prémices — premiers fruits de la terre —, que la fleur de farine soit fraîche, c'est-à-dire nouvelle — on la veut aussi grillée au feu, rompue par le milieu pour qu'elle ne soit pas trop réduite, car ce sont des prémices —, et qu'elle soit bien purifiée. Qu'on verse sur elle de l'huile et de l'encens, et qu'on la présente telle quelle[b]. »

Mais si l'on offre un sacrifice de salut, il est enjoint d'offrir des taureaux ou encore des brebis ou des chèvres[c], et hormis celles-là qu'on ne substitue aux victimes de salut aucune autre espèce de sacrifice.

Nam *pro peccatis non voluntariis* generaliter quidem *anima* iubetur offerre, sed post haec per diversas itur
20 variasque personas; et iubetur, *si quidem pontifex sit, qui deliquit et offert sacrificium pro peccato, ut vitulum* holocaustum *offerat*, sed non eo ritu quo illum pro munere obtulit. De hoc enim tantum *adipes et duos renes cum adipidibus suis et adipem, qui tegit interiora, imponet*
25 *super altare holocaustorum. De sanguine* quoque *eius intingens digitum suum respergit septiens contra Dominum, et linit ex eo cornua altaris incensi. Ceteras autem carnes cum corio et interaneis et stercore extra castra igni cremari* iubet *in loco mundo*[d]. Observandum sane est quod in
30 peccato pontificis non addidit legislator quia per ignorantiam aut non voluntate peccaverit. Neque enim cadere ignorantia poterat in eum, qui, ut ceteros doceret, provectus est.

Si autem *totius synagogae* peccatum fuerit, *vitulum*
35 nihilominus holocaustum synagoga iubetur offerre. Sed in peccato synagogae dicitur : *Si ignoraverit et latuerit verbum ab oculis synagogae, et fecerit unum ab omnibus mandatis Domini, quod non fiet*[e] ; unde apparet etiam *omnem synagogam* posse delinquere per ignorantiam. Quod
40 et Dominus confirmat in Evangeliis, cum dicit : *Pater, remitte illis ; non enim sciunt, quid faciunt*[f].

Quod si princeps fuerit, qui offert hostiam pro peccato, *hircum ex capris* iubetur offerre, non holocaustum, sed tantum ut *de sanguine* eius *imponat sacerdos super altare*
45 *et omnem adipem eius offerat in altari*, reliquum autem sacerdotibus remaneat ad edendum, *sanguine tantum ad basin altaris effuso*[g].

Si vero anima fuerit inquit *una quae offert pro peccato, capram feminam offerat*[h], ritu scilicet eodem, quo hircum

1 d. Cf. Lév. 4, 2-12 || e. Cf. Lév. 4, 13 || f. Lc 23, 34 || g. Cf. Lév. 4, 22-26 || h. Cf. Lév. 4, 27 s.

Pour « les péchés involontaires », il est prescrit en général que l'âme fasse une offrande, mais ensuite on énumère d'autres personnes différentes. On prescrit, « si c'est un pontife qui a péché et offre un sacrifice pour son péché, d'offrir un jeune taureau » en holocauste, mais avec un autre rite que lorsqu'on le présente en offrande. De l'animal, c'est seulement « la graisse, les deux reins avec leur graisse, et la graisse qui couvre les entrailles qu'il placera sur l'autel des holocaustes ». Et « trempant le doigt dans son sang, il fait sept aspersions devant le Seigneur, et il enduit de sang les cornes de l'autel de l'encens. Le reste de la chair avec la peau, les entrailles et les excréments », il ordonne « de les brûler hors du camp dans un lieu pur[d] ». A bien noter que, pour le péché du pontife, le législateur n'ajoute pas si c'est par ignorance ou sans le vouloir qu'il l'a commis. En effet, l'ignorance n'était pas de mise chez celui qui était promu à l'enseignement des autres.

S'il s'agit d'un péché « de toute la communauté », il est également prescrit qu'elle offre « un jeune taureau » en holocauste. Mais pour le péché de la communauté on ajoute : « si c'est par ignorance, et que le fait ait échappé aux yeux de la communauté, et que de tous les commandements du Seigneur elle en ait accompli un qui ne doit pas l'être[e] » ; d'où il apparaît aussi que toute la communauté peut pécher par ignorance. Ce que le Seigneur même confirme dans les Évangiles : « Père, pardonne-leur, car ils ne savent pas ce qu'ils font[f]. »

« Si c'est un chef » qui offre une victime pour son péché, on enjoint qu'il offre « un bouc du troupeau », mais non en holocauste ; que seulement « le prêtre en mette du sang sur l'autel et en offre toute la graisse sur l'autel », et que le reste soit laissé pour la nourriture des prêtres, « le sang seul étant répandu à la base de l'autel[g] ».

« Si c'est une âme qui fait une offrande pour son péché, qu'elle offre une chèvre[h] » ; à savoir, selon le même rite

50 superius diximus immolatum. *Quod si non valuerit* inquit *manus eius ad capram vel ad agnam, par turturum offeret aut duos pullos columbarum*[i]. *Quod si nec hoc inveniet, decimam partem ephi similaginis sine oleo et sine ture* mandatur *offerre*[j].

55 Haec quidem nobis singula priori lectione recitata sunt, verum explanatio eorum, quoniam tempore excludebamur, omissa est; de qua nunc paucis commonere studiosos quosque et eos, qui etiam praeteritarum meminerint lectionum, absurdum non puto, quamquam ad ea, 60 quae nuper recitata sunt, urgeamur.

2. Et primo velim videre, quae sit ista differentia, quod alia quidem *hominem* dicit offerre, alia *animam*, alia *pontificem*, alia *synagogam*, alia *unam animam ex populo terrae*[a].

5 Et puto quidem *hominem* illum debere intelligi, qui *ad imaginem et similitudinem*[b] Dei factus rationabiliter vivit. Hic ergo munus offert Deo *vitulum*, cum carnis superbiam vicerit; *ovem*, cum irrationabiles motus insipientesque correxerit; *haedum*, cum lasciviam superaverit. Offert 10 etiam *par turturum*, cum non fuerit solus, sed mentem suam Verbo Dei velut vero coniugi sociaverit, sicut hoc genus avium unum dicitur et castum servare coniugium. Offert etiam *duos pullos columbarum*[c], cum et ipse intellexerit mysterium, quo *oculi sponsae sicut columbae* dicuntur

1 i. Cf. Lév. 5, 7 || j. Cf. Lév. 5, 11

2 a. Cf. Lév. 1, 2 ; 2, 1 ; 4, 3.13.22.27 || b. Cf. Gen. 1, 26 || c. Cf. Lév. 1, 5.10.14

---

1. « Homme, âme » : les termes scripturaires sont pratiquement synonymes, à traduire « homme, personne ». Sur le sens que leur donne Origène, voir la note complémentaire 13.

2. Cf. PHILON, *De sacrif. Ab. et Cain* 45, cité *infra* p. 113, n. 1.

décrit plus haut pour l'immolation du bouc. « Si elle n'a pas de quoi se procurer une chèvre ou une agnelle, elle offrira une paire de tourterelles ou deux petits de colombes[i]. » « Que si elle ne peut en trouver, qu'elle offre un dixième d'épha de fleur de farine sans huile ni encens[j]. »

Tous ces détails nous ont été lus à la lecture précédente, mais leur explication, faute de temps, a été omise. En toucher ici quelques mots pour ceux qui s'y intéressent et ceux qui se souviennent encore des lectures passées n'est, je crois, pas déplacé, malgré notre hâte d'en venir à ce qu'on vient de lire.

Offrandes de l'homme

2. Et d'abord, je voudrais voir en quoi diffèrent ces offrandes que l'on prescrit respectivement à l'homme, à l'âme[1], au pontife, à la communauté, à une âme du peuple de la terre[a].

A mon avis, par homme on doit entendre celui qui, fait « à l'image et à la ressemblance[b] » de Dieu, vit spirituellement. Il présente en offrande à Dieu « un jeune taureau » quand il vainc l'orgueil de la chair ; « une brebis » quand il réforme ses mouvements déraisonnables et sots[2], « un bouc » quand il domine sa luxure[3]. Il offre encore « une paire de tourterelles » quand il n'est pas seul, mais a uni son âme au Verbe de Dieu comme à son époux véritable, à l'exemple de cette espèce d'oiseaux qui forment, dit-on, un seul couple chaste et fidèle[4]. Il offre enfin « deux petits de colombes[c] » quand il comprend dans quel sens mystérieux on dit : « Les yeux de l'épouse, comme des colombes auprès

3. Cf. *infra*, § 4 *ad fin.*, p. 110.

4. Parmi les tourterelles, dit-on, « le mâle ne s'unit jamais qu'avec une seule femelle, et la femelle ne se laisse approcher que par un seul mâle... Aussi la tourterelle est-elle une image de l'Église qui, depuis ses noces avec le Christ, ne connaît plus aucun homme », *In Cant.* II, *GCS* 8, p. 155, 16 s.

15 *ad plenitudines aquarum et collum eius sicut turturis*[d]. Haec ergo sunt hominis, secundum quod supra exposuimus, munera.

Animae autem munera longe inferiora describit. Anima haec neque *vitulum* habet neque *ovem* neque *haedum*, 20 quem offerat Deo; sed ne *par* quidem *turturum aut duos pullos* invenit *columbarum*. *Similam* tantum habet, ex ipsa *panes azymos offert a clibano*, ex ipsa *in sartagine* opus factum vel *in craticula oleo permixtum*[e]. Unde videtur mihi hic *anima* quae appellata est, homo ille, quem Paulus 25 *animalem hominem*[f] nominat, intelligendus; qui etiam si peccatis non urgeatur nec sit praeceps ad vitia, non tamen habet aliquid in se spiritale et quod figuraliter carnes Verbi Dei reputentur. Sic enim ipse de eo Paulus Apostolus dicit quia : *Animalis homo non percipit, quae* 30 *sunt Spiritus Dei. Stultitia enim est illi, et non potest intelligere quia spiritaliter diiudicatur. Spiritalis autem examinat omnia*[g]. Iste ergo, qui *anima* nominatur, non potest offerre omnia, quia examinare non potest omnia; sed offert solam *similam et panes azymos*, id est communem 35 hanc vitam, verbi gratia, in agricultura aut navigando aut in aliquibus communis vitae usibus positam; offert tamen etiam ipse munus Deo, licet solam *similam* dicatur *offerre oleo* tantum *conspersam*. Omnis enim anima eget oleo divinae misericordiae nec praesentem vitam evadere

2 d. Cf. Cant. 5, 12 ; 1, 10 || e. Cf. Lév. 2, 4 s. || f. Cf. I Cor. 2, 14 || g. I Cor. 2, 14-15

---

1. Cf. *hom.* 1, 5.

2. L'homme spirituel est supérieur à l'homme psychique par ses qualités, sa capacité, ses occupations. Il s'occupe de Dieu et de ses mystères, autant dire de la vraie philosophie. En regard, « les métiers de la vie civile, de soldat, d'avocat, de juristes sont de faux biens » (GRÉGOIRE LE THAUMATURGE, *Remerciement à Origène* 6, *SC* 148, p. 75-80). Relativement, bien sûr. Entre la noble recherche

des eaux débordantes » et « son cou, comme celui de la tourterelle[d] ». Voilà, comme on l'a exposé plus haut[1], les offrandes de l'homme.

Offrande de l'âme A l'âme, on fixe des présents bien inférieurs. L'âme en question n'a ni jeune taureau, ni brebis, ni chevreau à offrir à Dieu ; elle ne trouve même pas une paire de tourterelles ou deux petits de colombes. Elle a seulement de « la fleur de farine » dont elle offre « des pains azymes cuits au four », un gâteau cuit « à la poêle » ou « sur le gril, arrosé d'huile[e] ». D'où, me semble-t-il, ce qu'on appelle ici « âme » doit s'entendre de celui que Paul appelle « l'homme animal[f] » ; lequel, même s'il n'est point chargé de péchés ni enclin aux vices, n'a pourtant rien en lui de spirituel qui symbolise la chair du Verbe de Dieu. En effet, l'apôtre Paul lui-même déclare : « L'homme animal n'accueille pas ce qui est de l'Esprit de Dieu. C'est folie pour lui et il ne peut le connaître, car c'est spirituellement qu'on en juge. Mais le spirituel juge tout[g]. » Celui donc qui est nommé « l'âme » ne peut tout offrir, car il ne peut tout juger ; il offre simplement « de la fleur de farine et des pains azymes », c'est-à-dire cette vie ordinaire, vouée par exemple au travail des champs, à la navigation, à des occupations de la vie ordinaire[2] ; toutefois même lui présente son offrande à Dieu, bien qu'on dise qu'il n'offre que de « la fleur de farine arrosée d'huile ». Car toute âme a besoin de l'huile de la miséricorde divine, et nul ne peut

intellectuelle et la satisfaction du plaisir corporel, il y a place pour la recherche du bien commun ; il faut chercher à y pourvoir, travailler à servir l'État, obéir aux magistrats, faire tout ce qui semble contribuer à l'utilité commune, *De princ.* 2, 11, 1, *SC* 252, p. 394 s. Il y a place pour les modestes travaux ici mentionnés. Et c'est à tous les hommes qu'est donnée l'intelligence. Chez ceux qui n'étudient pas « les mystères divins et la philosophie », sous l'urgence des besoins de la vie et de la société, elle trouve son emploi dans l'invention et la pratique des arts et des techniques, rôle civilisateur qui réalise le dessein de Dieu, cf. *CC* 4, 76, 5 s., *SC* 136, p. 374 s.

40 quispiam potest, nisi ei oleum caelestis miserationis adfuerit.

Secundo in loco *primitiarum*[h], id est de initiis frugum mandatur oblatio. Quod, si bene meministis, in die Pentecostes fieri lex iubet[i]. In quo illis plane *umbra* data 45 est[j], nobis autem veritas reservata est. In die enim Pentecostes oblato orationum sacrificio primitias advenientis *sancti Spiritus*[k] Apostolorum suscepit Ecclesia. Et vere haec fuerunt recentia, quia erat novum; unde et *musto repleti* dicebantur[l]. *Igni tosta.* Igneae namque 50 linguae supra singulos consederunt[m]. *Et medio fracta.* Frangebantur enim media, cum littera separabatur ab spiritu. *Et bene purgata*[n]. Purgat namque omnes sordes praesentia sancti Spiritus remissionem tribuens peccatorum. Oleum quoque misericordiae huic sacrificio infunditur 55 et tus suavitatis, per quod *Christi bonus odor* efficimur[o].

Post haec de sacrificiis salutaribus dicit, quae ex animalibus, id est *bobus* vel *capris atque ovibus*, offeruntur[p], et nihil his ultra substituitur ad immolandum, sed ne aves quidem, quae superius in offerendis muneribus fuerant 60 substitutae. Iste enim, qui salutares hostias offert, sine dubio iam suae salutis est conscius; et ideo qui ad salutem pervenit, necesse est, ut quae magna et perfecta sunt offerat. Sic enim et Apostolus dicit : *Perfectorum autem est cibus solidus*[q].

2 h. Cf. Lév. 2, 14 || i. Cf. Ex. 23, 16 ; Deut. 16, 9 s. || j. Cf. Hébr. 10, 1 || k. Cf. Act. 2, 4 || l. Cf. Act. 2, 13 || m. Cf. Act. 2, 3 || n. Cf. Lév. 2, 14 || o. Cf. II Cor. 2, 15 || p. Cf. Lév. 3, 1 s. || q. Hébr. 5, 14

échapper à la vie présente s'il est privé de l'huile de la miséricorde céleste.

Offrande des prémices En second lieu est prescrite l'offrande des prémices[h], des premiers fruits de la terre. La Loi, si vous vous souvenez bien, ordonne de la faire le Jour de la Pentecôte[i]. Ce jour-là, aux Juifs sans doute l'ombre fut donnée[j], mais c'est à nous que la vérité fut réservée. Car au jour de la Pentecôte, après l'offrande du sacrifice des prières, l'Église des apôtres reçut les prémices « du Saint-Esprit » à sa venue[k]. Ce furent en vérité des offrandes fraîches, parce que c'était chose nouvelle ; aussi disait-on les apôtres « remplis de vin doux[l] ». « Grillées au feu », car des langues de feu se posèrent sur chacun d'eux[m]. « Rompues par le milieu », car on les rompait par le milieu quand on séparait la lettre de l'esprit. « Et bien purifiées[n] », car la présence du Saint-Esprit purifie toutes les souillures en accordant la rémission des péchés. Sur ce sacrifice on répand aussi l'huile de la miséricorde[1] et l'encens de la suavité, par quoi nous devenons « la bonne odeur du Christ[o] ».

Sacrifices de salut Ensuite, il est question des sacrifices de salut qui consistent à offrir du bétail, taureaux, ou chèvres et brebis[p], sans rien leur substituer d'autre pour l'immolation, pas même des oiseaux qui plus haut, dans l'offrande des présents, leur avaient été substitués. En effet, offrir des victimes de salut est sans aucun doute être déjà conscient de son salut ; c'est pourquoi parvenir au salut oblige nécessairement à faire une offrande grande et parfaite. Dans ce sens l'Apôtre dit : « Les parfaits, eux, ont la nourriture solide[q]. »

1. Sur l'huile évoquant la miséricorde, cf. *hom.* 4, 9 début, et 10, 37. « L'huile s'entend partout dans les Écritures ou de l'œuvre de miséricorde... ou de la doctrine... », *In Matth. ser.* 77, *GCS* 11, p. 185, 2 s.

65 Dehinc ad offerendas pro peccatis victimas sacrificiorum ordo dirigitur, in quo et secundo dicitur : *Locutus est Dominus ad Moysen dicens: anima quaecumque peccaverit coram Domino non voluntate*[r]. Recte *animam* dicit, quam peccare describit; non enim spiritum vocasset, quem 70 diceret peccaturum; sed ne hominem quidem hunc diceret, in quo nequaquam *imago Dei*[s] peccato interveniente constaret. Non est ergo spiritus ille, qui peccat; *Fructus enim Spiritus* — ut describit Apostolus — *caritas est, gaudium, pax, patientia*[t], et cetera his similia, qui etiam 75 *fructus vitae* appellantur. Denique et alibi dicit : *Qui seminat in carne, de carne metet corruptionem; et qui seminat in spiritu, de spiritu metet vitam aeternam*[u]. Quoniam ergo alius est, qui seminat et alius est, in quo seminatur, seminatur autem vel *in carne*, cum peccatur, ut metatur 80 *corruptio*, vel *in spiritu*, cum secundum Deum vivitur, ut metatur *vita aeterna*, constat animam esse, quae vel *in carne* vel *in spiritu seminat*, et illam esse, quae vel in peccatum ruere possit vel converti a peccato. Nam corpus sequela eius est ad quodcumque delegerit; et spiritus dux 85 eius est ad virtutem, si eum sequi velit.

3. Sed haec generaliter dicta sunt; nunc vero per species dividuntur. *Si pontifex* inquit, *qui unctus est, peccaverit, ut populum faceret peccare, offeret pro peccato suo vitulum de bobus sine macula Domino*[a]. Terror simul et misericordia 5 in divinis legibus ostentatur. Itane tandem nihil tutum est, ne pontifex quidem ? et qui pontifex ? Ipse, qui unctus est, ipse, qui sacris ignibus divina succendit altaria, qui Deo munera et salutares hostias immolat; qui inter Deum et homines medius quidam repropitiator intervenit,

2 r. Lév. 4, 1-2 || s. Cf. Gen. 1, 26 || t. Gal. 5, 22 || u. Gal. 6, 8
3 a. Lév. 4, 3

Sacrifices pour les péchés de l'âme

Puis, l'exposé fixe les victimes à offrir dans les sacrifices pour les péchés, et pour la seconde fois il y est dit : « Le Seigneur parla à Moïse en ces termes : Toute âme qui pèche devant le Seigneur sans le vouloir[r]. » C'est avec raison qu'on appelle « âme » l'auteur désigné du péché ; en effet on n'aurait pu nommer esprit celui dont on dirait qu'il va pécher ; ni même appeler homme celui en qui ne subsisterait plus du tout « l'image de Dieu[s] » si le péché survenait. Ce n'est donc pas l'esprit qui pèche : « Car le fruit de l'Esprit, précise l'Apôtre, est charité, joie, paix, patience[t] » et autres vertus semblables encore appelées « fruits de vie ». Enfin, il dit ailleurs encore : « Qui sème dans la chair, de la chair récoltera la corruption ; qui sème dans l'esprit, de l'esprit récoltera la vie éternelle[u]. » Donc, autre étant qui sème et autre qui est ensemencé — car on sème ou « dans la chair » quand on pèche pour récolter « la corruption », ou « dans l'esprit » quand on vit selon Dieu pour récolter « la vie éternelle » —, il est bien clair que c'est l'âme qui sème ou « dans la chair » ou « dans l'esprit », et que c'est elle qui peut ou se jeter dans le péché ou se convertir du péché. Car le corps la suit en tout ce qu'elle choisit ; et l'esprit est son guide vers la vertu si elle veut le suivre.

Le pontife

3. Ce sont là des indications générales ; voici la distinction par espèces : « Si le pontife, consacré par l'onction, pèche et entraîne ainsi le peuple à pécher, il offrira au Seigneur pour son péché un jeune taureau, pièce de gros bétail sans tache[a]. » Terreur et miséricorde émanent ensemble des lois divines. Eh quoi ! en fin de compte rien n'est-il à l'abri, pas même le pontife ? Et quel pontife ? Lui que consacra l'onction, lui qui embrase de feux sacrés les divins autels, qui sacrifie à Dieu les offrandes et les victimes salutaires ; qui, médiateur entre Dieu et les hommes s'interpose en propitiateur,

10 ne iste, inquam, ipse immunis manet a contagione peccati. Sed vide misericordiam Dei et plenius eam Paulo docente cognosce. Ipse enim ad Hebraeos scribens dicit : *Omnis namque pontifex ab hominibus adsumptus pro hominibus constituitur ad offerendas hostias Deo*[b], et paulo post :
15 *Lex* inquit *homines constituit sacerdotes infirmitatem habentes*[c], ut possint sicut pro sua, ita etiam pro populi infirmitate offerre. Vides ergo dispensationem divinae sapientiae. Sacerdotes statuit, non eos, qui omni modo peccare non possent — alioquin non essent homines —,
20 sed eos, qui imitari quidem debeant illum, *qui peccatum non fecit*[d], *offerre autem hostias primo pro suis, post etiam pro populi delictis*[e]. Sed quid praecipue in huiusmodi sacerdote mirandum est ? Non, ut non peccet — quod fieri non potest — sed ut agnoscat et intelligat peccatum
25 suum. Numquam enim emendat, qui peccasse se non putat. Simul quia et facilius potest indulgere peccantibus is, qui alicuius infirmitatis suae conscientia remordetur.

Quae est autem oblatio sacerdotis *pro peccato? Vitulus* inquit *ad holocaustum*[f]. Secundo invenimus offerri a
30 pontifice *vitulum in holocaustum* semel pro munere, semel *pro peccato*. Sed ille, qui offertur in munere, *super* holocausti *altare* consumitur[g]. Qui vero *pro peccato*, *extra castra cum corio et interaneis ac stercore in loco mundo* iubetur exuri adipibus solis in altari oblatis et renibus[h]. Quae singula
35 dividere ac discernere quamvis et supra nostras vires sit

3 b. Hébr. 5, 1 || c. Hébr. 7, 28 || d. Cf. I Pierre 2, 22 || e. Cf. Hébr. 7, 27 || f. Cf. Lév. 4, 3.7 || g. Cf. Lév. 1, 3.5 || h. Cf. Lév. 4, 3.12.11.9

1. A rapprocher de ce qui se dit des « princes du peuple », ou chefs de l'Église ! « Non seulement ils sont accusés de leurs propres

pas même lui, dis-je, ne reste exempt de l'infection du péché. Mais vois plutôt la miséricorde de Dieu, apprends de la doctrine de Paul à mieux la connaître. Écrivant aux Hébreux, il déclare : « Car tout pontife, pris d'entre les hommes, est établi en faveur des hommes pour offrir des sacrifices à Dieu[b]. » Et, peu après : « La Loi établit prêtres des hommes sujets à la faiblesse[c] », afin qu'ils puissent, tant pour leur faiblesse que pour celle du peuple, offrir des sacrifices[1]. Tu vois donc l'économie de la sagesse divine. Elle institue prêtres non point ceux qui ne pourraient pécher d'aucune manière — sinon, ce ne seraient pas des hommes —, mais ceux qui doivent certes imiter celui « qui n'a point fait de péché[d] », et pourtant « offrir des sacrifices d'abord pour leurs fautes, ensuite pour celles du peuple[e] ». Mais que doit-on surtout admirer chez un tel prêtre ? C'est, non pas qu'il ne pèche point — chose impossible —, mais qu'il reconnaisse et comprenne son péché. Car jamais ne se corrige celui qui pense n'avoir pas péché. C'est, en même temps, que peut plus facilement pardonner aux pécheurs celui que tenaille la conscience d'une faiblesse personnelle.

Double aspect du sacrifice du Christ

Or quelle est l'offrande du prêtre « pour le péché » ? « Un jeune taureau en holocauste[f] ». Deux fois nous trouvons un jeune taureau offert en holocauste par le pontife, une fois en offrande, une fois pour le péché. Mais celui qui est présenté en offrande est consumé « sur l'autel » de l'holocauste[g]. Quant à celui qui est « pour le péché », on ordonne de le brûler « hors du camp avec sa peau, ses entrailles et ses excréments dans un lieu pur », offrant sur l'autel seulement les graisses et les reins[h]. Bien que l'examen séparé et en détail de chacun de ces traits soit au-dessus de nos forces et de votre enten-

fautes, mais ils sont obligés de rendre compte des péchés du peuple », *In Num. hom.* 20, 4, *GCS* 7, p. 196, 17.

et supra auditum vestrum, tamen aliquas vobis ad intelligendum occasiones conquirere atque in medium proferre temptabimus.

Vide ergo ne forte Iesus, quem Paulus dicit *pacificasse*
40 per sanguinem suum *non solum quae in terris, sed et quae in caelis sunt*[i], idem ipse sit vitulus, qui *in caelis* quidem non *pro peccato*, sed pro munere oblatus est, *in terris* autem, ubi *ab Adam usque ad Moysen regnavit*[j] peccatum, oblatus sit *pro peccato*. Et hoc est passum esse *extra castra*[k],
45 extra illa, opinor, castra, quae viderat Iacob, angelorum Dei castra caelestia, de quibus scriptum est in Genesi : *Et suspiciens Iacob vidit castra Dei in apparatu, et occurrerunt illi angeli Dei, et dixit Iacob, cum videret eos : castra Dei sunt haec*[l]. Extra illa ergo castra caelestia est omnis,
50 in quo habitamus nos, locus iste terrenus, in quo in carne passus est Christus.

Quod vero dicit quia *cum stercore* exuritur *et interaneis*[m], vide, ne forte ad comparationem caelestium corporum corpus istud humanae naturae stercus figuraliter appelletur.
55 Terra enim est et de terra sumptum[n]. Sed et cophinus ille stercoris, qui ad radices succidendae ficulneae mittitur[o], quid aliud quam mysterium susceptae in corpore dispensationis ostendit ? Nec tamen ei interanea deesse dicuntur. Quamvis enim vilem *servi gesserit formam*[p], *plenitudo*
60 *tamen in eo divinitatis habitabat*[q].

Haec quamvis audacter discussa sint, tamen fidelium quorumque nutriri semper ad maiora debet auditus.

3 i. Cf. Col. 1, 20 ‖ j. Cf. Rom. 5, 14 ‖ k. Cf. Lév. 4, 12 ; Hébr. 13, 12 ‖ l. Gen. 32, 1-2 ‖ m. Cf. Lév. 4, 11 ‖ n. Cf. Gen. 3, 19 ‖ o. Cf. Lc 13, 7 ‖ p. Cf. Phil. 2, 7 ‖ q. Col. 2, 9

---

1. Le mystère échappe à l'étreinte de la raison humaine et déborde l'imaginaire. Origène l'avoue. A partir de deux autres rites, « pour le péché », et « en offrande », va-t-il affirmer autre chose que ceci : le Christ est présenté en holocauste, et sur terre pour effacer les

dement, nous tenterons pourtant de chercher avec vous des occasions de comprendre et d'en faire l'exposé[1].

Est-ce que peut-être Jésus qui, au dire de Paul, par son sang « a pacifié non seulement ce qui est sur terre mais encore ce qui est au ciel[i] », ne serait justement pas ce jeune taureau qui a été présenté « au ciel », non « pour le péché » mais en offrande, mais qui « sur terre », où le péché « a régné depuis Adam jusqu'à Moïse[j] », a été offert « pour le péché »? Et c'est là avoir souffert « hors du camp[k] » : hors de ce camp, je pense, qu'avait vu Jacob, le camp céleste des anges de Dieu, dont il est écrit dans la *Genèse* : « Levant les yeux, Jacob vit le camp de Dieu en grand apparat ; les anges de Dieu vinrent à sa rencontre, et Jacob dit à leur vue : C'est le camp de Dieu[l]. » C'est donc hors de ce camp céleste que se trouve tout ce lieu terrestre que nous habitons, où le Christ a souffert dans sa chair.

Puis, dans l'expression : « il est brûlé avec les excréments et les entrailles[m] », n'est-ce point par comparaison avec les corps célestes que le pauvre corps de sa nature humaine reçoit au sens figuré le nom d'excrément? Car il est terre et pris à la terre[n]. De plus, cette corbeille de fumier mise aux racines du figuier qui devait être coupé[o], qu'indique-t-elle d'autre que le mystère de l'économie assumée dans son corps? Et d'ailleurs on ne dit pas que les entrailles lui manquent. Car bien qu'il ait « pris la forme » vile « de l'esclave[p] », cependant « habitait en lui la plénitude de la divinité[q] ».

Voilà une interprétation sans doute audacieuse ; mais l'entendement de tous les auditeurs doit être nourri pour

péchés, et au ciel « en offrande », ou, pourrait-on dire à sa façon de jouer sur les mots (ici, *munus*), pour exercer sa fonction, poursuivre son rôle de Médiateur, que rappelle la citation paulinienne, par son intercession, après la souffrance, dans la gloire ? Cf. *hom.* 1, 5 et la note complémentaire 12.

Eadem quoque etiam de synagogae vitulo[r] accipienda sunt.

4. In morali autem loco potest pontifex iste sensus pietatis et religionis videri, qui in nobis per orationes et obsecrationes, quas Deo fundimus, velut quodam sacerdotio fungitur. Hic si in aliquo deliquerit, omnem continuo, 5 qui intra nos est, bonorum actuum *peccare populum facit*[a]. Neque enim recti operis aliquid gerimus, cum in pravum declinaverit dux bonorum operum sensus, et ideo ad huius emendationem non qualiscumque hostia, sed ipsius *saginati vituli*[b] requiritur sacrificium. Similiter et synagogae 10 culpa, hoc est omnium, quae intra nos sunt, virtutum emendatio non aliter quam ex Christi mortificatione reparatur.

Si vero princeps inquit *peccaverit, hircum offeret ex capris*[c]. Princeps iste potest videri vis rationis, quae intra 15 nos est. Quae si peccet in nobis et stultum aliquid agamus, pertimescenda nobis est illa sententia Salvatoris, quae dicit : *Vos estis sal terrae. Si autem sal infatuatum fuerit, ad nihilum valet, nisi ut proiciatur foras et conculcetur ab hominibus*[d]. Habet ergo et iste hostiam suam.

20 Sed et *anima* inquit *una, si peccaverit, capram feminam* similiter *offeret*[e], secundum illam substitutionem hostiarum, quam superius memoravimus.

Sed fortasse dicant auditores Ecclesiae : melius fere agebatur cum antiquis quam nobiscum, ubi oblatis diverso 25 ritu sacrificiis peccantibus venia praestabatur. Apud nos una tantummodo est venia peccatorum, quae per lavacri gratiam in initiis datur; nulla post haec peccanti miseri-

3 r. Cf. Lév. 4, 13
4 a. Cf. Lév. 4, 3 || b. Cf. Lc 15, 23 || c. Cf. Lév. 4, 22-23 || d. Matth. 5, 13 || e. Lév. 4, 27-28

s'élever toujours davantage. La même interprétation vaut encore du jeune taureau offert pour la communauté[r].

Au sens moral

4. Au sens moral, on peut voir dans ce pontife le sentiment de piété et de religion qui, par nos prières et nos supplications répandues devant Dieu, s'acquitte en nous d'une sorte de sacerdoce. Tombe-t-il en quelque faute, d'emblée il entraîne au péché tout le peuple[a] des actes bons qui est en nous. Car nous ne faisons pas la moindre action droite lorsque ce sentiment, guide des bonnes actions, a dévié vers le mal ; aussi sa réforme exige-t-elle, non une victime quelconque, mais le sacrifice « du veau gras[b] » lui-même. Pareillement, la réparation de la faute de la communauté, soit la réforme de toutes les vertus qui sont en nous, ne peut être procurée autrement que par la mise à mort du Christ.

« Si c'est un chef qui pèche, il offrira un bouc du troupeau[c]. » On peut voir dans ce chef la force de la raison qui est en nous. Si elle pèche en nous et nous inspire une action sotte, nous devons redouter cette sentence du Sauveur : « Vous êtes le sel de la terre. Mais si le sel devient fade, il n'est bon qu'à être jeté dehors et foulé par les hommes[d]. » Donc pour ce chef aussi, il y a une victime.

De plus, « si c'est une âme qui pèche, elle offrira une chèvre[e] » de la même façon, suivant cette substitution de victimes rappelées plus haut.

Pour le pardon divin sept voies nouvelles

Mais les auditeurs de l'Église disent peut-être : les anciens étaient bien plus favorisés que nous ; chez eux des sacrifices offerts selon divers rites procuraient le pardon aux pécheurs. Chez nous, il n'y a qu'un seul pardon des péchés, donné au début par la grâce du baptême[1] ; ensuite, nulle miséricorde, nul pardon

1. Formule traditionnelle, déjà dans HERMAS, *Mand.* 2, 4 ; CLEM. ALEX., *Paed.* I, 6, 30.

cordia nec venia ulla conceditur. Decet quidem districtioris esse disciplinae Christianum, *pro quo Christus mortuus est*[f].
30 Pro illis oves, hirci, boves iugulabantur et aves et simila conspergebatur; pro te Dei Filius iugulatus est et iterum te peccare delectat ? Et tamen, ne tibi haec non tam erigant animos pro virtute quam pro desperatione deiciant, audisti, quanta sint in lege sacrificia pro peccatis; audi
35 nunc, quantae sint remissiones peccatorum in Evangeliis.

Est ista prima, qua baptizamur *in remissionem peccatorum*[g]. Secunda remissio est in passione martyrii. Tertia est, quae per eleemosynam datur; dicit enim Salvator : *Verum tamen date quae habetis et ecce, omnia munda sunt*
40 *vobis*[h]. Quarta nobis fit remissio peccatorum per hoc, quod et nos remittimus peccata fratribus nostris; sic enim dicit ipse Dominus et Salvator quia : *Si remiseritis fratribus vestris ex corde peccata ipsorum, et vobis remittet Pater vester peccata vestra. Quod si non remiseritis fratribus vestris*
45 *ex corde, nec vobis remittet Pater vester*[i], et sicut in oratione nos dicere docuit : *Remitte nobis debita nostra, sicut et nos remittimus debitoribus nostris*[j]. Quinta peccatorum remissio est, cum *converterit quis peccatorem ab errore viae suae*. Ita enim dicit Scriptura divina quia *qui converti fecerit*
50 *peccatorem ab errore viae suae, salvat animam a morte, et cooperit multitudinem peccatorum*[k]. Sexta quoque fit remissio per abundantiam caritatis, sicut et ipse Dominus

4 f. Cf. Rom. 14, 15 || g. Cf. Mc 1, 4 || h. Lc 11, 41 || i. Matth. 6, 14.15 || j. Matth. 6, 12 || k. Jac. 5, 20

---

1. « Souvenez-vous aussi des fautes que vous avez commises et qu'il n'est pas possible d'obtenir, sans le baptême, la rémission des péchés, et encore que selon les lois évangéliques on ne peut être baptisé d'eau et d'Esprit, mais que nous est accordé le baptême du martyre... », *Exhort. ad mart.* 30, *GCS* 1, p. 26, 20 s. « Les liens des péchés seront brisés non seulement par le divin baptême, mais encore

ne sont accordés au pécheur. Certes, une discipline plus rigoureuse sied au chrétien « pour qui le Christ est mort[f] ». Pour ceux-là, brebis, boucs, taureaux et oiseaux étaient égorgés, de la fleur de farine était pétrie ; pour toi, le Fils de Dieu fut égorgé, et de nouveau tu prends plaisir à pécher ? Cependant, évitons que ce rappel ne serve moins à stimuler ton courage pour la vertu qu'à te jeter dans le désespoir. Tu viens d'entendre combien de sacrifices pour les péchés mentionne la Loi ; écoute à présent combien de rémissions des péchés offrent les Évangiles.

Il y a la première, quand nous sommes baptisés « pour la rémission des péchés[g] ». Une seconde rémission existe dans la souffrance du martyre[1]. Une troisième est accordée grâce à l'aumône[2] ; car le Sauveur déclare : « Donnez plutôt ce que vous avez et voici que tout est pur pour vous[h]. » Une quatrième rémission des péchés nous vient du fait que nous aussi nous remettons les péchés à nos frères ; c'est l'affirmation du Seigneur et Sauveur lui-même : « Si vous remettez de bon cœur à vos frères leurs péchés, à vous aussi votre Père remettra vos péchés. Si vous ne les remettez pas de bon cœur à vos frères, à vous non plus votre Père ne les remettra pas[i]. » Et de même, il nous a enseigné à dire dans la prière : « Remets-nous nos dettes, comme nous aussi nous remettons à nos débiteurs[j]. » Une cinquième rémission des péchés a lieu quand « on ramène un pécheur de la voie où il s'égarait ». La divine Écriture l'affirme : « Celui qui ramène un pécheur de la voie où il s'égarait sauve son âme de la mort et couvrira une multitude de péchés[k]. » Une sixième rémission aussi s'opère par l'abondance de la charité, au dire même du

par le martyre enduré pour le Christ et par les larmes de la pénitence », *Sel. in Ps.* 115, 8, *PG* 12, 1572 D.

2. « Comme le bain d'eau salutaire éteint la flamme de la géhenne, de même l'aumône et l'œuvre de justice apaisent la flamme des péchés », CYPRIEN, *De oper. et eleem.* 2, *CCL* III A, p. 55.

dicit : *Amen, dico tibi, remittuntur ei peccata sua multa, quoniam dilexit multum*[l], et Apostolus dicit : *Quoniam*
55 *caritas cooperit multitudinem peccatorum*[m]. Est adhuc et septima, licet dura et laboriosa, per paenitentiam remissio peccatorum, cum lavat peccator *in lacrimis stratum*[n] suum et fiunt ei *lacrimae* suae *panes die ac nocte*[o], cum non erubescit sacerdoti Domini indicare peccatum et
60 quaerere medicinam, secundum eum, qui ait : *Dixi: pronuntiabo adversum me iniustitiam meam Domino, et tu remisisti impietatem cordis mei*[p]. In quo impletur et illud, quod Iacobus Apostolus dicit : *Si qui autem infirmatur, vocet presbyteros Ecclesiae, et imponant ei manus ungentes*
65 *eum oleo in nomine Domini. Et oratio fidei salvabit infirmum, et si in peccatis fuerit, remittentur ei*[q].

Et tu ergo cum venis ad gratiam baptismi, *vitulum* obtulisti, quia *in mortem Christi*[r] baptizaris. Cum vero ad martyrium duceris, *hircum* obtulisti, quia auctorem peccati
70 diabolum iugulasti. Cum autem eleemosynam feceris et erga indigentes affectum misericordiae sollicita pietate dependeris, altare sacrum haedis pinguibus onerasti. Nam si *ex corde remiseris peccatum fratri tuo*[s] et iracundiae

4 l. Lc 7, 47 || m. I Pierre 4, 8 || n. Cf. Ps. 6, 7 || o. Cf. Ps. 41, 4 || p. Ps. 31, 5 || q. Jac. 5, 14-15 || r. Cf. Rom. 6, 3 || s. Cf. Matth. 18, 35

1. « Ce qui suppose qu'autrement le prêtre n'eût pas connu le péché : il ne s'agit donc pas seulement de scandales publics, mais aussi de péchés cachés », K. Rahner, *Doctrine*, p. 265. « Selon Origène, même les péchés mortels cachés tombent en principe sous le coup de l'excommunication... Le ' péché contre Dieu ' commis après le baptême *(in fide)* doit être porté à la connaissance de ' tous ', ' pour que le pécheur, grâce à l'intercession et l'admonestation de tous, s'amende et obtienne le pardon ', *hom.* 8, 10. *Ibid.*, p. 264.

2. Baptême, martyre, aumône, pardon fraternel, zèle à convertir, charité abondante, pénitence : sept moyens de s'ouvrir au miséricordieux pardon divin, dont le premier et le dernier seuls sont sacramentels. Le texte cité de Jacques n'indique pas ici un huitième

Sauveur : « En vérité je te le dis, ses nombreux péchés lui sont remis parce qu'elle a beaucoup aimé[l]. » Et, dit l'Apôtre : « La charité couvre une multitude de péchés[m]. » Il en est encore une septième, bien que dure et pénible, la rémission des péchés par la pénitence, quand le pécheur baigne sa « couche de larmes[n] », que « ses larmes » deviennent « son pain jour et nuit[o] », quand il ne rougit pas de déclarer son péché au prêtre du Seigneur et de demander un remède[1], suivant celui qui déclare : « J'ai dit : Je confesserai contre moi mon injustice au Seigneur, et toi tu as remis l'impiété de mon cœur[p]. » Ainsi s'accomplit encore ce que dit l'apôtre Jacques[2] : « Quelqu'un est-il malade ? Qu'il appelle les prêtres de l'Église, que ceux-ci lui imposent les mains en l'oignant d'huile au nom du Seigneur. La prière de la foi sauvera le malade, et s'il a commis des péchés, ils lui seront remis[q]. »

Accomplissement des anciennes figures

Donc toi aussi, quand tu viens à la grâce du baptême, tu offres un jeune taureau, car tu es baptisé « dans la mort du Christ[r] ». Quand tu es conduit au martyre, tu offres un bouc, car tu égorges le diable, instigateur du péché. Quand tu fais l'aumône et prodigues aux malheureux avec une affectueuse sollicitude un sentiment de miséricorde, tu charges l'autel sacré de chevreaux gras. Car si « tu remets de bon cœur le péché à ton frère[s] » et,

moyen, un autre sacrement (extrême-onction). C'est à « la dure et pénible rémission des péchés par la pénitence » qu'il est rapporté comme à son accomplissement. Cependant la citation omet « et qu'ils prient sur lui » du texte actuel, à quoi elle substitue « qu'ils lui imposent les mains ». Or il est également attesté que le rite de réconciliation a comporté l'imposition des mains accompagnée d'une onction. La mention qu'il fait de celle-ci, après celle de la contrition, de l'aveu, de l'absolution, est-elle un indice qu'il connaissait déjà cette forme du rite pénitentiel ? C'est l'interprétation de K. Rahner, *Doctrine*, p. 424 s., 441. Voir *hom.* 8, 11 fin et la note complémentaire 14.

tumore deposito mitem intra te et simplicem recollegeris
75 animum, immolasse te arietem vel agnum in sacrificium
obtulisse confide. Porro autem si divinis lectionibus
instructus *meditando sicut columba*[t] et *in lege* Domini
vigilando *die ac nocte*[u] ab errore suo converteris peccatorem
et abiecta nequitia ad simplicitatem eum columbae
80 revocaveris atque adhaerendo sanctis[v] feceris eum societatem
turturis imitari, *par turturum aut duos pullos columbarum*
Domino obtulisti. Quod si illa, quae spe et fide
maior est, *caritas*[w] abundaverit in corde tuo, ita ut *diligas
proximum tuum* non solum *sicut te ipsum*[x], sed sicut
85 ostendit ille, qui dicebat : *Maiorem hac caritatem nemo
habet quam ut animam suam ponat pro amicis suis*[y], panes
similacios *in* caritatis *oleo subactos*[z], sine ullo *fermento
malitiae et nequitiae in azymis sinceritatis et veritatis*[aa],
te obtulisse cognosce. Si autem in amaritudine fletus tui
90 fueris luctu, lacrimis et lamentatione confectus, si carnem
tuam maceraveris et ieiuniis ac multa abstinentia aridam
feceris et dixeris quia *sicut frixorium confrixa sunt ossa
mea*[ab], tunc *sacrificium similam a sartagine vel a craticula*[ac]
obtuleris; et hoc modo invenieris tu verius et perfectius
95 secundum Evangelium offerre sacrificia, quae secundum
legem iam offerre non potest Istrahel.

4 t. Cf. Is. 38, 14 || u. Cf. Ps. 1, 2 || v. Cf. Rom. 12, 9 || w. Cf. I Cor. 13, 13 || x. Cf. Matth. 19, 19 || y. Jn 15, 13 || z. Cf. Lév. 2, 4 || aa. Cf. I Cor. 5, 8 || ab. Cf. Ps. 101, 4 || ac. Cf. Lév. 2, 4

1. Les sacrifices rituels sont historiquement périmés. Il ne faut pas les regretter : le pardon qu'ils valaient aux anciens est accessible aux chrétiens de diverses manières qu'Origène vient d'énumérer. Que chacune soit l'accomplissement véritable d'un ancien rite, tout ce paragraphe tente de le montrer. On trouve un développement analogue avec un renvoi explicite à l'illustration présente dans *In Ep. ad Rom.* 9, 1, *PG* 14, 1204 A s. D'autres exemples sont donnés çà et là. La correspondance n'est pas rigoureuse et elle varie : l'immo-

laissant tomber l'emportement de la colère, recouvres en toi une humeur douce et simple, tu immoles un bélier ou offres un agneau en sacrifice, sois-en persuadé. En outre si, armé des divines lectures, « méditant comme la colombe[t] », attentif « jour et nuit à la Loi[u] » du Seigneur, tu ramènes le pécheur de son égarement, le fais revenir, toute malice rejetée, à la simplicité de la colombe, et imiter, par son adhésion à ce qui est saint[v], l'union de la tourterelle, c'est « une paire de tourterelles ou deux petits de colombes » que tu offres au Seigneur. Que si cette charité, plus grande que l'espérance et la foi[w], abonde dans ton cœur au point que « tu aimes ton prochain », pas seulement « comme toi-même[x] », mais comme l'a indiqué Celui qui disait : « Personne n'a une plus grande charité que celle de donner sa vie pour ses amis[y] », sache que tu offres des pains de fleur de farine pétris dans l'huile[z] de la charité, sans aucun « levain de malice et de perversité, avec des azymes de pureté et de vérité[aa] ». Et si tu es dans l'amertume de ton affliction, consumé de deuils, de larmes, de lamentations, si tu mortifies ta chair et la dessèches par les jeûnes et à force d'abstinence et peux dire : « mes os sont grillés comme une poêle à frire[ab] », alors tu offres « un sacrifice de fleur de farine cuite à la poêle ou sur le gril[ac] » ; et il se trouve ainsi que tu offres avec plus de vérité et de perfection selon l'Évangile les sacrifices que, selon la Loi, Israël ne peut plus offrir[1].

lation d'un taureau représente la victoire sur la chair, *hom.* 1, 5 ; 2, 5. On a rapproché ces exemples de certains passages de PHILON, qui compare volontiers à du bétail les facultés irrationnelles de l'âme (les cinq sens, la puissance génératrice et la parole ; cf. *De agric.* 30, p. 34, tr. et note de J. Pouilloux) et qui écrit : « L'esprit... devient pasteur de troupeaux, cocher et pilote des facultés irrationnelles de l'âme », *De sacrif. Ab. et Cain* 45, p. 108-109, tr. A. Méasson, cf. n. 5. Mais le procédé est d'un usage universel, cf. *hom.* 5, 1 et 2, et la note complémentaire 9.

5. Sed videamus, quid etiam de his, quae nuper recitata sunt, sentiendum sit : *Si autem* inquit *anima una peccaverit nolens ex populo terrae faciendo unum ab omnibus mandatis Domini, quod non fiet, et deliquerit, et notum factum fuerit* 5 *illi peccatum quod peccavit, et adducet donum suum : capram de haedis feminam sine macula adducet pro peccato, quo peccavit*[a]. Et omnem post haec sacrificii ritum, secundum quod supra exposuimus, enarravit.

De anima, quam sub peccato factam dicit offerre, 10 qualiter sentiendum sit, in superioribus, prout potuimus, explanavimus; quod vero in hoc loco addidit, *anima* dicens *si peccaverit ex populo terrae*, non mihi videtur otiosum. Quis enim dubitaret quod ea, quae dicit lex, ad animas vel ad populum, qui sunt in terra, 15 dicerentur ? Quid ergo necessarium fuit, ut ad hoc, quod dixit : *Anima una si peccaverit* adderet : *ex populo terrae*? Sed videndum est, ne forte ad distinctionem alterius populi, qui non *est de terra*[b], haec anima, quae *peccaverit*, *de populo terrae* esse dicatur. Neque enim convenire dictum 20 hoc potest illi, qui dicebat : *Nostra autem conversatio in caelis est, unde et Salvatorem exspectamus Dominum Iesum*[c]. Quomodo ergo istam animam merito dixerim *de populo terrae*, quae nihil habet commune cum terra, sed tota in caelis est et ibi conversatur, *ubi Christus est in dextera* 25 *Dei sedens*[d], quo et redire *desiderat et esse cum Christo : multo enim melius; sed permanere in carne necessarium ducit propter nos*[e]?

Haec ergo anima, quae peccat, *de populo terrae* est *faciens unum ab omnibus mandatis Domini, quod non fiet.* 30 Diu me in hoc sermone quidam stupor attonitum tenuit;

5 a. Lév. 4, 27-28 || b. Cf. Jn 3, 31 || c. Phil. 3, 20 || d. Cf. Col. 3, 1 || e. Phil. 1, 24-25

Tous ne sont pas de la terre

5. Voyons ce qu'il faut penser aussi de ce qu'on vient de lire : « Si une âme du peuple de la terre pèche sans le vouloir, de tous les commandements du Seigneur en accomplit un qui ne doit pas l'être, et se rend ainsi coupable, si on l'avertit du péché qu'elle a commis et qu'elle amène son offrande, elle amènera une chèvre du troupeau, femelle sans tache, pour le péché qu'elle a commis[a]. » Après quoi est décrit tout le rite du sacrifice comme on l'a exposé plus haut.

Ce qu'il faut entendre par l'âme qui, chargée de péché, fait une offrande, nous l'avons expliqué ci-dessus de notre mieux[1] ; mais ce qu'on ajouta dans ce passage : « si une âme du peuple de la terre pèche » ne me paraît point inutile. Car qui douterait que le texte de la Loi concernait des âmes ou un peuple qui sont sur la terre ? Pourquoi donc fut-il nécessaire qu'à l'expression « si une âme pèche », on ajoutât : « du peuple de la terre » ? Mais il faut examiner si ce n'est pas peut-être pour la distinguer d'un autre peuple qui n'est pas « de la terre[b] » qu'on dit que cette âme « qui pèche » est « du peuple de la terre ». Car cette parole ne peut convenir à celui qui disait : « Notre cité est dans le ciel, d'où nous attendons aussi comme Sauveur le Seigneur Jésus[c]. » Comment donc serait-il exact de dire cette âme « du peuple de la terre » ? Elle n'a rien de commun avec la terre, elle est tout entière au ciel et habite là « où le Christ est assis à la droite de Dieu[d] » où elle « désire » s'en aller « et être avec le Christ : car c'est de beaucoup préférable » ; mais elle juge nécessaire « de rester dans la chair à cause de nous[e] ».

Une difficulté

Donc, cette âme qui pèche est « du peuple de la terre », de tous les commandements du Seigneur en accomplit un qui ne doit pas l'être ». Longtemps cette parole m'a saisi d'une sorte

1. Cf. *hom.* 2, 2.

non enim consequenter dictum video quod *peccaverit anima et fecerit unum ex mandatis Domini, quod non fiet.* Si enim mandatum Domini est, quomodo fieri non debuit, cum utique ad hoc dentur mandata Domini, ut fiant ?
35 Et quomodo hic dicitur peccasse anima, quae *fecit unum de mandatis Domini, quod non fiet*? Et fortassis aliquibus videbitur error elocutionis per interpretes factus ; sed mihi curiosius inquirenti compertum est omnes interpretes similiter protulisse, et ideo non elocutionis error, sed
40 profundioris intelligentiae requirendus est sensus.

In quantum ergo nobis occurrere potest, haec mihi videtur absolutio. Mandata Domini quaedam data sunt, ut fiant, quaedam, ut non fiant. Sed ea, quae fieri debent, necessitas poposcit humana, ut inserta illis proferrentur,
45 quae fieri non deberent. Verbi gratia — ut de his ipsis, quae nunc habemus in manibus, sacrificiis proferamus exemplum — agnus immolari iubetur in Pascha[f], non quo vere agni hostiam per singulos annos requireret Deus, sed quod designaret immolari debere *illum agnum, qui*
50 *tollit peccatum mundi*[g]. Hoc ergo fieri voluit, illud noluit. Sic enim per Esaiam dicit : *Quo mihi multitudinem sacrificiorum vestrorum? dicit Dominus. Plenus sum, holocausta arietum et adipem agnorum et sanguinem taurorum et hircorum nolo*[h]. Audisti, quomodo non vult *hostiam*
55 *arietum nec adipes agnorum*? Dedit tamen mandatum, quomodo vel taurorum vel agnorum hostia deberet offerri. Sed qui legem spiritaliter intelligit, spiritaliter

5 f. Cf. Ex. 12, 3 || g. Jn 1, 29 || h. Is. 1, 11

---

1. « Il n'est pas écrit : Voici le commandement de la Pâque, mais : Voici la loi de la Pâque. Et comme ' la Loi est l'ombre des biens à venir ', la loi de la Pâque l'est aussi sans aucun doute. Lorsque j'arrive au passage qui traite de la Pâque, je dois donc voir dans l'agneau corporel une ombre d'un bien à venir et comprendre que

de stupeur ; car je ne vois aucune logique à dire : « Une âme pèche, et accomplit un des commandements du Seigneur qui ne doit pas l'être. » Si c'est un commandement du Seigneur, comment ne devait-il pas être accompli, puisque à coup sûr les commandements du Seigneur sont donnés pour être accomplis ? Et comment dit-on ici qu'elle pèche, l'« âme qui accomplit un des commandements du Seigneur qui ne doit pas l'être » ? Certains y verront peut-être une erreur d'expression faite par les traducteurs ; mais une recherche attentive m'a révélé que tous les traducteurs présentent le même texte : ce n'est donc pas une erreur d'expression ; c'est un sens d'une idée plus profonde qu'il faut élucider.

Interprétation spirituelle

Dans la mesure où elle peut me venir à l'esprit, voici, ce me semble, la solution. Certains commandements du Seigneur sont donnés pour être accomplis, certains, pour ne pas l'être. Mais ceux qui doivent l'être, la faiblesse humaine demande qu'ils soient inscrits parmi ceux qui ne devraient pas l'être. Ainsi, prenons un exemple dans le sujet qui nous occupe, les sacrifices. Il est prescrit d'immoler un agneau à Pâque[f] ; non que Dieu exige vraiment le sacrifice d'un agneau chaque année, mais il fixe qu'on doit immoler « cet Agneau qui porte le péché du monde[g] ». Ceci, il a voulu qu'on le fasse, cela, il ne l'a pas voulu[1]. Car il dit par la bouche d'Isaïe : « Que me fait la multitude de vos sacrifices ? dit le Seigneur. Je suis rassasié : holocaustes des béliers, graisse des agneaux, sang des taureaux et des boucs, je n'en veux plus[h]. » Tu as entendu qu'il refuse le sacrifice des béliers et la graisse des agneaux ? Il a pourtant prescrit la manière dont on devait offrir des sacrifices de taureaux ou d'agneaux. Mais celui qui comprend spirituellement la Loi cherche à les

' notre Pâque, le Christ, a été immolé '. » *In Num. hom.* 11, 1, *GCS* 7, p. 76, 14 s.

haec quaerit offerre. Si vero qui secundum speciem mandati carnalis obtulerit, haec est *anima una ex populo*
60 *terrae, quae peccavit nolens faciendo unum ab omnibus mandatis Domini, quod non fiet, et deliquit*[i], et ideo adiungit in subsequentibus : *et cum notum factum fuerit illi peccatum, quod peccavit, adducet munus suum ante Dominum*[j]. Debet enim munus offerre anima, cum *ei innotuerit* quia Deus
65 non quaerit carnale sacrificium, quia *sacrificium Deo est spiritus contribulatus*[k]. *Notum fit* ergo *ei peccatum suum*, cum didicerit a Domino dicente : *Misericordiam malo quam sacrificium*[l], et cum agnoverit immolare *sacrificium laudis* in Ecclesia et reddere *Altissimo vota sua*[m], per
70 Christum Dominum nostrum, *cui laus et gloria in saecula saeculorum. Amen*[n] !

5 i. Lév. 4, 27 || j. Lév. 4, 28 || k. Ps. 50, 19 || l. Os. 6, 6 || m. Cf. Ps. 49, 14 || n. Cf. Rom. 16, 27

offrir spirituellement. Si au contraire quelqu'un fait une offrande conforme à l'apparence du précepte charnel, voilà « une âme du peuple de la terre qui pèche sans le vouloir, accomplissant, de tous les commandements du Seigneur, un qui ne doit pas l'être, et se rend ainsi coupable[i] » ; aussi est-il ajouté par la suite : « et lorsqu'on l'avertit du péché qu'elle a commis, elle amènera son offrande devant le Seigneur[j] ». Car l'âme doit présenter son offrande quand « on l'avertit » que Dieu ne demande pas un sacrifice charnel, que « le sacrifice à Dieu est un esprit brisé[k] ». Et elle est avertie de son péché quand elle apprend de la bouche du Seigneur : « Je préfère la miséricorde au sacrifice[l] » et qu'elle accepte d'offrir dans l'Église « le sacrifice de louange » et d'accomplir « ses vœux pour le Très-Haut[m] », par le Christ notre Seigneur : « A lui louange et gloire pour les siècles des siècles. Amen[n]. »

HOMILIA III

De eo quod scriptum est : *Si autem anima peccaverit et audierit vocem iuramenti, et hic testis sit aut viderit aut conscius fuerit, si non indicaverit, et ipsa accipiet peccatum eius. Et anima quaecumque tetigerit omnem rem immundam aut morticinum aut a fera captum*[a] et cetera.

1. De sacrificiis, quae offeruntur ab his, qui per ignorantiam vel qui non voluntate peccaverint, sermo est. Unde et in superioribus, cum de pontificis sacrificio diceremus, observavimus non esse scriptum de eo quia
5 ignoraverit. Sed si quis bene meminit eorum, quae dicta sunt, potest nobis dicere quia sacrificium, quod pontificem *pro peccato*[a] diximus obtulisse, figuram Christi tenere posuimus. Et conveniens non videbitur, ut Christus, *qui peccatum nescit*[b], *pro peccato* dicatur obtulisse sacrificium,
10 licet per mysterium res agatur et idem ipse pontifex, idem ponatur et hostia. Vide ergo, si et ad hoc possumus hoc modo occurrere, quia Christus *peccatum* quidem *non fecit*, *peccatum* tamen *pro nobis*[c] factus est; dum, qui erat in forma Dei, in forma servi esse dignatur; dum, qui

Tit. a. Lév. 5, 1-2
1 a. Cf. Lév. 4, 3 || b. II Cor. 5, 21 || c. Cf. I Pierre 2, 22;][Cor. 5, 21

---

1. Cf. *hom.* 2, 1, 29 s.
2. Cf. *hom.* 2, 3, 39 s.

III

< COMPLICITÉ. CONTACT IMPUR. PARJURE. SACRIFICE DE RÉPARATION POUR DÉTOURNEMENT DES BIENS SACRÉS >

Sur le passage: « Si une personne pèche parce qu'elle a entendu la formule d'adjuration et que, témoin d'un fait qu'elle a vu ou appris, elle ne le dénonce pas, elle aussi porte son péché. Et toute personne qui touche n'importe quoi d'impur, un cadavre de bête, une proie de fauve[a] », *etc.*

Le Christ fait péché ?

1. Il s'agit des sacrifices offerts par ceux qui ont péché par ignorance ou sans le vouloir. Sur quoi, plus haut, parlant du sacrifice du pontife, nous avons noté qu'il n'est pas fait mention d'une ignorance de sa part[1]. Mais si on se rappelle bien nos paroles, on peut nous dire que nous avons établi que le sacrifice offert par le pontife pour le péché[a] figure celui du Christ[2]. Or il ne semblera point admissible de dire que le Christ « qui ne connaît pas le péché[b] » ait offert un sacrifice pour le péché, bien qu'il s'agisse d'un mystère et que lui-même soit proposé à la fois comme pontife et victime[3]. Vois donc si nous ne pouvons pas répliquer de la façon suivante : certes, « le Christ n'a pas fait de péché », néanmoins il a été fait « péché pour nous[c] » ; alors qu'il était de condition divine, il a daigné être de condition servile ; alors qu'il est

3. « Victime et prêtre », *In Gen. hom.* 7, 6 début. « Prêtre, victime, autel », *In Jos. hom.* 8, 6 fin.

15 immortalis est, moritur et impassibilis patitur et invisibilis videtur, et, quia nobis omnibus vel mors vel reliqua omnis fragilitas in carne ex peccati conditione superducta est, etiam ipse, qui *in similitudinem hominum factus est et habitu repertus ut homo est*[d], sine dubio *pro peccato*,
20 quod ex nobis susceperat, quia *peccata nostra portavit*[e] *vitulum immaculatum*[f], hoc est carnem incontaminatam *obtulit hostiam Deo*[g].

Sed quid facimus de eo, quod in sequentibus iungitur ? Ubi enim dicit : *Si quidem pontifex, qui unctus est, peccaverit*,
25 ibi additur : *ut populum faceret peccare, offeret pro peccato suo*[h]. Quomodo ergo conveniet quia per carnem, quam suscepit ex nobis Iesus, ipse peccatum factus *peccare fecerit populum*? Ausculta et de hoc, si forte cum aliqua consequentia possumus respondere. Passio Christi creden-
30 tibus quidem vitam, mortem vero non credentibus confert. Quamvis enim salus gentibus sit per crucem eius et iustificatio, Iudaeis tamen interitus est et condemnatio. Sic enim et scriptum est in Evangeliis : *Ecce, hic natus est ad ruinam et resurrectionem multorum*[i]. Et hoc modo
35 per peccatum suum, hoc est per carnem in crucem actam, in qua nostra peccata susceperat, nos quidem credentes liberavit a peccato, *populum* vero *non credentem*[j] peccare fecit, quibus ad incredulitatis malum etiam sacrilegii accessit impietas. Et hoc modo pontifex iste per suum
40 peccatum *peccare populum fecit*, dum in carne positus et teneri potuit et occidi. Nam ponamus, verbi gratia, si *Dominus maiestatis*[k] non venisset in carne, non arguisset Iudaeos, non iis fuisset gravis etiam ad videndum, non

1 d. Cf. Phil. 2, 6.7 || e. Cf. I Pierre 2, 24 || f. Lév. 4, 3 || g. Cf. Éphés. 5, 2 || h. Lév. 4, 3 || i. Lc 2, 34 || j. Cf. Rom. 10, 21 || k. Cf. Ps. 28, 3

---

1. Sur *Luc* 2, 34, voir *In Luc. hom.* 16, 3-5, *SC* 87, p. 240-243. Interprétation différente dans l'*hom.* 17, 2-5 : « non seulement pour

immortel, il meurt, impassible il souffre, invisible il est vu ; et parce que pour nous tous la mort et tout le reste de fragilité dans la chair furent attirés par la condition pécheresse, lui aussi, « qui est devenu semblable aux hommes et, à son aspect, fut reconnu comme un homme[d] », à coup sûr pour le péché qu'il avait reçu de nous, car « il a porté nos péchés[e] », « il a offert un jeune taureau sans tache[f] » « en victime à Dieu[g] » : sa chair immaculée.

Le Christ cause de péché ?

Mais que faire à propos de l'addition qui suit ? Il est dit : « Si le pontife consacré par l'onction pèche », on ajoute : « entraînant ainsi le peuple à pécher, il fera une offrande pour son péché[h] ». Comment donc admettre que, par la chair qu'il a reçue de nous, Jésus, fait lui-même péché, « ait entraîné le peuple à pécher » ? Écoute là encore si peut-être nous pouvons répondre avec une certaine logique. La passion du Christ apporte à ceux qui croient la vie, mais la mort à ceux qui ne croient pas. Salut et justification pour les Gentils par sa croix, il est pour les Juifs mort et condamnation. C'est même écrit dans les Évangiles[1] : « Vois : cet enfant est né pour la ruine et la résurrection d'un grand nombre[i]. » Ainsi, par son péché, c'est-à-dire par sa chair mise en croix sur laquelle il avait pris nos péchés, nous qui croyons, il nous a certes délivrés du péché, mais le peuple incrédule[j], il l'a entraîné à pécher, car pour eux, au mal de l'incroyance s'est ajoutée l'impiété du sacrilège. Et ainsi ce pontife par son péché « a entraîné le peuple à pécher » quand, établi dans la chair, il a pu être arrêté et livré à la mort. Car supposons, par exemple, que « le Seigneur de majesté[k] » ne soit pas venu dans la chair ; il n'aurait pas confondu les Juifs, ne leur aurait pas rendu intolérable jusqu'à sa

la chute des infidèles et le relèvement des croyants », mais « pour la chute des infidèles et le relèvement de chacun », *ibid.*, p. 250-257.

utique teneri potuisset nec ad mortem tradi; numquam
45 sine dubio venisset *sanguis eius super ipsos et filios eorum*[l].
Sed quia venit in carne et *pro nobis peccatum*[m] factus est
et haec pati potuit, idcirco ipse dicitur *peccare populum
fecisse*, qui fecit eum in se posse peccare.

2. Sed videamus iam quid agit et ista anima, quae
audit vocem iuramenti et testis est, *vel* quae *videt* aliquid
et conscia est et non indicat, ex quo *accepit* etiam ipsa
peccatum eius[a] sine dubio, qui inique aut egit aliquid aut
5 iuravit.

Hoc etiam secundum historiam nos aedificat et docet,
ne umquam in peccatis alterius polluamus conscientias
nostras, ne consensum male agentibus praebeamus. Consensum autem dico non solum pariter agendo, sed etiam,
10 quae illicite gesta sunt, reticendo. Vis autem scire quia
consentiant haec etiam evangelicis praeceptis ? Ipse
Dominus dicit : *Si videris fratrem tuum peccare, argue
eum inter te et ipsum solum. Si te audierit, lucratus es
fratrem tuum. Quod si te non audierit, adhibe tecum alios
15 duos vel tres. Quod si nec ipsos audierit, dic Ecclesiae.
Si vero nec Ecclesiam audierit, sit tibi sicut ethnicus et
publicanus*[b]. Sed evangelicum praeceptum in eo perfectius
datum est, quod indicandi peccati modum disciplinamque

1 l. Cf. Matth. 27, 25 || m. Cf. II Cor. 5, 21
2 a. Lév. 5, 1 || b. Matth. 18, 15-17

1. « Formule d'adjuration » : « Après convocation du témoin, le juge prononçait sur lui une malédiction conditionnelle pour le cas où il mentirait ou se déroberait », *BJ*. « Formule d'imprécation », traduit Osty. *Juramentum* signifiant serment, et *jurare*, affirmer avec serment, le texte latin peut faire un rapprochement, à la fin du paragraphe, avec le fameux v. 4 du *Ps.* 109, lequel « est le plus cité par le N.T., qui l'interprète dans un sens messianique », Osty. Pour Origène, ce sens aurait été perçu par l'élite juive, mais gardé secret.

vue, n'aurait assurément pas pu être arrêté et livré à la mort ; et nul doute que jamais ne serait tombé « son sang sur eux et leurs enfants[l] ». Mais il est venu dans la chair ; il a été fait « péché pour nous[m] » ; il a pu endurer ces souffrances ; pour cette raison, on dit : « il a entraîné le peuple à pécher », ayant permis qu'il pût pécher contre lui.

Refus d'assentiments, admonitions

2. Or voyons l'attitude de cette personne qui « entend la formule d'adjuration[1] et est témoin, ou qui voit et apprend un fait et ne le dénonce pas » : d'où vient que sans aucun doute elle-même « porte le péché[a] » de l'auteur d'une injustice ou d'un parjure?.

Même selon l'histoire, ce passage nous apprend et nous enseigne à ne jamais souiller nos consciences des péchés d'autrui, à ne point donner notre assentiment à ceux qui font le mal. Je dis assentiment du fait, non seulement d'agir de même, mais encore de taire une action illicite. Or veux-tu savoir que cela s'accorde avec les préceptes évangéliques ? Le Seigneur lui-même déclare : « Si tu vois ton frère pécher, reprends-le entre toi et lui seul. S'il t'écoute, tu auras gagné ton frère. S'il ne t'écoute pas, prends avec toi deux ou trois autres personnes. S'il ne les écoute pas non plus, dis-le à l'Église. Mais s'il n'écoute pas non plus l'Église, qu'il soit pour toi comme le païen et le publicain[b]. » Toutefois le précepte évangélique est donné d'une façon plus parfaite en ce qu'il fixe la manière et la règle de la dénonciation du péché[2]. Il ne

2. Le passage évangélique sur « la correction fraternelle et le jugement de l'Église (communauté) » justifie pour Origène la pratique pénitentielle, qu'il a du reste évidemment inspirée. Sur la communauté s'exerçait une sorte de police de mœurs. D'abord par l'évêque, en vertu de sa charge, cf. *In Jos. hom.* 7, 6, *GCS* 7, p. 332 s. Mais aussi par d'autres membres : ainsi, certains étaient préposés à la surveillance au cours de l'initiation progressive et des probations antécatéchuménale, catéchuménale, post-baptismale pénitentielle :

constituit. Non vult enim te, si forte peccatum videris
20 fratris tui, continuo evolare ad publicum et proclamare
passim ac divulgare aliena peccata; quod esset utique non
corrigentis, sed potius infamantis. *Solus* inquit *inter te et
ipsum corripe eum*[c]. Ubi enim servari sibi mysterium
viderit ille, qui peccat, servabit et ipse emendationis
25 pudorem; si vero diffamari se videat, ilico ad denegandi
impudentiam convertetur; et non solum non emendaveris
peccatum, sed et duplicaveris. Disce ergo ex Evangeliis
ordinem. Primo, inquit, *solus inter te et ipsum.* Secundo
adhibe tecum alios duos vel tres. Quare *duos* vel *tres*? *In
30 ore enim* inquit *duorum vel trium testium stabit omne
verbum*[d]. Quoniam quidem tertio correptionem mandabat
ad Ecclesiam deferendam, in secundo vult *duos vel tres*
testes adhiberi. Quibus praesentibus correptus si emendare
se non vult, cum ad Ecclesiam delatum fuerit eius pecca-
35 tum, possit dudum adhibitis testibus confutari; frequenter
enim accidit, ut volens quis evangelicum implere mandatum
calumniator videatur, si crimen deferat ad Ecclesiam et
deficiat testibus. Ne ergo hoc accidat, idcirco *duos vel
tres* testes in secunda conventione iussit adhiberi. Cum
40 ergo et Evangelii tale mandatum sit et lex praecipiat
quia, si tacuerit, *accipiet peccatum eius*, sciendum est
quod, si quis ea, quae videt in delicto proximi sui, vel
non indicat secundum regulam superius datam vel in
testimonium vocatus non, quae vera sunt, dixerit, pecca-
45 tum, quod commisit ille, quem celat, ipse suscipiet et
poena commissi revolvetur ad conscium. Sufficienter ergo
in hoc capite ipse nos aedificavit textus historiae.

2 c. Cf. Matth. 18, 15 || d. Matth. 18, 16

---

sur tout cela, voir *CC* 3, 51, *SC* 136, p. 121-125. « Quand on voit
un pécheur, qu'on aille le trouver seul à seul, puis ' avec deux ou
trois témoins ', mais s'il s'en moque et qu'après le blâme de l'Église

t'ordonne pas, si jamais tu vois le péché de ton frère, de voler aussitôt vers le public, de crier et publier à tous les échos les péchés d'autrui ; ce qui serait, à coup sûr, non pas corriger, mais plutôt diffamer. « Seul entre toi et lui, reprends-le[c]. » Quand il verra qu'on lui garde le secret, le pécheur gardera lui aussi la discrétion de la réprimande ; mais s'il voit qu'on le diffame, il passera d'emblée à une dénégation impudente ; non seulement tu n'auras pas corrigé son péché, tu l'auras rendu double. Apprends donc des Évangiles l'ordre à suivre. D'abord « seul entre toi et lui ». En second lieu, « prends avec toi deux ou trois personnes ». Pourquoi « deux ou trois » ? « Toute affaire sera décidée sur la foi de deux ou trois témoins[d]. » C'est parce qu'en troisième lieu on prescrivait de remettre l'admonition à l'Église, qu'en second lieu on ordonne de citer deux ou trois témoins. Admonesté en leur présence, s'il refuse de s'amender, une fois son péché dénoncé à l'Église, il pourra aussitôt être confondu par les témoins cités ; en effet il arrive souvent qu'à vouloir suivre le précepte évangélique on passe pour calomniateur, si l'on expose le grief à l'Église et qu'on manque de témoins. C'est pour parer à cette éventualité qu'on enjoint de citer deux ou trois témoins dans le second tête à tête. Puisque tel est le précepte de l'Évangile et que la Loi prescrit qu'à se taire « on porte son péché », il faut le savoir : prendre son prochain en flagrant délit, ne pas le dénoncer selon la règle donnée plus haut, appelé à témoigner ne pas dire la vérité, c'est prendre sur soi le péché de celui que l'on couvre, et la peine de la faute commise retombera sur le complice. Voilà sur ce point une instruction suffisante que nous donne le texte de l'histoire.

il ne se corrige pas, qu'il soit chassé de l'Église et soit considéré ' comme un païen et un publicain ' », dit l'homélie précitée, résumant les quatre étapes de la procédure, *GCS* 7, p. 333, 3-8. Pour une vue d'ensemble, voir la note complémentaire 15.

Puto tamen quod et illa anima, quae legit scriptum in lege Dei quia : *Iuravit Dominus nec eum paenitebit;*
50 *tu es sacerdos in aeternum, secundum ordinem Melchisedec*[e], *audit vocem iuramenti*[f], ut faciunt scribae et Pharisaei semper haec meditantes, sed tacent et enuntiare ad populum nolunt, ne Christi testentur adventum. Propterea ergo ipsi accipient peccatum, in quo non enuntiantes ad
55 populum, quae vera sunt, peccare faciunt Istrahel.

3. Post haec alia lex promulgatur. *Anima* inquit *quaecumque tetigerit omnem rem immundam aut morticinum iumentorum immundorum, et latuerit eum, et inquinatus est, aut si tetigerit ab immunditia hominis, ab omni immun-*
5 *ditia, ex qua inquinetur*[a], et cetera. Haec quidem apud Iudaeos indecenter satis et inutiliter observantur. Ut quid enim immundus habeatur, qui contigerit, verbi causa, animal mortuum aut corpus hominis defuncti ? Quid si prophetae corpus sit ? quid si patriarchae vel etiam
10 ipsius Abrahae corpus ? Quid si et ossa contigerit, immundus erit ? Quid si Helisaei ossa contingat, quae mortuum suscitant[b] ? Immundus erit ille, qui contingit, et immundum faciunt ossa prophetae etiam illum ipsum, quem a mortuis suscitant ? Vide quam inconveniens sit iudaica
15 intelligentia.

Sed nos videamus primo, quid sit tangere et quid sit tactus, qui faciat immundum, qui vero sit tactus, qui faciat mundum. Apostolus dicit : *Bonum est homini mulierem non tangere*[c]. Hic tactus immundus est; hoc est
20 enim illud, quod Dominus in Evangelio dixit : *Si quis viderit mulierem ad concupiscendum, iam moechatus est*

2 e. Ps. 109, 4 || f. Cf. Lév. 5, 1
3 a. Lév. 5, 2-3 || b. Cf. IV Rois 13, 21 || c. I Cor. 7, 1

Une autre interprétation

Je pense toutefois à ceci encore : cette personne, lisant la parole écrite dans la Loi de Dieu : « Le Seigneur en fit le serment et ne s'en repentira point : Tu es prêtre pour l'éternité selon l'ordre de Melchisédech[e] », entend « la formule de serment[f] » comme font scribes et pharisiens : ils ne cessent de la méditer, mais la taisent et refusent de la dévoiler au peuple, crainte d'attester la venue du Christ[1]. Aussi porteront-ils le péché auquel, ne dévoilant pas la vérité au peuple, ils entraînent Israël.

Contact impur, contact pur

3. Suit la promulgation d'une autre loi : « Toute personne qui touche n'importe quoi d'impur ou un cadavre de bête impure, même à son insu en est souillée, ou bien si elle touche à une impureté humaine, à toute impureté qui rend souillé[a] », etc.

Chez les Juifs, l'observation en est passablement inconvenante et vaine. Pourquoi tenir pour impur celui qui touche, par exemple, un cadavre d'animal ou le corps d'un défunt ? Et si c'est le corps d'un prophète ? Et si c'est le corps d'un patriarche ou encore d'Abraham lui-même ? Et s'il touche des ossements, sera-t-il impur ? Et s'il touche les ossements d'Élisée qui ressuscitent un mort[b] ? Sera impur celui qui touche, et les ossements du prophète rendront impur celui-là même qu'ils ressuscitent d'entre les morts ? Vois de quelle incohérence est l'interprétation juive.

Pour nous, voyons d'abord ce que c'est que toucher et quel contact rend impur, quel contact rend pur. L'Apôtre déclare : « Il est bon pour l'homme de ne pas toucher de femme[c]. » Ce contact est impur ; c'est ce qu'a dit le Seigneur dans l'Évangile : « Quiconque regarde une femme avec convoitise a déjà, dans son cœur, commis l'adultère

1. Cf. *supra*, p. 124, n. 1.

eam in corde suo[d]. Tetigit enim cor eius concupiscentiae vitium et immunda facta est anima eius. Si qui ergo hoc modo tangit aliquam rem, id est vel per mulieris concu-
25 piscentiam vel per pecuniae cupiditatem vel alio quolibet peccati desiderio, immundum tetigit et inquinatus est. Oportet ergo te, si quid tale contigeris, scire, quomodo offeras sacrificium, secundum ea, quae in superioribus memoravimus, ut mundus effici possis. Vis tibi ostendam,
30 *quae* est *anima*, *quae tetigit immundum*[e] et immunda facta est, et rursum tetigit mundum et facta est munda ? Illa, *quae profluvium sanguinis passa est et erogavit omnem substantiam suam in medicos nec aliquid proficere potuit*, per immunditiam peccati in hoc devoluta est. Tetigerat
35 enim peccatum et idcirco *flagellum* carnis acceperat. Sed posteaquam fide plena *tetigit fimbriam Iesu*, *stetit fluxus sanguinis eius*[f] et repente facta est munda, quae ante per tantum tempus vixit immunda. Et quemadmodum, cum tetigisset Dominum et Salvatorem, dixit ipse : *Quis me*
40 *tetigit? Ego enim sensi virtutem exisse de me*[g] — illam sine dubio virtutem, quae mulierem sanaverat et fecerat eam mundam —, sic intelligendum est quia, si qui contigerit peccatum, exeat ex ipso peccato virtus quaedam maligna, quae eum, qui se contigit, faciat immundum; et hoc est
45 vere contigisse immundum. Simili ratione etiam de *morticino* hominis vel de *morticino* pecoris mundi aut immundi[h] dicendum est. *Morticinum* namque hominis contingit is, qui in peccatis suis mortuum quempiam vel sequitur vel imitatur. Sed si singulorum differentiae requirendae sunt,
50 singula recenseamus.

Hominis morticinum, sicut supra diximus, illud possumus dicere, quod Apostolus ad Corinthios dicit : *Scripsi* inquit *vobis in epistola, ut non commisceamini fornicariis; non utique fornicariis huius mundi aut avaris aut rapacibus*

3 d. Matth. 5, 28 ‖ e. Cf. Lév. 5, 2 ‖ f. Cf. Mc 5, 25 s. ; Lc 8, 43 s. ‖ g. Lc 8, 45.46 ‖ h. Cf. Lév. 5, 3.2

avec elle[d]. » Car son cœur a touché le vice de la convoitise et son âme est devenue impure. Donc, avoir un contact de cette sorte, c'est-à-dire ou par la convoitise d'une femme ou par l'avidité de l'argent ou par un autre désir quelconque de péché, c'est avoir un contact impur et être souillé. Il te faut donc, si tu as un de ces contacts, savoir comment offrir un sacrifice, comme on l'a rappelé plus haut, pour pouvoir devenir pur. Veux-tu que je te montre une personne qui, par un contact impur est devenue impure[e], puis par un contact pur est devenue pure ? Celle-là, « qui souffrait d'hémorragie et avait dépensé tout son avoir en médecins sans aucun profit », avait été réduite à cet état par l'impureté du péché. C'est qu'elle avait eu contact avec le péché et, de ce fait, avait subi « le châtiment » dans sa chair. Mais après que, pleine de foi, « elle eut touché la frange du manteau de Jésus, son hémorragie s'arrêta[f] », et à l'instant devint pure celle qui depuis si longtemps vivait impure. Quand elle eut touché le Seigneur et Sauveur, lui-même dit : « Qui m'a touché ? Car j'ai senti qu'une force était sortie de moi[g] », assurément cette force qui avait guéri la femme et l'avait rendue pure. Dans le même sens il faut comprendre que si on a un contact avec le péché, il sort du péché même une force mauvaise qui rend impur celui qui a eu ce contact ; et c'est là vraiment avoir touché de l'impur. La même explication s'impose à propos « d'un cadavre » d'homme ou « d'un cadavre » de bête pure ou impure[h]. Car c'est toucher « un cadavre » d'homme que de suivre ou d'imiter un mort dans ses péchés. Mais pour caractériser chacun de ces contacts, passons-les en revue un à un.

Cadavre d'homme

D'un cadavre d'homme, comme on l'a indiqué plus haut, on peut dire ce que l'Apôtre déclare aux Corinthiens : « Je vous ai écrit dans la lettre de ne pas fréquenter des fornicateurs ; non point absolument les fornicateurs de ce monde, ou les cupides, ou les rapaces, ou les idolâtres ; car il vous

55 *aut idolis servientibus; alioquin debueratis de hoc mundo exisse. Nunc autem scripsi vobis, ut non commisceamini, si quis frater nominatur fornicator aut avarus aut idolis serviens aut maledicus aut ebriosus aut rapax, cum huiusmodi nec cibum sumere*[i]. Istud est ergo hominis *morticinum*
60 contingere, qui ei se socium saltem in cibo praebuerit, qui in Christo homo effectus rursum in peccatis est mortuus. Nam et illa vidua, de qua dicit Apostolus, *quae in deliciis agens, vivens mortua est*[j], *morticinum* hominis dici potest.

Sed et animalia morticina nihilominus quae sint in
65 Ecclesia, requirenda sunt. Si simpliciores quique ad hoc, quod nihil prudentiae egerunt, etiam in peccatorum sordibus volutentur, hos si qui sequatur vel tangat eo tactu, quo supra exposuimus, *morticinum* animalium tetigit. Quod autem Ecclesia habeat et animalia, audi
70 quomodo dicit in Psalmis : *Homines et iumenta salvos facies, Domine*[k]. Hi ergo, qui verbi Dei et rationabilis instituti studium gerunt, homines appellantur; qui vero absque huiusmodi studiis vivunt et scientiae exercitia non requirunt, fideles tamen sunt, animalia quidem, sed
75 munda dicuntur. Sicut enim sunt quidam homines Dei, ita sunt quidam et oves Dei. Scriptum est enim quia Moyses non erat ovis Dei, sed *homo Dei*[l]. Et Helias non erat ovis Dei, sed *homo Dei*; sic enim ipse dicit : *Si homo*

3 i. I Cor. 5, 9-11 || j. I Tim. 5, 6 || k. Ps. 35, 7 || l. Cf. Deut. 33, 1

---

1. « Il y a... comparaison entre ce peuple qui est sauvé dans l'Église et tous ces êtres, hommes et animaux, qui ont été sauvés dans l'arche... Dans l'Église, bien que tous soient contenus à l'intérieur d'une même foi et baignés dans un seul baptême, tous ne progressent pas ensemble ni de la même façon, mais ' chacun à son rang '. » — Suit l'explication : réalisant la figure de Noé avec sa famille, notre Seigneur Jésus-Christ avec un petit nombre d'intimes « ont été établis au degré le plus haut et sont placés au sommet de l'arche. Quant à cette foule d'animaux ou de bêtes sans

faudrait alors sortir de ce monde. En réalité, je vous ai écrit de ne pas fréquenter celui qui, même portant le nom de frère, serait fornicateur ou cupide ou idolâtre ou calomniateur ou ivrogne ou rapace, et de ne pas manger avec un tel homme[i]. » C'est donc toucher un cadavre d'homme que de s'offrir simplement comme le convive de celui qui, devenu homme dans le Christ, est retombé dans la mort du péché. Quant à cette veuve dont l'Apôtre dit que, « adonnée aux plaisirs, quoique vivante, elle est morte[j] », on peut dire qu'elle est un cadavre humain.

Cadavres d'animaux

De plus, on doit aussi rechercher les cadavres d'animaux qui seraient dans l'Église[1]. Si les plus simples, outre qu'ils ne font rien avec prudence, se vautrent en plus dans l'ordure du péché, les suivre ou les toucher de ce contact expliqué plus haut[2], c'est toucher des cadavres d'animaux. Or que l'Église contienne aussi des animaux, écoute comment on l'affirme dans les Psaumes : « Hommes et bêtes, tu les sauveras, Seigneur[k]. » Donc, ceux qui s'adonnent à l'étude de la parole de Dieu et de la doctrine spirituelle sont appelés des hommes. Ceux qui vivent sans cette étude et ne cherchent point à s'appliquer à la science, et néanmoins restent fidèles, on les appelle des animaux, mais des animaux purs. Car de même que certains sont des hommes de Dieu, certains aussi sont des brebis de Dieu. Il est écrit que Moïse était, non pas une brebis de Dieu, mais « un homme de Dieu[l] ». Élie non plus n'était pas une brebis de Dieu, mais un homme de Dieu ; c'est ce

raison, elle se tient en bas, et parmi eux, le plus bas, ceux chez qui la douceur de la foi n'a pas atténué la violence de la sauvagerie. Mais quelque peu au-dessus d'eux, il y a ceux qui, sans être entièrement raisonnables, gardent pourtant beaucoup de simplicité et d'innocence. » *In Gen. hom.* 2, 3, *SC* 7 *bis*, p. 90-93, tr. L. Doutreleau. Voir, cités en note, TERTULLIEN, *De idol.* 24 et HIPPOLYTE, *Philos.* 9, 12.

2. Cf. *supra*, § 3, 16 s.

Dei sum ego, descendat ignis de caelo et consumat te et
80 *quinquaginta tuos*[m]. Vis autem audire de ovibus Dei ? Dicitur per prophetam : *Oves meae, oves sanctae sunt, dicit Dominus*[n]. Et iterum Salvator dicit in Evangelio : *Oves meae vocem meam audiunt*[o]. Et non puto quia dixisset de hominibus quia *vocem meam audiunt* homines. Sed haec,
85 qui habet *aures audiendi*[p], audiat, quomodo vocem audiunt oves, homines autem verbum eius audiunt. Ista ergo sunt animalia munda quidem propter Christum, *morticina* autem propter peccatum. Quae si qui *tetigerit*, hoc est si secutus fuerit quis in peccato, immundus erit. Et si qui
90 huiusmodi hominis *morticinum contigerit*, id est eius, qui secundum rationem vivens primo et in verbo Dei semet ipsum exercens postmodum decidit in peccatum, si quis eum sequatur aut imitetur, hominis contingit *morticinum* et erit immundus.

95 Sed et *a fera captum* si contigeris, immundus eris[q]. Quae est fera ? Leo est an lupus, quae rapit homines vel iumenta ? Illa, credo, fera est, de qua dicit Petrus Apostolus quia adversarius vester diabolus sicut leo rugiens circuit quaerens quem *transvoret. Cui resistite*
100 *fortes in fide*[r]. Et rursum de quibus dicit Apostolus Paulus : *Intrabunt enim post discessum meum lupi rapaces non parcentes gregi*[s]. Ab istis ergo *feris captum* si videris, noli eum sequi, noli contingere, ne et tu efficiaris immundus.

Sunt praeterea et alia immunda animalia quorum
105 morticinum vetat contingi. Immunda animalia sunt homines, qui extra Christum sunt, in quibus neque ratio neque religio ulla est. Horum ergo omnium *morticina*[t], id est peccata si videas, dicit tibi legislator, ne contigeris, ne adtaminaveris, ne adtrectaveris. Et istae sunt immun-
110 ditiae, quae merito fugiendae sunt. Hominis autem tactum refugere vel mortui corporis, cui magis sepultura

3 m. IV Rois 1, 10 || n. Cf. Éz. 34, 31 || o. Jn 10, 27 || p. Cf. Matth. 11, 15 || q. Cf. Lév. 5, 2 || r. I Pierre 5, 8-9 || s. Act. 20, 29 || t. Cf. Lév. 5, 2

qu'il déclare : « Si je suis un homme de Dieu, que le feu descende du ciel et te consume, toi et tes cinquante compagnons[m]. » Mais veux-tu entendre parler des brebis de Dieu ? Il est dit par le prophète : « Mes brebis sont des brebis saintes, dit le Seigneur[n]. » Et le Sauveur à son tour dit dans l'Évangile : « Mes brebis entendent ma voix[o]. » Et je pense qu'il n'eût pas dit des hommes : les hommes entendent ma voix. Mais que celui qui a des oreilles pour entendre entende[p] comment les brebis entendent sa voix et les hommes sa parole. Donc ceux-là sont des animaux purs à cause du Christ, mais des cadavres à cause du péché. Si on les touche, c'est-à-dire si on les suit dans le péché, on sera impur. Toucher le cadavre d'un tel homme, je veux dire de celui qui, vivant d'abord selon la raison et s'adonnant à la parole de Dieu, est tombé ensuite dans le péché, le suivre ou l'imiter, c'est toucher un cadavre d'homme et devenir impur.

De plus, si on touche la proie d'un fauve, on sera impur[q]. Quel fauve ? Un lion ou un loup, qui ravissent hommes ou bêtes ? Plutôt, je crois, ce fauve dont l'apôtre Pierre dit : « Votre adversaire, le diable, comme un lion rugissant, rôde, cherchant qui dévorer. Résistez-lui, fermes dans la foi[r]. » Et encore ceux dont l'apôtre Paul dit : « Après mon départ s'introduiront des loups féroces qui n'épargneront pas le troupeau[s]. » Si donc tu vois une proie de ces fauves, ne la suis pas, ne la touche pas, de crainte que toi aussi tu ne deviennes impur.

En outre, il y a encore d'autres animaux impurs dont on interdit de toucher le cadavre. Animaux impurs sont les hommes qui sont hors du Christ, dénués de toute raison et religion. De tous ceux-là si tu vois les cadavres[t], c'est-à-dire les péchés, le législateur te dit de ne pas les toucher, ne pas y porter la main, ne pas les saisir. Telles sont les impuretés qu'on doit éviter avec raison. Mais refuser le contact d'un homme ou d'un corps mort, à qui on doit plutôt accorder une sépulture religieuse, ce sont des fables

religiosa deferenda est, iudaicae haec sunt et inutiles fabulae[u], *speciem quidem pietatis habentes, virtutem vero ipsius denegantes*[v].

115 Prima ergo lex de immunditiis data est, si qui *iuramenti* alicuius vel delicti *testis fuit et non indicavit*[w] et per hoc immundus quodammodo effectus est etiam ipse societate peccati. Secunda lex, qua contingere *immundum aliquid ac morticinum*[x] vetatur.

4. Tertia nunc lex promulgatur huiusmodi : *Et anima* inquit *quae iuraverit pronuntians labiis suis malefacere aut benefacere secundum omnia, quaecumque dixerit homini cum iuramento, et latuerit eum, et hic cognoverit, et peccaverit*
5 *unum aliquid de istis, pronuntiet peccatum quod peccavit, et afferet pro his, quae deliquit, Domino pro peccato, quo peccavit, feminam de ovibus*[a] et cetera.

Quomodo quidem, *si pronuntiavero labiis meis vel iuravero benefacere* et non faciam, peccati reus sim, diffi-
10 cultas non est ostendere; quomodo autem *si iurem vel pronuntiem malefacere* et non fecero, peccaverim, verbo adsignare difficile est. Absurdum enim videtur, verbi gratia, ut si per iracundiam dixero me hominem occisurum et non fecero, ne perierare aut fallere videar, cogi ad
15 explendum opus, quod temere et illicite promisi. Quaeramus ergo, quae sit res, in qua, si promittimus nos malefacere et non fecerimus, peccamus; si vero fecerimus, excusemur a peccato, ut rationabiliter stare praecepti veritas possit.

Quantum in hoc loco intelligendum videtur, malefacere
20 adversari alicui est et non indulgere ei, ut faciat quod

3 u. Cf. Tite 1, 14 || v. II Tim. 3, 5 || w. Cf. Lév. 5, 1 || x. Cf. Lév. 5, 2
4 a. Lév. 5, 4-6

---

1. Dans *Tite* 1, 14, il s'agit de traditions humaines, à saveur plus ou moins gnostique, des interdits de nourriture, de la tradition rabbinique et apocryphe, cf. C. Spicq, *Saint Paul, Les Épîtres*

juives[u], et qui sont nuisibles[1] : « elles ont l'apparence de la piété mais elles en renient la force[v] ».

Voilà donc la première loi donnée sur les impuretés : si on est témoin d'une adjuration ou d'une faute et qu'on ne la dénonce pas[w], de ce fait on devient aussi soi-même en quelque sorte impur pour avoir pris part au péché. La seconde loi est celle qui interdit de toucher quelque chose d'impur ou un cadavre[x].

Contre le parjure

4. La troisième loi est alors promulguée comme suit : « La personne qui jure en promettant des lèvres de faire du mal ou de faire du bien, en toute chose qu'on peut dire à un homme avec serment, mais c'est à son insu, et puis elle l'apprend, si elle pèche sur un de ces points, qu'elle confesse le péché qu'elle a commis, et pour ces fautes dont elle est coupable, elle amènera au Seigneur en sacrifice pour le péché qu'elle a commis une femelle de petit bétail[a] », etc.

Que « si je promets des lèvres ou jure de faire du bien » et ne le fais pas, je sois coupable de péché, il n'est pas difficile de le montrer ; qu'au contraire « si je jure ou promets de faire du mal » et ne le fais pas, je pécherais, il est difficile de l'expliquer à la lettre. Par exemple, si je dis avec colère que je vais tuer un homme et ne le fais pas, il semble absurde que, pour n'être point parjure ou menteur, je sois tenu d'accomplir ma promesse folle et criminelle. Cherchons donc un cas où, si nous promettons de faire du mal et ne le faisons pas, nous péchons, et si nous le faisons, nous sommes exempts de péché, afin de pouvoir maintenir au sens spirituel la vérité du précepte.

La chair, l'esprit

Autant qu'on puisse l'entendre dans ce passage, semble-t-il, faire du mal c'est s'opposer à quelqu'un et ne pas lui permettre de faire

Pastorales; Études Bibliques, Paris 1947, p. 245. Dans nos homélies l'expression qualifie le sens littéral périmé auquel restent attachés les Juifs. Voir encore *hom.* 6, 3 fin, et 12,4 milieu.

vult. Et nos ergo cum venimus ad Deum et vovemus nos ei in castitate servire, *pronuntiamus labiis nostris* et *iuramus* nos *castigare carnem nostram* vel male ei facere *atque in servitutem eam redigere*[b], ut spiritum salvum
25 facere possimus. Sic enim et ille iurasse se dixit, qui ait : *Iuravi, et statui servare omnia praecepta tua*[c]. Quia ergo carnis vox est, quae dicit : *Non enim quod volo ago, sed, quod odi, illud facio*[d], afflicta sine dubio ab spiritu et coartata est; *resistit enim et repugnat adversum spiritum*[e],
30 et, nisi male ei fiat, ut affligatur et infirmetur, non potest dicere spiritus : *Cum infirmor, tunc potens sum*[f]. Huic ergo *carni resistenti et repugnanti adversum spiritum* si quis *iuraverit et pronuntiaverit malefacere* et affligere ac macerare eam et non fecerit, peccati reus est, in quo iuravit cruciare
35 se carnem suam et servituti subicere et non fecit. Eodem autem iuramento et spiritui decernit benefacere. In quo enim carni malefacit, spiritui benefacit. Si qui ergo hoc iuraverit et non fecerit, peccati efficitur reus. Vis autem scire quia nec potest uni horum benefieri, nisi alii male-
40 feceris ? Audi etiam Dominum ipsum dicentem : *Ego occidam et vivere faciam.* Quid occidit Deus ? Carnem utique. Et quid vivere facit ? Spiritum sine dubio. Et rursum in sequentibus dicit : *Percutiam, et ego sanabo*[g]. Quid percutit ? Carnem. Quid sanat ? Spiritum. Quorsum
45 ista proficiant ? Ut faciat te *mortificatum carne, vivificatum spiritu*[h]; ne forte et tu *mente servias legi Dei, carne autem*, si mortificata non fuerit, *legi peccati*[1].

4 b. Cf. I Cor. 9, 27 || c. Ps. 118, 106 || d. Rom. 7, 15 || e. Cf. Gal. 5, 17 || f. II Cor. 12, 10 || g. Deut. 32, 39 || h. Cf. I Pierre 3, 18 || i. Cf. Rom. 7, 25

---

1. « J'ai observé dans l'Écriture que les choses qui sont pour ainsi dire d'une apparence triste sont toujours nommées en premier

ce qu'il veut. Ainsi nous-mêmes, quand nous venons à Dieu et faisons le vœu de le servir dans la chasteté, « nous promettons des lèvres et jurons » de « châtier notre chair » ou de lui faire du mal, « et de la réduire en servitude[b] », afin de pouvoir sauver l'esprit. C'est dans ce sens qu'il dit avoir juré, celui qui déclare : « J'ai juré et résolu d'observer tous tes préceptes[c]. » Et comme c'est la voix de la chair qui dit : « Ce que je veux, je ne le pratique pas, mais ce que je hais, je le fais[d] », celle-ci est à coup sûr maltraitée et contrainte par l'esprit ; « car elle résiste et lutte contre l'esprit[e] » et si on ne lui fait pas de mal pour la châtier et l'affaiblir, l'esprit ne peut pas dire : « Quand je suis faible, c'est alors que je suis fort[f]. » Donc, « cette chair qui résiste et lutte contre l'esprit », si « on jure et promet de lui faire du mal », de la châtier et de l'affaiblir, et ne le fait pas, on est coupable de péché, pour avoir juré de tourmenter sa chair et de la réduire en servitude et ne l'avoir pas fait. Or par le même serment on a décidé de faire du bien à l'esprit. Car dans la mesure où on fait du mal à la chair, on fait du bien à l'esprit. Si donc on l'a juré et ne l'a pas fait, on se rend coupable de péché. Mais veux-tu savoir qu'on ne peut faire du bien à l'un d'eux sans faire du mal à l'autre ? Écoute encore le Seigneur lui-même : « C'est moi qui ferai mourir et ferai vivre. » Qu'est-ce que Dieu fait mourir ? La chair, évidemment. Et que fait-il vivre ? L'esprit, sans aucun doute. Ensuite, il ajoute : « Je frapperai et c'est moi qui guérirai[g]. » Que frappe-t-il ? La chair. Que guérit-il ? L'esprit[1]. A quoi tendent ces paroles ? A te rendre « mortifié dans la chair, vivifié dans l'esprit[h] » ; de peur que toi aussi « tu ne serves la Loi de Dieu par l'esprit, mais par la chair », si elle n'est pas mortifiée, « la loi du péché[i] ».

lieu, puis sont dites en second celles qui semblent gaies... Qui est-ce que je frappe... ? Paul le traître, Paul le persécuteur. Et ' je le ferai vivre ' pour qu'il devienne Paul apôtre de Jésus-Christ. » *In Jer. hom.* 1, 16, *SC* 232, p. 232 s.

Si ergo istum ordinem promiseris et servare non quiveris, audi quid legis ordo praecipiat : *Si peccaverit* inquit
50 *unum aliquid de istis, pronuntiet peccatum, quod peccavit*[j]. Est aliquid in hoc mirabile secretum, quod iubet *pronuntiare peccatum*. Etenim omni genere pronuntianda sunt et in publicum proferenda cuncta quae gerimus. Si *quid in occulto gerimus*[k], si quid in sermone solo vel
55 etiam intra cogitationum secreta commisimus, cuncta necesse est publicari, cuncta proferri; proferri autem ab illo, qui et accusator peccati est et incentor. Ipse enim nunc nos ut peccemus, instigat, ipse etiam, cum peccaverimus, accusat. Si ergo in hac vita praeveniamus eum et
60 ipsi nostri accusatores simus, nequitiam diaboli inimici nostri et accusatoris effugimus. Sic enim et alibi propheta dicit : *Dic tu* inquit *iniquitates tuas prior, ut iustificeris*[1]. Nonne evidenter mysterium, de quo tractamus, ostendit, cum dicit : *dic tu prior?* ut ostendat tibi quia praevenire
65 illum debeas, qui paratus est ad accusandum. *Tu* ergo, inquit, *dic prior*, ne te ille praeveniat; quia, si *prior* dixeris et sacrificium paenitentiae obtuleris secundum ea, quae in superioribus diximus offerenda, et tradideris carnem tuam in interitum, *ut spiritus salvus fiat in die Domini*[m],
70 dicetur et tibi quia *percepisti tu in vita tua mala tua, nunc vero hic requiesce*[n]. Sed et David eodem spiritu loquitur in Psalmis et dicit : *Iniquitatem meam notam feci, et peccatum meum non cooperui. Dixi: pronuntiabo adversum me iniustitiam meam, et tu remisisti impietatem*
75 *cordis mei*[o]. Vides ergo quia *pronuntiare peccatum* remissionem peccati meretur. Praeventus enim diabolus in

4 j. Lév. 5, 4-5 || k. Cf. Jn 7, 4 || l. Is. 43, 26 || m. I Cor. 5, 5 || n. Cf. Lc 16, 25 || o. Ps. 31, 5

---

1. « J'appelle juste celui qui en premier s'accuse lui-même, comme l'indique la parole de l'Écriture (*Prov.* 18, 17). Elle donne le nom de juste à celui qui, après une faute, ne demeure pas dans sa faute et

« Confesser le péché »

Si donc tu as promis d'observer cette règle et n'as pu le faire, écoute ce que prescrit la règle de la Loi : « Si elle a péché sur un de ces points, qu'elle confesse le péché qu'elle a commis[j]. »

Il y a une signification secrète admirable dans le fait qu'on ordonne de « confesser son péché ». En effet, de toute manière doit être confessé et manifesté en public tout ce que nous faisons. « Ce que nous faisons dans l'ombre[k] », ce que nous commettons seulement en parole, voire dans le secret des pensées, il est nécessaire que tout soit exposé, tout manifesté ; et manifesté par celui qui est à la fois l'accusateur et l'instigateur du péché. C'est lui qui maintenant nous incite à pécher, lui encore qui, quand nous avons péché, nous accuse. Si donc en cette vie nous le prévenons et sommes nous-mêmes nos accusateurs, nous échappons à la malice du diable notre ennemi et accusateur. Comme le dit ailleurs le prophète : « Dis toi-même le premier tes iniquités pour être justifié[l]. » N'est-ce pas une indication évidente du sens mystérieux dont nous parlons, que ce mot : « Dis toi-même le premier » ? Il veut te montrer que tu dois prévenir celui qui est prêt à t'accuser. « Toi, dis le premier » de peur qu'il ne te prévienne ; car si « tu dis le premier » et si tu offres un sacrifice de pénitence, comme on a dit plus haut de l'offrir, si tu livres ta chair à la destruction « afin que l'esprit soit sauvé au jour du Seigneur[m] », il te sera dit à toi aussi : « Tu as reçu tes maux durant ta vie, maintenant entre ici en repos[n]. » De plus David parle sous la même inspiration dans les Psaumes et déclare : « Ma faute, je l'ai fait connaître ; mon péché, je ne l'ai point caché. J'ai dit : Je confesserai contre moi mon injustice, et toi, tu as remis l'impiété de mon cœur[o]. » Tu le vois : confesser son péché c'est en mériter la rémission[1]. Prévenu dans l'accusation,

n'attend pas que le diable devienne son accusateur, ni qu'il manifeste en public ses péchés, mais il s'accuse et se dénonce, et par sa confession

accusatione ultra nos accusare non poterit, et, si ipsi nostri accusatores simus, proficit nobis ad salutem[p]; si vero exspectemus, ut a diabolo accusemur, accusatio illa 80 cedit nobis ad poenam; habebit enim socios in gehenna, quos convicerit criminum socios.

5. Multum erit nunc hostiarum diversitates et sacrificiorum ritus ac varietates exsequi et longe alterius operis quam eius verbi, quod in communi auditorio vulgus excipiat. Verum ut aliqua in transcursu perstringere 5 videamur, omnis quidem paene hostia, quae offertur, habet aliquid formae et imaginis Christi. In ipsum namque omnis hostia recapitulatur, in tantum ut, postquam *ipse oblatus est*[a], omnes hostiae cessaverint, quae eum in typo et *umbra*[b] praecesserant; de quibus, prout potuimus, 10 in superioribus, quomodo vitulus a pontifice oblatus sive in munere sive *pro peccato*, formam eius haberet, ostendimus. *Adipes* vero, qui offeruntur in munere, *operientes interiora* et renibus cohaerentes[c] potest sancta illa eius anima intelligi, quae *interiora* quidem, id est divinitatis 15 eius secreta velabat, *renibus* autem, hoc est corporali materiae, quae ex nobis caste sumpta fuerat, cohaerebat; et media inter carnem Deumque posita sanctificandam sacris altaribus et divinis ignibus illustrandam, conservandam secum ad caelos naturam carnis imponit. Renunculi

4 p. Cf. Prov. 18, 17
5 a. Cf. Hébr. 9, 14 || b. Cf. Hébr. 10, 1 || c. Cf. Lév. 3,3

---

est délivré de la mort. » *In Ps. 37 hom.* 2, 2, *PG* 12, 1382 C. Il s'agit probablement ici de l'aveu de ses fautes devant Dieu. « Car, bien qu'il soit question de ' livrer la chair à la destruction ', il est difficile d'imaginer qu'Origène considère les péchés ' que nous commettons seulement en parole, voire dans le secret des pensées ' comme objet de pénitence publique. » Plus loin, est faite la distinction entre celui qui, ayant commis « le péché qui mène à la mort » est répudié, *abiectus*, et celui qui, coupable d'une faute moindre, est souillé,

le diable ne pourra plus nous accuser, et d'être nous-mêmes nos accusateurs sert à notre salut[p] ; mais attendre d'être accusés par le diable, c'est faire tourner cette accusation à notre châtiment ; car on aura pour compagnons dans la géhenne ceux qu'il convaincra de complicité.

Dans le Christ sont récapitulées toutes les victimes

5. Il serait ici trop long d'exposer à fond la diversité des victimes, les rites et la variété des sacrifices, matière d'un tout autre travail que cette prédication que reçoit la foule dans un sermon ordinaire. Mais pour s'en tenir à un rapide survol, presque chaque victime offerte a quelque trait de la figure et de l'image du Christ. Car en lui chaque victime est récapitulée à tel point que, après qu'il se fut offert lui-même[a], cessèrent toutes les victimes qui l'avaient précédé en type et en ombre[b]. A leur sujet, de notre mieux nous avons montré plus haut[1] que le jeune taureau offert par le pontife, soit en présent, soit pour le péché, en était la figure. Pour les graisses offertes en présent, qui « couvraient les entrailles » et adhéraient aux reins[c], on peut les interpréter comme son âme sainte qui voilait « ses entrailles », c'est-à-dire les mystères de sa divinité, et adhérait « aux reins », c'est-à-dire la matière corporelle qu'il nous avait chastement empruntée ; intermédiaire entre la chair et Dieu, elle place la nature de sa chair sur les autels sacrés pour qu'elle soit sanctifiée et illuminée des flammes divines, conservée avec elle pour le ciel. Quant aux reins livrés au feu[2], peut-on

pollutus, hom. 12, 6. La destruction de la chair signifie seulement « l'affliction du corps qui est ordinairement subie par les pénitents », *hom.* 14, 4 fin. Ces œuvres de pénitence peuvent être accomplies en dehors du cadre de la pénitence officielle. Cf. K. Rahner, *Doctrine*, p. 264, n. 52.

1. Cf. *hom.* 2, 3, 39 s.

2. Les reins, signe de la génération, *In Ezech. hom.* 1, 3, *GCS* 8, p. 323, 20 ; *Sel. in Ezech.* 1, 26, *PG* 13, 769 D.

20 autem ignibus traditi quis dubitet quod nullos in Christo fuisse indicent genitalium partium motus ? Quod vero *de sanguine hostiae septiens ante Dominum sacerdos respergere*[d] memoratur, evidenter sancti Spiritus virtus septemplicis gratiae[e] sub mysterio designatur. Quattuor *cornua* 25 *altaris*, quae *sanguine* liniuntur, Christi passionem referri quattuor Evangeliis indicant. Penna iecoris quod offertur, in iecore ira iugulatur, in penna velox et concita vis furoris ostenditur. Reliquus autem sanguis, qui *ad basim altaris effunditur*[f], puto quod illius gratiae formam 30 designet, qua *in novissimis diebus*[g], posteaquam *plenitudo gentium subintroierit*, *omnis* qui reliquus fuerit *Istrahel*[h], ad ultimum velut *ad basim altaris* positus effusionem Christi sanguinis etiam ipse suscipiet. De agnis vero et haedis, turturibus et columbis, sed et *simila conspersa in* 35 *oleo* aut in *panibus azymis* cocta[i], quantum res pati potuit, supra dictum est.

6. Videamus nunc, quae lex proponitur in offerendis hostiis *pro peccato*[a]. *Et locutus est* inquit *Dominus ad Moysen dicens : anima si qua latuerit et peccaverit non volens a sanctis Domini*, *offeret pro delicto suo Domino* 5 *arietem immaculatum de ovibus*, *pretio argenti siclo sancto in eo*, *quod deliquit*. *Et quod peccavit a sanctis*, *reddet*, *et quintas adiciet ad illud*, *et dabit illud sacerdoti*, *et sacerdos exorabit pro eo in ariete delicti*, *et remittetur ei*[b].

In superioribus legibus, quae de immunditiae sacrificiis 10 referebantur, sicubi dixit offerendum, verbi causa, ovem

5 d. Cf. Lév. 4, 6.17 || e. Cf. Apoc. 1, 4 || f. Cf. Lév. 4, 7.18 || g. Cf. p. ex. II Tim. 3, 1 || h. Cf. Rom. 11, 25.26 || i. Cf. Lév. 2, 5.4
6 a. Cf. Lév. 5, 6 || b. Lév. 5, 14-16

douter qu'ils signifient l'absence dans le Christ de tout trouble charnel? Rappeler que « le prêtre doit faire sept aspersions du sang de la victime devant le Seigneur[d] », c'est évidemment désigner de façon mystérieuse la puissance de la grâce aux sept dons du Saint-Esprit[e]. Les quatre cornes de l'autel enduites de sang signalent que la passion du Christ est rapportée par les quatre Évangiles. Le lobe du foie offert, c'est la colère égorgée dans le foie, car le lobe symbolise la promptitude et l'emportement de la fureur. Et le reste du sang répandu à la base de l'autel[f], c'est, je pense, la figure de cette grâce par laquelle « aux derniers jours[g] », après que « la totalité des Gentils sera entrée », tout ce qui restera d'Israël[h], placé en dernier comme à la base de l'autel, recevra lui aussi l'effusion du sang du Christ. Enfin des agneaux et des chevreaux, des tourterelles et des colombes, et encore de « la fleur de farine arrosée d'huile » ou cuite « en pains azymes[i] », on a parlé plus haut dans la mesure où le sujet le comportait[1].

Sacrifice de réparation pour le péché commis aux dépens de biens sacrés

6. Voyons maintenant la loi qu'on propose sur les victimes à offrir « pour le péché[a] » : « Le Seigneur parla à Moïse en ces termes : Quand une personne à son insu pèche sans le vouloir en détournant des biens sacrés du Seigneur, elle offrira au Seigneur pour sa faute un bélier sans tache du petit bétail, du prix d'un sicle d'argent du sanctuaire, en sacrifice pour la faute commise. Et ce qu'elle a, en péchant, détourné des biens sacrés, elle le rendra, en y ajoutant un cinquième, et le remettra au prêtre ; puis le prêtre fera pour elle la supplication avec le bélier du sacrifice pour la faute, et il lui sera pardonné[b]. »

Dans les lois précédentes, concernant les sacrifices pour l'impureté, s'il est dit quelque part d'offrir, par exemple,

1. Cf. *hom.* 2, 2.

aut haedum, addidit : *Quod si non sufficiet manus eius ad haedum aut agnum, offerat par turturum aut duos pullos columbinos*, et iterum : *quod si nec ad hoc sufficiet, offeret similaginem*[c]. In hac vero lege, ubi de peccato, quod in
15 *sanctis* committitur, disserit, nullam substitutionem inferioris hostiae secundae vel tertiae subrogavit, sed statuit solum *arietem* offerendum; nec aliter ostendit solvi posse peccatum, quod in *sancta* committitur, nisi *arietem* iugulaverit; et non simpliciter arietem, sed *arietem pretio*
20 emptum et certo *pretio* : *siclo* inquit *sancto*[d]. Quid igitur ? si quis pauper fuerit et non habuerit *siclum sanctum*, unde mercari possit *arietem*, peccatum eius non solvetur ? Quaerendae sunt ergo unicuique et divitiae, ut peccatum eius possit absolvi. Verum si dignetur Dominus vel nobis
25 oculos ad videndum vel vobis ad audiendum aures cordis aperire, quid sibi velit legislatoris sensus opertus mysteriis, requiremus.

Et primo quidem videamus hoc ipsum, quod recitatum est, secundum litteram quale sit. Videtur de his dicere, in
30 quorum manibus *sancta* commissa sunt, id est quae in Domini donis oblata sunt; verbi gratia, vota et munera, quae in Ecclesiis Dei ad usum sanctorum et ministerium sacerdotum vel quae ob necessitatem pauperum a devotis et religiosis mentibus offeruntur. De his si qui qualibet
35 praesumptione subtraxerit, decernit lex, ut, si rememoratus fuerit peccasse se et sponte compunctionem cordis acceperit — de eo enim, qui non sponte compungitur, sed alio arguente convincitur, difficilius remedium est — hic ergo, qui sponte recordatus fuerit peccatum suum, *reddet*,
40 inquit, illud ipsum, quod subtraxerat, *et addet ad illud quintas et offeret arietem pro peccato* emptum *pretio siclo sancto*[e]. Quod dicit : *Addet ad illud quintas*, simpliciores

6 c. Lév. 5, 7-11 || d. Cf. Lév. 5, 15 || e. Cf. Lév. 5, 16.15

une brebis ou une chèvre, on ajoutait : « Si ses ressources ne suffisent pour une chèvre ou une agnelle, qu'elle offre une paire de tourterelles ou deux petits de colombes » ; et encore : « Si elles n'y suffisent pas non plus, elle offrira de la fleur de farine[c]. » Mais dans cette loi où on traite du péché commis aux dépens « des biens sacrés », on n'ajoute aucune substitution d'une seconde ou d'une troisième victime moins importante : on prescrit l'offrande d'un seul bélier ; on n'indique pas d'autre moyen de rémission du péché commis aux dépens « des biens sacrés » que l'immolation « d'un bélier » ; non pas d'un bélier sans plus, mais d'un bélier acheté « à un prix », et à un prix fixé, « un sicle du sanctuaire[d] ». Quoi donc ? S'il est un pauvre qui ne possède pas un sicle du sanctuaire pour l'achat d'un bélier, son péché ne sera point remis ? Faut-il donc que chacun acquière encore de la richesse pour que son péché puisse être pardonné ? En vérité, si le Seigneur daigne ouvrir à nous les yeux pour voir, à vous les oreilles du cœur pour entendre, nous chercherons ce que signifie la pensée du législateur cachée sous ces paroles mystérieuses.

Sens littéral : la restitution

Et d'abord, voyons ce texte qu'on a lu, tel qu'il est selon la lettre. Il semble parler de gens auxquels on a remis en dépôt des biens sacrés, faisant partie des dons offerts au Seigneur ; par exemple, des dons et présents qui sont offerts dans les Églises de Dieu par des âmes zélées et pieuses, pour l'usage des saints et le service des prêtres ou pour le besoin des pauvres. Quiconque aurait l'audace d'en soustraire quelque chose, la loi décrète que, s'il se rappelle avoir péché et de lui-même éprouve la componction du cœur — pour celui qui ne l'éprouve pas de lui-même, mais est confondu par la dénonciation d'un autre, le remède est plus difficile —, celui donc qui de lui-même se rappelle son péché « rendra » cela même qu'il a soustrait, « y ajoutera un cinquième et offrira pour son péché un bélier acheté au prix d'un sicle du sanctuaire[e] ». L'expression

quique aestimant ita dictum, ut, verbi causa, si quinque nummi subtracti sunt, unus addatur, ut pro quinque sex
45 reddere videatur. Sed qui in disciplina numerorum peritiam gerunt, longe aliter istius vocabuli numerum supputant. Nam et in Graeco non habet πέμπτον, quod simpliciter quintas facit, sed habet ἐπίπεμπτον, quod nos quidem possumus dicere ' super quintas ', nisi diceretur istud
50 specialis cuiusdam numeri apud illos esse vocabulum, quo indicetur pro quinque alios quinque dandos et unum super; ut verbi gratia intelligatur, qui furatus sit quinque nummos, ipsos quidem quinque restituere et alios quinque uno superaddito. Nec tamen haec continuo pro furtis aut
55 fraudibus intelligenda sunt, sed quod etiam si qui pro usibus necessariis sibi de sanctis pecuniam sumpsit et moras attulit in restituendo, huiusmodi lege constringitur. Quae lex etiam secundum litteram aedificare debet audientes. Valde enim utilis et necessaria est observatio,
60 his praecipue, qui ecclesiasticis dispensationibus praesunt, ut sciant sibi ab his, quae in usum sanctorum oblata sunt, cautius et diligentius observandum.

7. Sed et nos, quibus ista forte non accidunt, videamus, qua ex parte sermo legis aedificet. Et ego hodie, licet peccator sim, tamen quia dispensatio mihi verbi dominici credita est, sancta Dei videor habere commissa[a]. Neque

7 a. Cf. Matth. 25, 27

---

1. Sur la Loi à observer selon la lettre, voir par exemple : « Il y a des commandements de la Loi que même les disciples du Nouveau Testament gardent par une observation obligatoire *(necessaria)* », *In Num. hom.* 11, 1 début, *GCS* 7, p. 75, 8 s. Doivent « s'instruire par la lettre » des préceptes et les mettre en pratique, sinon les saints, au moins « les faibles, incapables de saisir un sens mystérieux plus profond » ; ceux qui sont saints et fidèles sont au-dessus de ces prescriptions, cf. *hom.* 4, 2 fin. Ils sont de même au-dessus des

« il y ajoutera un cinquième », les gens simples estiment qu'elle veut dire que, par exemple, si on a soustrait cinq deniers, on en ajoute un autre et au lieu de cinq, en rende six. Mais ceux qui sont experts dans la science des nombres comptent tout autrement le nombre indiqué par ce mot. Car en grec, il n'y a pas *pempton*, ce qui fait simplement un cinquième ; il y a *épipempton*, que nous pourrions traduire « un cinquième en plus », si l'on ne disait que c'est chez les Grecs le nom d'un nombre spécial, indiquant que pour cinq il faut en donner cinq autres et un en plus ; on veut faire entendre, par exemple, que celui qui a volé cinq deniers restitue d'abord ces cinq, puis en donne cinq autres plus un. Cependant, au lieu de voir là sans plus une règle pour les vols et les fraudes, il faut comprendre que, même si on a pris de l'argent des biens sacrés pour ses besoins urgents et mis du retard à restituer, on est lié par une loi de ce genre. Cette loi, même prise selon la lettre, doit instruire les auditeurs. Son observation est très utile et nécessaire[1], surtout par ceux qui sont préposés à l'administration des biens ecclésiastiques, pour qu'ils sachent qu'ils ont à surveiller avec plus de soin et de conscience ce qu'on a offert pour l'usage des saints.

Sens spirituels : — la parole divine improductive

7. Mais nous, que sans doute ces biens ne concernent pas, voyons sur quel point le texte de la loi nous instruit. Pour moi aujourd'hui, bien que je sois pécheur, parce que malgré tout il m'incombe de dispenser la parole du Seigneur, il me semble que j'ai reçu en dépôt les biens sacrés de Dieu[a]. Et ce n'est pas mainte-

pratiques habituelles qu'ils dépassent, lit-on ailleurs : le culte véritable consiste dans l'édification non d'autels, de statues ou de temples, mais des vertus en conformité avec l'image du Dieu invisible... ; pour les parfaits, tous les jours sont des jours de fête, tandis que la foule a besoin de modèles sensibles..., *CC* 8, 17-23, *SC* 150, p. 210-227 et notes.

5 nunc primum, sed saepe iam et olim dispensatione hac erga vos utimur. Si qui ergo ex vobis suscepit a me dominicam pecuniam et, ut fieri solet, egressus Ecclesiam et diversis occupationibus saeculi raptus oblivioni, quae audierat, dedit nec opus aliquod ex verbo, quo suscepit, 10 implevit, iste est, qui pecuniam de sanctis susceptam non reddidit. Unde vel his auditis in memoriam revocet quod ea, quae dudum sibi fuerant in verbo Dei commissa, neglexit. Reddat ergo et hoc, quod accepit, et addat ad id quintas eo modo, quo ante iam diximus, id est, ut bis 15 quina sint et unus superaddatur.

Videamus ergo, quomodo quinque isti reddantur. Quinque numerus frequenter, immo paene semper pro quinque sensibus accipitur. Scire ergo debemus hoc modo istos quinque sanctis posse restitui, ut, si forte praesumpsi- 20 mus abuti iis in saecularibus actibus et impendimus usum eorum in his, quae non secundum Deum gessimus, restituamus nunc et ipsos quinque sanctis actibus religiosisque ministeriis et alios eis quinque addamus, qui sunt interioris hominis sensus; per quos vel *mundi corde* effecti 25 *Deum videmus*[b] vel *aures habemus ad audienda*[c] ea, quae docet Iesus, vel *odorem* capimus illum, quem dicit Apostolus : *quia Christi bonus odor sumus*[d], vel etiam gustum sumimus illum, de quo dicit propheta : *Gustate et videte, quoniam suavis est Dominus*[e], vel tactum illum, 30 quem dicit Iohannes, quia *oculis nostris inspeximus et manus nostrae palpaverunt de Verbo vitae*[f]. His autem omnibus unum superaddimus, ut ad unum Deum haec cuncta referamus. Et haec quidem de restituendis his, quae qualibet culpa ex sanctis ablata fuerant, dicta sint.

7 b. Cf. Matth. 5, 8 || c. Cf. Matth. 11, 15 || d. II Cor. 2, 15 || e. Ps. 33, 9 || f. I Jn 1, 1

1. Cf. *In Ex. hom.* 13, 1, 25 s., *GCS* 7, p. 270 ; *In Matth. ser.* 68, *GCS* 11, p. 161.

nant pour la première fois, mais souvent déjà et depuis longtemps[1] que je m'emploie à vous la dispenser. Alors si l'un d'entre vous a reçu de moi l'argent du Seigneur puis, comme il arrive d'ordinaire, une fois sorti de l'Église et emporté par les diverses occupations du siècle, abandonne à l'oubli ce qu'il avait entendu et n'accomplit point d'œuvre inspirée par la parole reçue, voilà quelqu'un qui ne rend pas l'argent des biens sacrés qu'il a reçus. Qu'au moins donc, l'ayant compris, il se rappelle avoir négligé ce qui naguère lui fut confié de la parole de Dieu. Et qu'il rende ce qu'il a reçu et y ajoute un cinquième au sens donné plus haut, soit deux fois cinq et un en plus.

— Les cinq sens de l'homme intérieur

Voyons dès lors comment rendre ce « cinquième ». Le nombre cinq désigne souvent, ou mieux presque toujours, nos cinq sens. Nous devons conclure qu'ils peuvent être rendus aux biens sacrés de cette façon : si jamais nous avons eu l'audace d'en mésuser dans des activités séculières et les avons employés à des œuvres qui ne sont pas selon Dieu, restituons maintenant ces cinq sens à des activités saintes, à des services religieux, et ajoutons leur cinq autres, les sens de l'homme intérieur[2]. Grâce à eux, devenus « purs de cœur » nous voyons Dieu[b] ; « nous avons des oreilles pour entendre[c] » ce qu'enseigne Jésus ; nous percevons cette odeur dont parle l'Apôtre : « Nous sommes la bonne odeur du Christ[d] » ; nous obtenons ce goût dont le prophète dit : « Goûtez et voyez comme est bon le Seigneur[e] » ; ou ce toucher que mentionne Jean : « De nos yeux nous avons vu, et nos mains ont palpé le Verbe de vie[f]. » A toutes ces actions nous en ajoutons une, afin de les rapporter toutes à un seul Dieu. Voilà pour la restitution de ce qui, par une faute quelconque, a été dérobé aux biens sacrés.

2. Vue schématique de la doctrine des « sens spirituels », dont les éléments parsèment toute l'œuvre d'Origène. Voir la note complémentaire 16.

8. Quid vero dicemus de sacrificio *arietis pretio* empti et *pretio sicli sancti*[a], qui pro peccati expiatione iubetur offerri ? Dives futurus est, qui *pretio arietis* possit delicta purgare. Quae sunt istae divitiae, requiramus. Docet nos
5 sapientissimus Solomon dicens : *Redemptio animae viri propriae divitiae eius*[b]. Audis verba Sapientiae, quomodo necessariis cum proprietatibus vim uniuscuiusque sermonis enuntiat ? Divitias dicit aptas ad *animae redemptionem* et divitias non alienas neque communes, sed *divitias*
10 *proprias*. Per quod ostendit esse quasdam *divitias proprias*, quasdam vero non proprias. Sed hoc evidentius Dominus in Evangeliis declaravit, cum dicit : *Quod si in alieno fideles non fuistis, quod vestrum est, quis dabit vobis*[c]*?* ostendens praesentis saeculi divitias non esse nostras
15 proprias, sed alienas. Transeunt enim et *sicut umbra praetereunt*[d].

Propriae vero sunt illae *divitiae*, de quibus propheta dicit : *Et ad te congregabo divitias gentium*[e]. Ex his fortasse divitiis et *Abraham dives factus est valde in auro et argento*
20 *et pecoribus*[f] atque omni supellectili. Vis tibi ostendam, ex quibus thesauris descendant istae divitiae ? Audi Apostolum Paulum dicentem de Domino Iesu Christo : *In quo sunt* inquit *omnes thesauri sapientiae et scientiae absconditi*[g]. Sed et in Evangeliis Dominus dicit quia :
25 *Scriba dives profert de thesauris suis nova et vetera*[h]. De his et Apostolus Paulus dicit quia : *In omnibus divites facti*

8 a. Cf. Lév. 5, 15 || b. Prov. 13, 8 || c. Lc 16, 12 || d. Cf. Ps. 143, 4 || e. Zach. 14, 14 || f. Gen. 13, 2 || g. Col. 2, 3 || h. Matth. 13, 52

---

1. Sur la richesse qu'est la Sagesse, Origène va citer l'Écriture. Il aurait pu songer aux paradoxes stoïciens, comme PHILON : « Celui qui a reçu le lot (de la sagesse) a dépassé les limites du bonheur humain. Lui seul est de naissance noble..., non seulement riche mais riche de tous biens ; ... seul roi..., seul libre. » *De sobr.* 56, tr. J. Gorez. Et peut-être le fait-il ailleurs : « Riche, celui qui possède

— le véritable sicle du sanctuaire

8. Mais que dire du sacrifice acheté à un prix, « au prix d'un sicle du sanctuaire[a] », qu'on ordonne d'offrir en propitiation pour le péché ? On devra être riche pour se purifier de ses fautes au prix d'un bélier. De quelles richesse ? recherchons-le[1]. Le très sage Salomon nous l'enseigne : « Rançon d'une âme d'homme, ses propres richesses[b]. » Entends-tu les mots de la Sagesse, la manière dont elle énonce, par les propriétés convenables des termes, le sens de chaque expression ? Elle dit les richesses aptes à « la rançon d'une âme », non pas les richesses étrangères ou communes, mais « les richesses propres ». Par quoi elle montre qu'il y a des richesses qui sont propres, et d'autres qui ne le sont pas. Mais cela, le Seigneur l'a déclaré plus clairement dans les Évangiles : « Si pour un bien étranger vous n'avez pas été fidèles, qui vous donnera le vôtre[c] ? » Il montre ainsi que les richesses du siècle présent ne nous sont pas propres, mais étrangères. Elles passent en effet, « fugitives comme l'ombre[d] ».

Mais les richesses propres sont celles dont le prophète dit : « Je rassemblerai vers toi les richesses des nations[e]. » De ces richesses, sans doute, « Abraham devint très riche en or, en argent, en bétail[f] », en mobilier de toute sorte. Veux-tu que je te montre de quels trésors proviennent ces richesses ? Entends l'apôtre Paul dire du Seigneur Jésus-Christ : « En lui se trouvent, cachés, tous les trésors de la sagesse et de la science[g]. » De plus, dans les Évangiles le Seigneur dit : « Le scribe riche tire de son trésor du neuf et du vieux[h]. » D'elles encore, l'apôtre Paul dit : « En tout

abondance d'œuvres bonnes, de la parole de Dieu et de toute science », *Sel. in Ezech.* 18, 12, *PG* 13, 817 A. « Tout appartient au sage, et rien au méchant », *Fragm. In Cor.* 17, *JTS* IX, 352, 11. Ou encore sur une autre prérogative : « Seul le sage est beau, et tout méchant est laid », *In Cant.* III (IV), *GCS* 8, p. 233, 4. Vertu et bonheur seraient de même nature chez l'homme que chez Dieu, *CC* 6, 48, *SC* 147, p. 298 s.

estis in illo, in omni verbo et in omni scientia[i]. Ex his ergo divitiis, quae de *thesauris sapientiae et scientiae*[j] proferuntur, mercandus nobis est *aries* iste, qui offerri debeat pro
30 peccatis, illis scilicet, quae in sancta commissa sunt, et *sicli sancti* adnumeratione mercandus[k]. Iam superius diximus quod omnis hostia typum ferat et imaginem Christi, multo magis aries, qui et pro Isaac quondam a Deo substitutus est immolandus[l]. *Siclo* igitur *sancto*
35 comparandus est nobis Christus, qui peccata nostra dissolvat. *Siclus sanctus* fidei nostrae formam tenet. Si enim fidem obtuleris tamquam pretium, a Christo velut ariete immaculato in hostiam dato remissionem accipies peccatorum.

40 Sentio quod in explanando vires nostras mysteriorum superat magnitudo. Sed quamvis non valeamus cuncta disserere, tamen sentimus cuncta repleta esse mysteriis. Et ideo studiosis quibusque indicia posuisse sufficiat, quibus excitati ad altiora horum et profundiora perveniant
45 et intelligant, ex quibus iis gregibus *vitulus* quaeratur ad hostiam, ex quibus ovibus *aries* providendus sit[m]. *Habeo enim* inquit Iesus *et alias oves, quae non sunt de hoc ovili; et illas oportet me adducere, ut fiat unus grex et unus pastor*[n].

50 Sciant etiam, ubi turtures, ubi columbae[o] requirendae sunt. *Oculi* inquit *tui sicut columbae super plenitudines aquarum*[p] (ad *aquarum* ergo *plenitudines* properandum est, in his enim sponsae describitur pulchritudo), *et collum* inquit *tuum sicut turturis*[q]. In columbis oculi praedicantur.
55 Quod enim dixit : *Columbae super plenitudines aquarum*[r],

8 i. I Cor. 1, 5 || j. Cf. Col. 2, 3 || k. Cf. Lév. 5, 15 || l. Cf. Gen. 22, 13 || m. Cf. Lév. 1, 5 ; 5, 15 || n. Jn 10, 16 || o. Cf. p. ex. Lév. 5, 7 || p. Cant. 5, 12 || q. Cf. Cant. 1, 10 || r. Cf. Cant. 5, 12

vous avez été enrichis en lui, en toute parole et en toute science[i]. » C'est donc de ces richesses, tirées « des trésors de la sagesse et de la science[j] », qu'il nous faut acheter ce bélier qu'on doit offrir pour les péchés, à savoir ceux qui ont été commis à l'égard des biens sacrés, et l'acheter pour la somme d'un sicle du sanctuaire[k]. Déjà plus haut nous avons dit que toute victime porte le type de l'image du Christ[1], et combien plus le bélier jadis substitué à Isaac par Dieu pour être immolé[l]. C'est donc « au sicle du sanctuaire » que nous devons comparer le Christ, puisqu'il détruit nos péchés. « Le sicle du sanctuaire » figure notre foi. Offrir la foi comme prix obtient du Christ, donné en victime comme un bélier sans tache, la rémission des péchés.

— des sens mystérieux

Je me rends compte, en expliquant, que la grandeur des mystères surpasse nos forces. Et quoique nous ne puissions tout exposer en détail, nous sentons bien que tout est rempli de mystères. Aussi, qu'il suffise d'avoir donné à tous ceux qui ont du zèle des indications qui les incitent à parvenir plus haut et plus profond qu'elles, et à comprendre dans quel gros bétail on doit chercher ce jeune taureau pour victime, et dans quel petit bétail se pourvoir d'un bélier[m]. « Car », dit Jésus, « j'ai encore d'autres brebis qui ne sont pas de ce bercail ; celles-là aussi il faut que je les conduise, pour qu'il y ait un seul troupeau, un seul pasteur[n]. »

Qu'ils sachent encore où chercher tourterelles et colombes[o]. Il est dit : « Tes yeux sont comme des colombes sur des eaux débordantes[p] » — vers ces eaux débordantes on doit se hâter, car elles figurent la beauté de l'épouse —, « et ton cou est comme celui de la tourterelle[q] ». Chez les colombes on loue les yeux. Et s'il a mentionné « les colombes sur les eaux débordantes[r] », c'est que ce genre

1. Cf. *supra*, § 5 début.

ferunt hoc genus avis, cum ad aquas venerit, quia ibi solet accipitris insidias pati, venientem desuper inimicum volitantis umbra in aquis inspecta deprehendere et oculorum perspicacia fraudem periculi imminentis evadere. Quod
60 et si tu ita prospicere potueris insidias diaboli et cavere, sacrificium Deo *columbas* obtuleris.

Sed et quibus talia curae sunt, etiam illud requirant, ex quibus iis agris *simila* debet offerri[s]. Ego arbitror quod ex illius terrae segetibus, quae *facit alium centesimum*, *alium*
65 *sexagesimum*, *alium tricesimum fructum*[t]. Requirant etiam, nisi plus quam debet, curiosum videtur, quibus molentibus simila ista ad sacrificia praeparetur. Nec eos lateat *duas* esse, *quae molunt*, quarum *una adsumetur et alia relinquetur*[u]. Ex illius ergo mola, quae adsumenda est, *similam* oportebit
70 offerre.

Sed et *siclus sanctus*[v], qui ad arietis pretium necessarius dicitur, vide unde et quomodo perquirendus sit. *Siclus* pecuniae dominicae nomen est, et in multis Scripturarum locis diversis appellationum nominibus pecunia dominica
75 memoratur. Sed quaedam *proba*, quaedam vero *reproba* dicitur[w]. Proba erat illa pecunia, quam paterfamilias *peregre profecturus vocatis servis suis dedit unicuique secundum virtutem suam*[x]. Proba erat et illa pecunia, quae *denarius* nominatur, qui cum mercenariis placitus est
80 et *a novissimis* datus est *usque ad primos*[y]. Scire ergo te oportet quia est et alia pecunia reproba. Audi prophetam dicentem : *Argentum vestrum reprobum*[z]. Quia ergo est quaedam *proba*, quaedam vero *reproba*, propterea Apostolus velut ad *probabiles trapezitas* dicit : *Probantes* inquit

8 s. Cf. Lév. 2, 5 || t. Cf. Matth. 13, 23 || u. Cf. Matth. 24, 41 || v. Cf. Lév. 5, 15 || w. Cf. Ps. 11, 7 ; Jér. 6, 30 || x. Cf. Matth. 25, 14-15 || y. Cf. Matth. 20, 8-9 || z. Jér. 6, 30

d'oiseau, dit-on, quand il vient sur les eaux, comme il y est d'ordinaire exposé aux attaques sournoises de l'épervier, dépiste à l'ombre de son vol sur les eaux l'ennemi qui vient d'en haut, et grâce à l'acuité de ses regards échappe à la traîtrise du danger qui le menace. Si donc toi aussi tu peux voir de loin les embûches du diable et t'en garder, tu offriras des colombes en sacrifice à Dieu.

De plus, que ceux qui s'y intéressent cherchent aussi de quels champs doit être offerte la fleur de farine[s]. Moi, je pense que c'est des moissons de cette terre « qui donne du fruit, ici cent pour un, là soixante, là trente[t] ». Qu'ils cherchent même, si ce n'est là une curiosité excessive, quelles meunières préparent cette fleur de farine pour les sacrifices. Et qu'ils ne l'ignorent pas : « elles sont deux à moudre », dont « l'une sera prise et l'autre laissée[u] ». C'est donc de la meule de celle qui doit être prise qu'il faut offrir de la fleur de farine.

— vraie et fausse monnaie

De plus, « le sicle du sanctuaire[v] », dit nécessaire pour le prix du bélier, vois d'où et de quelle manière on doit le rechercher. Sicle est un nom de la monnaie du Seigneur, et en maints passages des Écritures il est fait mention en termes divers de la monnaie du Seigneur. Mais l'une est dite « d'une valeur éprouvée », l'autre « sans valeur[w] ». Elle était d'une valeur éprouvée cette monnaie que le père de famille, « sur le point de partir à l'étranger, ayant appelé ses serviteurs, donna à chacun selon sa capacité[x] ». D'une valeur éprouvée encore, cette monnaie appelée « denier », dont il avait été convenu avec les mercenaires et qui leur fut distribuée en allant « des derniers aux premiers[y] ». Il faut que tu saches aussi qu'il y a une autre monnaie sans valeur. Entends le prophète dire : « Votre argent est sans valeur[z]. » C'est donc parce qu'il y a une monnaie d'une valeur éprouvée et une autre sans valeur que l'Apôtre dit, comme à l'adresse de « changeurs

85 *omnia, quod bonum est obtinentes*[aa]. Solus enim est Dominus noster Iesus Christus, qui te huiusmodi artem possit edocere, per quam scias discernere, quae sit pecunia, quae veri regis imaginem tenet; quae vero sit adulterina et, ut vulgo dicitur, extra monetam formata, quae nomen 90 quidem habeat regis, veritatem autem regiae figurae non teneat. Multi namque sunt, qui nomen Christi habent, sed veritatem non habent Christi. Et propter hoc dicit Apostolus : *Oportet enim et haereses esse, ut probati manifesti fiant inter vos*[ab].

95 Idcirco igitur et in praesenti lectione legislator totus ad mysticum et spiritalem respiciens sensum addidit, ut *aries* iste, qui ob hoc comparatur, ut peccatum possit absolvere, non qualicumque siclo, hoc est non qualicumque pecunia, sed *siclo sancto*[ac] comparetur. Quod si non 100 respiciebat ad mysterium, quid rationis esse videbatur, ut aries emptus offerretur ad hostiam et certo pretio ? et non sufficit nomen pecuniae siclo nominasse, sed addidit et *sancto siclo* ? Quid, si haberet aliquis in gregibus suis arietes optimos et divinis sacrificiis dignos ? Aut quid, 105 si aliquis ita pauper esset, ut *siclum sanctum* habere non posset ? Haec est legislatoris moderatio, ut, nisi quis habeat certum pecuniae modum, peccatum eius non possit absolvi ? Quod aperte secundum litteram quidem videtur absurdum, secundum spiritalem vero intelligentiam certum 110 est quod remissionem peccatorum nullus accipiat, nisi detulerit integram, probam et sanctam fidem, per quam mercari possit *arietem*; cuius natura haec est, ut peccata credentis abstergat. Et hic est *siclus sanctus*, probata, ut

8 aa. Cf. I Thess. 5, 21 || ab. I Cor. 11, 19 || ac. Cf. Lév. 5, 15

éprouvés[1] » : « éprouvant toutes choses, retenant ce qui est bon[aa] ». C'est notre Seigneur Jésus-Christ qui peut, seul, t'enseigner cet art de savoir distinguer la monnaie qui porte l'image du vrai roi, et celle qui est falsifiée et, comme on dit couramment, frappée en dehors de l'atelier des monnaies, qui a bien le nom du roi mais ne porte point la véritable effigie royale. En effet, il y en a beaucoup qui ont le nom du Christ, mais n'ont pas la vérité du Christ. Et c'est pourquoi l'Apôtre dit : « Il faut bien qu'il y ait aussi des sectes, pour que les hommes éprouvés se manifestent parmi vous[ab]. »

— le sicle du sanctuaire

Pour la même raison, dans la présente lecture le législateur, tout à la pensée du sens mystique et spirituel, ajouta que ce bélier, acheté pour qu'on puisse absoudre le péché, doit l'être, non avec un sicle quelconque, avec un argent quelconque, mais « avec un sicle du sanctuaire[ac] ». S'il n'envisageait pas de sens mystérieux, quelle raison y avait-il d'offrir en victime un bélier acheté, et à un prix fixé ? Et désigner la monnaie par le nom de sicle ne suffit pas, mais il compléta : « sicle du sanctuaire » ? Eh quoi, si quelqu'un avait dans ses troupeaux des béliers de choix, dignes des divins sacrifices ? Ou quoi, si quelqu'un était si pauvre qu'il ne pût avoir un « sicle du sanctuaire » ? Est-ce l'intention du législateur, qu'à défaut de telle somme d'argent, on ne puisse avoir son péché absous ? Évidemment, selon la lettre, cela semble absurde ; mais selon l'intelligence spirituelle, il est certain que nul n'obtient la rémission des péchés s'il ne présente une foi intacte, éprouvée, sainte, qui lui permette d'acheter « le bélier » : telle est sa nature qu'elle efface les péchés du croyant. Voilà ce « sicle du sanctuaire », la foi éprouvée,

1. Sur le logion, voir Resch, *Agrapha*[2], p. 115, 118 ; Ropes, *Sprüche Jesu*, p. 141 ; J. Jeremias, *Les paroles inconnues de Jésus*, tr. fr. R. Heming, éd. du Cerf 1970, p. 99-102.

diximus, et sincera fides, id est ubi nullus perfidiae dolus,
115 nulla haereticae calliditatis perversitas admiscetur, ut sinceram fidem offerentes *pretioso Christi sanguine*, *tamquam immaculatae hostiae*[ad], diluamur; per quem est Deo Patri omnipotenti cum Spiritu sancto *gloria et imperium in saecula saeculorum. Amen*[ae] *!*

8 ad. Cf. I Pierre 1, 19 || ae. Cf. I Pierre 4, 11 ; Apoc. 1, 6

avons-nous dit, et sincère, qui ne comporte aucun mélange de fraude infidèle, aucune corruption de duplicité hérétique : ainsi, offrant une foi intacte, nous serons lavés « par le précieux sang du Christ, comme celui d'une victime sans tache[ad] » ; par Lui est à Dieu le Père Tout-Puissant avec le Saint-Esprit « la gloire et la puissance pour les siècles des siècles. Amen[ae] ».

HOMILIA IV

De eo, quod scriptum est : *Si peccaverit anima et praeteriens praeterierit praecepta Domini, et mentietur proximo super deposito aut societate*[a] et cetera.

1. Si secundum divinae legis fidem haec, quae leguntur nobis, Dominus locutus est ad Moysen, puto quod tamquam Dei verba non debeant secundum incapacitatem audientium, sed secundum maiestatem loquentis intelligi. *Dominus*
5 inquit *locutus est*[a]. Quid est *Dominus* ? Apostolus tibi respondeat et ab ipso disce quia *Dominus Spiritus est*[b]. Quod si tibi Apostoli sermo non sufficit, audi ipsum Dominum in Evangeliis dicentem quia *Deus Spiritus est*[c]. Si ergo et Dominus et Deus *Spiritus* est, quae Spiritus
10 loquitur, spiritaliter debemus audire. Ego adhuc et amplius aliquid dico, quia, quae Dominus loquitur, non spiritalia tantum, sed et spiritus esse credenda sunt. Non meo sensu haec, sed de Evangeliis approbabo; audi Dominum et Salvatorem nostrum ad discipulos suos dicentem : *Verba*

Tit. a. Lév. 6, 1-2 (5, 20-21)
1 a. Lév. 6, 1 (5, 20) || b. II Cor. 3, 17 || c. Jn 4, 24

---

1. Que les paroles attribuées à Dieu doivent être dignes de leur auteur, Origène le répète. Dignes : de la majesté de Celui qui parle, ici ; « du Seigneur de majesté », *hom.* 5, 5 début ; « de l'économie du Fils de Dieu », « de sa bouche sacrée », *In Jo.* 10, 27 (17) ; 20, 36 (29), *GCS* 4, p. 200, 4 ; 375, 26 ; « de l'Esprit Saint..., du stylet de l'Esprit Saint », *In Jos. hom.* 8, 1 et 6, *GCS* 7, p. 336, 6 s. et 342, 8. « Ces paroles ont été inspirées par l'Esprit Saint, et c'est pourquoi il convient de les comprendre selon la dignité ou plutôt selon la majesté de celui qui parle », *In Num. hom.* 26, 3, *GCS* 7, p. 247, 19 s.

IV

< SACRIFICE DE RÉPARATION POUR DOMMAGE CAUSÉ AU PROCHAIN. HOLOCAUSTE. OBLATION >

Sur le passage : « Si une personne pèche et viole en les transgressant les préceptes du Seigneur, ment à son prochain au sujet d'un dépôt ou d'une association[a] *», etc.*

Les paroles du Seigneur sont esprit

1. Si, selon l'assurance que nous donne la Loi divine, le Seigneur a dit à Moïse les paroles qu'on nous lit, j'estime que, comme paroles de Dieu, elles doivent être comprises en fonction, non pas de l'incapacité des auditeurs, mais de la majesté de celui qui les prononce[1]. « Le Seigneur a parlé[a]. » Qu'est-ce que le Seigneur ? Que l'Apôtre te réponde : apprends de lui que « le Seigneur est Esprit[b] ». Et si la parole de l'Apôtre ne te suffit pas, écoute le Seigneur lui-même dire dans les Évangiles : « Dieu est Esprit[c]. » Si donc le Seigneur, si Dieu est Esprit, ce que l'Esprit déclare, nous devons l'entendre spirituellement. J'irai encore plus loin : les paroles du Seigneur, il faut croire non seulement qu'elles sont spirituelles, mais encore qu'elles sont esprit. Ce n'est point avec mon intelligence que je vais le prouver, mais avec les Évangiles. Écoute notre Seigneur et Sauveur disant à ses disciples : « Les paroles que je vous ai dites

On doit leur donner l'attention digne de Dieu », *hom.* 5, 1. Alors, la législation paraîtra digne de la divine majesté, *hom.* 7, 5 fin. Le même principe était déjà formulé par JUSTIN, *Dial.* 30, 1 ; CLEM. ALEX., *Strom.* 6, 15, 124. Sur ce paragraphe, voir l'*Introd.* p. 17 s., et la note complémentaire 3.

15 *quae locutus sum vobis, spiritus et vita est*[d]. Si ergo ipsius Salvatoris voce didicimus quia verba, quae locutus est Apostolis, *spiritus et vita est*, nequaquam dubitare debemus quod etiam quae per Moysen locutus est, *spiritus et vita* credenda sint.

2. Sed videamus quae sunt, de quibus nunc, prout possumus, aliqua dicere debeamus. *Et locutus est* inquit *Dominus ad Moysen dicens: anima quaecumque peccaverit et praeteriens praeterierit praecepta Domini, et mentietur* 5 *proximo super deposito aut societate aut rapina, aut nocuit aliquid proximo, aut invenit perditionem et mentietur de ea, et iuraverit inique de uno ab omnibus, quaecumque fecerit homo, uti peccet in his; et erit cum peccaverit et deliquerit, et reddet rapinam, quam rapuit, aut iniuriam, quam nocuit,* 10 *aut depositum, quod commendatum est ei, aut perditionem, quam invenit, ab omni re, pro qua iuravit iniuste, et restituet ipsum caput, et quintas insuper augebit; et cuius est, ei reddet, qua die convictus fuerit*[a]. Hucusque interim peccati species exponuntur, postea vero purgatio eius per hostias 15 imperatur[b].

Si qui infirmi sunt et incapaces profundioris mysterii, aedificentur ex littera, et sciant quia, si quis *praeteriens praeterierit praecepta Domini et mentitus fuerit proximo super deposito aut societate aut rapina*[c], peccati ingentis 20 statuitur reus. Sed absit hoc ab Ecclesia Dei, ut ego

1 d. Jn 6, 63
2 a. Lév. 6, 1-5 (5, 20-24) || b. Cf. Lév. 6, 6 (5, 25) || c. Cf. Lév. 6, 2 (5, 21)

---

1. Autres exemples de commandements à observer selon la lettre, cf. *infra*, § 5, et *hom.* 3, 6 fin. Origène affecte ici de ne croire aucun auditeur coupable ; c'est une manière de prétérition. Ailleurs il prend moins de précaution, voir *infra*, § 4 début. Plus sévèrement, il compare les vendeurs chassés du temple « à ceux qui livrent les églises à des évêques, des prêtres ou des diacres avares, tyranniques,

sont esprit et vie[d]. » Si donc nous avons appris de la voix du Sauveur même que les paroles qu'il a dites aux apôtres sont « esprit et vie », nous ne devons en aucune façon douter qu'il faut également croire esprit et vie les paroles qu'il a dites à Moïse.

Sacrifice de réparation pour le dommage causé au prochain

2. Mais voyons les quelques remarques à faire, de notre mieux, sur le sujet présent. « Le Seigneur parla à Moïse en ces termes : Toute personne qui pèche et viole en les transgressant les préceptes du Seigneur, qu'elle mente à son prochain au sujet d'un dépôt, d'une association ou d'un vol, ou qu'elle fasse du tort à son prochain, ou qu'elle trouve un objet perdu, mente à son sujet et prête un faux serment en l'une quelconque des choses que fait l'homme en péchant, il faudra, puisqu'elle a péché et s'est rendue coupable, qu'elle restitue le produit de son vol, répare le tort qu'elle a commis, rende le dépôt qu'on lui a confié, l'objet perdu qu'elle a trouvé, ou tout autre au sujet duquel elle a prêté un faux serment ; elle le restituera en entier et y ajoutera un cinquième ; elle le rendra à son propriétaire le jour où elle sera convaincue[a]. » Jusqu'ici, on énumère les espèces du péché ; dans la suite, on ordonne de s'en purifier par des victimes[b].

Sens littéral, sens spirituel

Que ceux qui sont faibles et incapables de saisir un sens mystérieux plus profond s'instruisent par la lettre. Qu'ils sachent que « si on viole en les transgressant les préceptes du Seigneur, ment à son prochain au sujet d'un dépôt, d'une association ou d'un vol[c] », on est jugé coupable d'un grand péché[1]. Que Dieu en préserve son

indisciplinés et irréligieux » ... Il parle de « diacres qui n'administrent pas honnêtement les richesses de l'Église, mais fraudent constamment et ne distribuent pas selon la justice... afin de s'enrichir des biens des pauvres... », *In Matth.* 16, 22, *GCS* 10, p. 549, 22 s.

credam esse aliquem in coetu isto sanctorum, qui se tam infeliciter agat, ut *depositum proximi* sui neget aut *societatem* fraude contaminet aut vel ipse aliena diripiat aut ab aliis rapta suscipiat et pro his, si ab eo requirantur, contra
25 conscientiam iuret. Absit, inquam, ut haec ego de aliquo fidelium sentiam. Confidenter enim dico de vobis quia *vos non ita didicistis Christum*, neque ita *edocti estis*[d]. Sed neque lex ipsa haec sanctis et fidelibus praecipit. Vis scire quia non ad sanctos et iustos ista dicantur ?
30 Audi Apostolum distinguentem : *Iusto* inquit *lex non est posita, sed iniustis et non subditis, scelestis et contaminatis, patricidis, matricidis*[e] et horum similibus. Quia ergo huiusmodi hominibus Apostolus *legem* dicit *impositam*, Ecclesia Dei, quam absit in huiusmodi facinoribus
35 maculari, relicta aliis littera sanctius aedificetur ab spiritu.

3. Videamus itaque nunc, quod est *depositum*[a], quod fidelium unusquisque suscepit. Ego puto quod et ipsam animam nostram et corpus depositum accepimus a Deo. Et vis videre maius aliud *depositum*, quod accepisti a
5 Deo ? Ipsi animae tuae Deus *imaginem suam et similitudinem*[b] commendavit. Istud ergo depositum tam integrum tibi restituendum est quam a te constat esse susceptum. Si enim sis misericors, *sicut pater tuus in caelis misericors est*[c], imago Dei in te est et integrum *depositum*[d] servas.
10 Si perfectus es, *sicut et Pater tuus in caelis perfectus est*[e], imaginis Dei in te depositum manet. Similiter et cetera

2 d. Éphés. 4, 20.21 || e. I Tim. 1, 9-10
3 a. Cf. Lév. 6, 4 (5, 23) || b. Cf. Gen. 1, 26-27 || c. Cf. Lc 6, 36 || d. Cf. II Tim. 1, 14 || e. Matth. 5, 48

1. « Toi au contraire, mon ami, de toutes tes forces essaie non seulement de conserver sans dommage et sans altération ce que tu as reçu, mais encore de le juger digne de tous tes soins : que celui qui a fait le dépôt n'ait pas de motifs de critique à l'égard de la façon

Église, et loin de moi la pensée qu'il y ait dans cette assemblée de saints quelqu'un à la conduite assez malheureuse pour nier un dépôt de son prochain, altérer frauduleusement une association, piller le bien d'autrui, être recéleur d'objets volés par d'autres, et à leur propos, si on les lui réclame, prête serment contre sa conscience ! Loin de moi, dis-je, d'avoir une telle opinion de l'un des fidèles ! C'est avec confiance que je dis de vous : « Pour vous, ce n'est pas ainsi que vous avez appris le Christ », ni ainsi que « vous avez été formés[d] ». D'ailleurs la Loi elle-même ne fait pas ces prescriptions pour les saints et les fidèles. Veux-tu savoir qu'elle ne les adresse pas aux saints et aux justes ? Écoute la distinction que fait l'Apôtre : « La Loi n'est pas établie pour le juste, mais pour les gens injustes et rebelles, impies et corrompus, parricides et matricides[e] » et leurs semblables. Et puisque l'Apôtre dit la Loi faite pour gens de cette espèce, que l'Église de Dieu — fasse le ciel qu'elle ne soit pas souillée de tels crimes ! — laissant à d'autres la lettre, s'instruise plus saintement de l'esprit !

Le saint dépôt

3. Aussi, voyons maintenant quel dépôt[a] a reçu chaque fidèle. Pour moi je pense que c'est notre âme même[1] et notre corps que nous avons reçus de Dieu en dépôt. Et veux-tu voir un autre dépôt supérieur que tu as reçu de Dieu ? A ton âme Dieu a confié « son image et ressemblance[b] ». Donc ce dépôt, il te faut le rendre intact dans la mesure précise où tu l'as reçu. De fait, si tu es miséricordieux « comme ton Père céleste est miséricordieux[c] », l'image de Dieu est en toi, et tu gardes intact le dépôt[d]. Si tu es parfait « comme ton Père céleste est parfait[e] », le dépôt de l'image de Dieu demeure en toi. Ainsi en va-t-il pour tout le reste : si tu es

dont tu l'as gardé. Or le Créateur de la vie t'a confié en dépôt l'âme, le langage, la sensation... », PHILON, *Quis rer. div. her.* 105-106, tr. M. Harl.

omnia, si pius, si iustus es, si sanctus, si *mundus corde*[f], et omnia quae in Deo praesto sunt per naturam si tibi per imitationem subsistant, *depositum* apud te divinae imaginis 15 salvum est. Si vero e contrario agas et pro misericorde crudelis, pro pio impius, pro benigno violentus, pro quieto turbulentus, pro liberali raptor exsistas, abiecta imagine Dei diaboli in te imaginem suscepisti et bonum *depositum* commendatum tibi divinitus abnegasti. Aut non hoc erat, 20 quod sub mysterio Apostolus electo discipulo mandabat Timotheo, dicens : *O Timothee, bonum depositum custodi*[g]?

Ego etiam illud addo quod et Christum Dominum *depositum* suscepimus et sanctum Spiritum *depositum* habemus. Videndum ergo nobis est ne hoc sancto deposito 25 non sancte utamur et, cum nos in consensum sui peccata sollicitant, iuremus nos non suscepisse *depositum*. Quod utique si habeamus in nobis, peccato consentire non possumus.

Sed et ipse sensus rationabilis, qui in me est, commen- 30 datus mihi est, ut eo utar ad intelligentiam divinorum : ingenium, memoria, iudicium, ratio et omnes, qui intra me sunt motus, commendati mihi videntur a Deo, ut iis utar in his, quae praecepit lex divina. Si vero ad malas artes sollers et perspicax vertatur ingenium et rebus Dei 35 abutamur in his, quae non vult Deus, hoc est abiurare *depositum* et beneficia vertere in perfidiam.

4. Videamus nunc, quid etiam *societas*[a] intelligenda sit. Putas, est aliquis, qui secundum litteram commoneri debeat, ne forte in ratione pecuniae vel qualibet alia specie societatis socium fraude decipiat ? Ultimae miseriae est 5 illa anima, in quam cadere adhuc fraudis hoc genus

3 f. Cf. Matth. 5, 8 || g. I Tim. 6, 20
4 a. Cf. Lév. 6, 2 (5, 21)

pieux, juste, saint, « pur de cœur[f] », si tout ce qui en Dieu est présent par nature existe en toi par imitation, le dépôt de l'image divine est chez toi sain et sauf. Mais si tu as une conduite contraire, si tu te montres au lieu de miséricordieux cruel, au lieu de pieux impie, au lieu de bienveillant violent, au lieu de pacifique semeur de troubles, au lieu de généreux voleur, tu rejettes l'image de Dieu et tu accueilles en toi l'image du diable, tu renies le bon dépôt que Dieu t'a confié. Ou alors n'était-ce pas ce que, dans un sens mystérieux, l'Apôtre commandait à son disciple de choix Timothée : « Ô Timothée, garde le bon dépôt[g] » ?

J'ajoute que nous avons encore reçu en dépôt le Christ Seigneur et que nous avons en dépôt le Saint-Esprit. Il nous faut donc veiller à ne point profaner ce saint dépôt et, quand les péchés sollicitent notre consentement, à ne pas jurer que nous n'avons pas reçu de dépôt. Il est sûr que, si nous l'avons en nous, nous ne pouvons consentir au péché.

De plus, le sens spirituel qui est en moi m'a été confié pour que je l'emploie à comprendre les réalités divines : intelligence, mémoire, jugement, raison, toutes mes activités intérieures me semblent confiées par Dieu pour que j'en use à propos de ce que prescrit la Loi divine. Au contraire, appliquer l'ingéniosité et l'acuité de l'intelligence à des activités mauvaises, abuser des dons de Dieu dans des emplois qu'il ne veut pas, c'est nier « le dépôt » et faire tourner les bienfaits en infidélité.

Association, communion

4. Voyons maintenant ce qu'il faut entendre par « association[a] ». Crois-tu qu'il y a quelqu'un qu'il faille avertir selon la lettre de ne pas tromper par fraude un associé dans une affaire d'argent ou toute autre espèce d'association ? C'est le comble de la misère pour cette personne qu'elle puisse en arriver à ce genre de fraude. Néanmoins,

potest. Verum tamen quoniam multa est in homine fragilitas, etiam de his commoneamus, quia nec Apostolum piguit ista mandare. Dicit enim : *Ne qui circumscribat in negotio fratrem suum, quoniam vindex est de his omnibus* 10 *Deus*[b].

Nunc vero requiramus, quae sit etiam *societas Spiritus*. Audi de his ipsis verbis Apostolum dicentem : *Si quod solatium caritatis, si qua societas Spiritus, si qua viscera miserationis, implete gaudium meum*[c]. Vides *societatis* 15 legem quomodo intellexit Apostolus Paulus. Audi et Iohannem, quomodo uno eodemque spiritu proloquatur. *Et societatem* inquit *habemus cum Patre et cum Filio eius Iesu Christo*[d]. Et item Petrus dicit : *Consortes* inquit *facti estis divinae naturae*[e], quod est socii. Et iterum dicit 20 Apostolus Paulus : *Quae enim societas luci ad tenebras*[f]*?* Quod si *luci ad tenebras societas* nulla est, potest ergo *societatem* lux habere cum luce. Igitur si nobis *cum Patre et Filio* et cum Spiritu sancto *societas* data est, videndum nobis est, ne sanctam istam divinamque *societatem* 25 peccando abnegemus; si enim agamus *opera tenebrarum*[g], certum est quia *societatem* negavimus lucis.

Sed et *sanctorum* socios[h] nos dicit Apostolus, nec mirum; si enim *cum Patre et Filio* dicitur nobis esse *societas*, quomodo non et cum *sanctis*, non solum qui *in terra* 30 *sunt*, sed et qui *in caelis* ? quia et Christus *per sanguinem* suum *pacificavit terrestria et caelestia*[1], ut caelestibus terrena

4 b. I Thess. 4, 6 || c. Phil. 2, 1-2 || d. Cf. I Jn 1, 3 || e. II Pierre 1, 4 || f. II Cor. 6, 14 || g. Cf. Rom. 13, 12 || h. Cf. Col. 1, 12 || i. Col. 1, 20

---

1. Cf. *hom.* 9, 8 fin; les anges participent à notre offrande. « Ce n'est pas en effet seulement aux hommes qui croient et connaissent la vérité, que l'union, la paix, la concorde font le plus grand plaisir, mais aux anges du ciel eux-mêmes, pour qui la divine parole proclame qu'il y a de la joie quand un seul pécheur se repent

parce qu'il y a tant de faiblesse dans l'homme, donnons aussi cet avertissement que l'Apôtre n'a pas dédaigné de prescrire : car il dit : « Que personne ne circonvienne son frère en affaires, parce que Dieu tire vengeance de tout cela[b]. »

A présent, cherchons ce qu'est la « communion dans l'esprit ». Entends l'Apôtre s'exprimer en ces propres termes : « Par tout ce qu'il peut y avoir de réconfort de charité, de communion dans l'Esprit, de tendresse compatissante, mettez le comble à ma joie[c]. » Tu vois comment l'apôtre Paul a compris la loi de « l'association ». Écoute aussi Jean proclamer dans l'unique et même Esprit : « Notre communion est avec le Père et son Fils Jésus-Christ[d]. » Et Pierre dit de même : « Vous êtes entrés en participation avec la nature divine[e] », c'est-à-dire en communion. Et l'apôtre Paul dit encore : « Car quelle communion entre la lumière et les ténèbres[f] ? » S'il n'est aucune communion entre lumière et ténèbres, il peut donc y avoir communion entre lumière et lumière. Et si la communion « avec le Père et le Fils » et avec le Saint-Esprit nous est donnée, il nous faut veiller à ne point renier en péchant cette communion sainte et divine ; car si nous accomplissons « les œuvres de ténèbres[g] », il est certain que nous nions la communion avec la lumière.

De plus, l'Apôtre nous appelle encore les associés « des saints[h] », et ce n'est pas étonnant; s'il est dit en effet que nous sommes « en communion avec le Père et le Fils », comment ne le serions-nous pas aussi avec les saints, non seulement qui sont sur terre, mais encore qui sont au ciel ? Car le Christ « par son sang a pacifié ce qui est sur terre et ce qui est au ciel[i] », afin d'associer le terrestre au céleste[1].

et revient à l'unité. Ce qui à coup sûr ne serait pas dit des anges qui habitent le ciel si, eux aussi, ne nous étaient unis, et ne se réjouissaient de notre unité. » CYPRIEN, *Ep.* 75 début, *Correspondance*, t. II, p. 289, tr. Bayard (*CUF* 1961).

sociaret. Quod evidenter indicat, ubi dicit gaudium esse in caelis *super uno peccatore paenitentiam agente*[j], et rursum cum dicit *eos, qui resurgunt a mortuis, futuros esse* 35 *sicut angelos Dei in caelo*[k], et cum ex integro hominibus *caelorum regna*[l] promittit. Hanc ergo *societatem* disrumpit et abnegat, quicumque malis actibus suis malisque sensibus ab horum coniunctione separatur.

Post haec de *rapina*[m] dicitur; raptores sunt mali, sunt 40 et boni; et boni quidem illi, de quibus dicit Salvator quia *regnum caelorum diripiunt*[n]. Sunt autem et mali raptores, de quibus dicit propheta : *Et rapina pauperum in domibus vestris est*[o]. Apostolus vero abrupte pronuntiat dicens : *Nolite errare, quia neque adulteri neque molles neque* 45 *masculorum concubitores neque fures neque rapaces regnum Dei possidebunt*[p].

Est tamen aliquid et secundum spiritalem intelligentiam culpabiliter rapere, sicut illi laudabiliter *rapiunt regna caelorum.* Ut verbi causa dicamus : si homo nondum 50 purgatus a vitiis, nondum segregatus a profanis et sordidis actibus velit se coetui sanctorum et perfectorum latenter ingerere et sermonem, quo perfecta et mystica tractantur, audire : huiusmodi homo secretorum et perfectorum scientiam non bene rapuit. Meminisse enim oportet 55 praecepti Salvatoris, quo dicit quia : *Nemo mittit vinum novum in utres veteres ; alioquin et utres rumpentur et vinum peribit*[q], ostendens quod animae nondum renovatae, sed in vetustate malitiae perduranti non oporteat novorum mysteriorum, quae per Christum mundus agnovit, secreta 60 committi.

5. Addit dehinc legislator : *Aut si quid nocuit proximo, vel si invenit perditionem*[a]. Lex litterae hoc videtur mandare,

4 j. Cf. Lc 15, 10 || k. Matth. 22, 30 || l. Cf. Matth. 13, 11 || m. Cf. Lév. 6, 2 (5, 21) || n. Cf. Matth. 11, 12 || o. Is. 3, 14 || p. I Cor. 6, 9-10 || q. Matth. 9, 17

5 a. Cf. Lév. 6, 2-3 (5, 21-22)

Ce qu'il indique clairement quand il dit qu'il y a de la joie au ciel « pour un seul pécheur qui fait pénitence[j] » et encore quand il dit que « ceux qui ressuscitent des morts seront comme des anges de Dieu dans le ciel[k] », et qu'il promet formellement aux hommes « le royaume des cieux[l] ». Voilà donc la communion que l'on brise et renie quand, par ses mauvaises actions et ses mauvais sentiments, on se sépare de leur union.

Vols

Après quoi, on parle de « vol[m] » ; il y a des voleurs mauvais et il y en a de bons ; et les bons sont ceux qui, au dire du Sauveur, « volent le royaume des cieux[n] ». Mais il y a aussi des voleurs mauvais dont parle le prophète : « La dépouille des pauvres est dans vos maisons[o]. » Or l'Apôtre a cette déclaration tranchante : « Ne vous y trompez pas : ni adultères, ni efféminés, ni sodomites, ni voleurs, ni rapaces ne posséderont le royaume de Dieu[p]. »

Cependant il est possible, selon l'intelligence spirituelle, de voler quelque chose d'une manière coupable, à l'instar de ceux qui, d'une manière louable, « volent le royaume des cieux ». Pour prendre un exemple : si un homme qui n'est pas encore purifié de ses vices et n'a pas encore renoncé aux actions profanes et viles, cherche à s'introduire en cachette dans l'assemblée des saints et des parfaits, et à entendre l'instruction relative aux réalités parfaites et mystiques, un tel homme vole injustement la science des réalités secrètes et parfaites. Il faut en effet se souvenir de la prescription du Sauveur : « Personne ne met du vin nouveau dans de vieilles outres, sinon les outres crèveront et le vin se perdra[q]. » Il montre ainsi qu'à l'âme non encore rénovée mais qui persiste dans son ancienne malice il ne faut pas confier les secrets des nouveaux mystères, connus du monde grâce au Christ.

Objets perdus

5. Puis, le législateur ajoute : « ou qu'elle fasse du tort au prochain ou qu'elle trouve un objet perdu[a] ». Littéralement la Loi

ut, si quis invenit quod alius perdidit et requisitum fuerit, reddat nec *perieret pro eo*. Est et haec utilis audientibus 5 aedificatio. Multi enim sine peccato putant esse, si alienum, quod invenerint, teneant, et dicunt : Deus mihi dedit, cui habeo reddere ? Discant ergo peccatum hoc esse simile rapinae, si quis inventa non reddat.

Verum tamen si hoc tantum, quod secundum litteram 10 putatur, legislator voluisset intelligi, potuerat dicere : si invenit, quod perierat, vel quod aliquis perdiderat. Nunc autem cum dicit : *invenit perditionem*[b], amplius nos aliquid intelligere voluit. Qui nimis peccant, in Scripturis *perditio* appellantur, sicut in Ezechiel propheta legimus dictum : 15 *Perditio* inquit *factus es, et non subsistes in aeternum tempus*[c]. Est ergo, qui multum quaerendo *invenit perditionem*, ut, verbi gratia, dicamus : haeretici ad construenda et defendenda dogmata sua multum perquirunt et discutiunt in Scripturis divinis, ut *inveniant perditionem*. Cum enim 20 multum quaesierint testimonia, quibus adstruant quae prave sentiunt, perditionem sibi invenisse dicendi sunt. Sed si forte aliquis horum audiens in Ecclesia verbum Dei catholice tractari, resipiscat et intelligat quia, quod invenerat, *perditio* est, *reddet*, inquit, *quod invenit*.

25 Et iste, qui *perditionem invenit*, et ille, qui *rapinam*, sed et ille, qui *depositum abnegavit*, et omnis, quicumque aliqua ex parte *animae nocuit proximi et iuravit iniuste*[d] : *Restituet* inquit *ipsum caput et quintas superaugebit, et ei, cuius est, reddet*[e], secundum eam dumtaxat expositionem, 30 quam de quintis addendis ante iam diximus.

5 b. Cf. Lév. 6, 3 (5, 22) || c. Éz. 27, 36 || d. Cf. Lév. 6, 3.5.4 (5, 22. 24.23) || e. Lév. 6, 5 (5, 24)

---

1. Cf. *supra*, § 2.
2. « J'en viens donc à cette phrase que les nôtres allèguent pour autoriser leur curiosité et que les hérétiques enfoncent dans les esprits pour leur inoculer leur méthode pointilleuse : cherchez et vous

semble ordonner que si l'on trouve un objet qu'un autre a perdu et qu'il soit réclamé, on le rende, sans « prêter de faux serment à ce sujet ». Voilà une instruction utile aux auditeurs[1]. Car beaucoup pensent qu'il n'y a point péché à retenir ce qui est à un autre et qu'ils ont trouvé, et disent : Dieu me l'a donné, à qui ai-je à le rendre ? Qu'ils apprennent donc que c'est un péché comparable à celui du vol que de ne pas rendre un objet trouvé.

Toutefois, si c'est seulement ce que l'on juge selon la lettre que le législateur avait voulu faire comprendre, il aurait pu dire : qu'elle trouve ce qui était perdu, ou ce que quelqu'un avait perdu. En fait, disant qu'elle « trouve sa perte[b] », il a voulu nous faire comprendre quelque chose de plus. Ceux qui pèchent à l'excès sont appelés « perte » dans les Écritures, terme que nous lisons dans le prophète Ézéchiel : « Tu es devenu ta perte, tu n'existeras plus à jamais[c]. » On peut donc, à force de chercher, « trouver sa perte » : disons par exemple, que les hérétiques[2], pour échafauder et défendre leurs dogmes, s'en vont furetant et fouillant dans les divines Écritures, pour « trouver leur perte ». Alors qu'ils ont tant cherché de preuves pour étayer leurs opinions erronées, on doit dire qu'ils ont trouvé leur perte. Mais arrive-t-il que l'un d'eux, entendant à l'Église un exposé catholique de la parole de Dieu, se repente et comprenne que ce qu'il avait trouvé, c'est « sa perte », « il rendra ce qu'il a trouvé ».

Celui-ci qui « trouve sa perte », celui-là qui détient « un objet volé », cet autre qui « nie un dépôt », quiconque de quelque manière « a fait du tort à l'âme du prochain, et prêté un faux serment[d] », « il le restituera en entier, y ajoutera un cinquième, et le rendra à son propriétaire[e] », à savoir conformément à l'explication déjà donnée du cinquième à ajouter.

trouverez », Tertullien, *De praescr. haer.* 8, *SC* 46, p. 94, tr. P. de Labriolle.

Et offeret inquit *Domino arietem de ovibus sine macula, pretio in id, quod deliquit; et orabit pro eo sacerdos contra Dominum, et remittetur ei pro uno ab omnibus, quae fecit et deliquit in eo*[f].

35 Diximus in superioribus, quid est offerre *arietem*, et hunc *pretio sicli sancti*[g] emptum. Nunc superest, ut differentiam illam dicamus, quod ibi *pretium* posuit *sicli sancti*, hic tantummodo *pretium* dicit nec quantitatem pretii nec nomen pecuniae designavit. In superioribus 40 enim, ubi pro peccato, quod in *sancta* commissum fuerat, lex dabatur, *siclum sanctum* diximus nominatum et *siclum* nomen esse pecuniae, ut alibi *obolus*, alibi *drachma*, alibi *mna* vel *talentum* vel *minutum aes* vel *denarius* dicitur. Hic ergo nihil horum nominatur, sed tantum *pretio* 45 *offerendus aries* dicitur. Interest enim peccare in sanctis et peccare extra sancta. Vis et alibi videre hanc ipsam distinctionem ? Audi, quomodo in Regnorum libris dicit Heli sacerdos ad filios suos : *Si enim peccaverit quis in hominem, et exorabit pro eo sacerdos; si autem in Deum* 50 *peccaverit, quis exorabit pro eo*[h]*?* Similiter et Iohannes Apostolus dicit : *Est peccatum ad mortem; non pro illo dico, ut oretur*[i]. Quia ergo diversitas peccatorum est, discere ex spiritali lege debemus, in quibus peccatis tantummodo emendus sit *aries*, in quibus vero *siclo* 55 *sancto* mercandus; qui etiam sint isti, qui vendant arietes, requiramus.

Ego arbitror ipsos esse istos, qui arietes ad sacrificium distrahunt, qui sunt et illi, qui oleum ad lampadas virginum vendunt, de quibus dicebant illae prudentes 60 stultis virginibus : *Ite ad vendentes et emite vobis*[j]. Vendunt

5 f. Lév. 6, 6-7 (5, 25-26) || g. Cf. Lév. 5, 15 || h. I Sam. 2, 25 || i. I Jn 5, 16 || j. Matth. 25, 9

1. Cf. *hom.* 3, 8.
2. Cf. *hom.* 3, 6.

Achat du bélier « Puis elle offrira au Seigneur un bélier provenant du petit bétail, sans tache, au prix indiqué, pour la faute commise ; le prêtre priera pour elle en présence du Seigneur, et il lui sera pardonné quelle que soit la faute dont elle s'est rendue coupable[f]. »

Nous avons dit plus haut[1] ce qu'est l'offrande d'un bélier, et d'un bélier acheté « au prix d'un sicle du sanctuaire[g] ». Il reste ici à rendre compte de cette différence : ayant spécifié là « le prix d'un sicle du sanctuaire », il ne parle ici que de « prix » sans désigner la somme ni le nom de la monnaie. En effet plus haut[2], quand on donnait la loi sur le péché commis contre les biens sacrés, nous avons dit qu'on mentionnait le sicle du sanctuaire, et que sicle est un nom de monnaie, comme on dit ailleurs obole, ailleurs drachme, ailleurs mine ou talent, sou de bronze ou denier. Ici donc on n'en nomme aucune, on dit seulement d'offrir un bélier au prix indiqué. C'est qu'il y a une différence entre pécher en matière de sacré et pécher hors du sacré. Veux-tu voir encore ailleurs cette distinction ? Écoute comment, dans les livres des *Rois*, le prêtre Éli parle à ses fils : « Si un homme pèche contre un autre, le prêtre intercédera pour lui ; mais s'il pèche contre Dieu, qui intercédera pour lui[h] ? » De même l'apôtre Jean déclare : « Il y a un péché qui mène à la mort ; ce n'est pas pour celui-là que je dis de prier[i]. » Et parce qu'il y a diversité de péchés, nous devons apprendre de la Loi spirituelle pour quels péchés on doit simplement acheter un bélier, et pour lesquels on doit l'acquérir au prix « d'un sicle du sanctuaire » ; et cherchons aussi quels sont ceux qui vendent des béliers.

Vendeurs Pour moi, je pense que ceux qui vendent des béliers pour le sacrifice sont ceux-là mêmes qui vendent l'huile pour les lampes des vierges, et dont les vierges sages disaient aux vierges sottes : « Allez aux vendeurs et achetez-en pour vous[j]. »

ergo vel oleum luminibus vel arietes sacrificiis qui alii, nisi prophetae sancti et Apostoli, qui mihi, cum peccavero, ostendunt et consilium dant, quomodo debeam corrigere errores meos et emendare peccata ? Vendit mihi Esaias
65 *arietem* ad sacrificandum pro peccato, cum mihi dicit tamquam ex Dei persona : *Holocausta arietum et adipem agnorum et sanguinem taurorum et hircorum nolo*[k]. Et paulo post subiungit : *Auferte nequitias ab animis vestris a conspectu oculorum vestrorum; discite bonum facere,*
70 *eripite iniuriam accipientem, iudicate pupillo et iustificate viduam; et venite disputemus, dicit Dominus. Et si fuerint peccata vestra ut phoenicium, ut nivem dealbabo; si autem ut coccinum, ut lanam candidam efficiam*[1]. Vendit mihi *arietem* et Daniel, cum dicit quia : *Non est locus ad sacri-*
75 *ficandum in conspectu tuo, ut possimus invenire misericordiam. Sed in anima contribulata et spiritu humilitatis suscipiamur, velut in multitudine agnorum pinguium; sic fiat sacrificium nostrum in conspectu tuo hodie*[m]. Vendit nobis et David *arietem* sacrificii, cum dicit : *Sacrificium*
80 *Deo spiritus contribulatus, cor contritum et humiliatum Deus non spernit*[n]. Cum ergo singuli prophetarum vel etiam Apostolorum consilium his, qui delinquunt, dederint, quo possint corrigere vel emendare peccatum, merito his vendidisse arietes ad sacrificium videbuntur. Quid
85 autem pretii a comparantibus sumant ? Illud opinor, legendi studium, vigilias audiendi verba Dei, et super omnia dignissimum pretium oboedientiam puto, de qua

5 k. Is. 1, 11 || l. Is. 1, 16-18 || m. Dan. 3, 38-40 || n. Ps. 50, 19

---

1. Même là où s'appliquent *I Sam.* 2, 25 et *I Jn* 5, 16, précédemment cités (et aussi dans *De or.* 28, 9), même là où le sacrifice et la prière des autres, à eux seuls, restent inopérants, le péché n'est pas irrémissible. « Le sacrifice de l'*anima contribulata*, le *spiritus humili-*

Or les vendeurs d'huile pour les lampes ou des béliers pour les sacrifices, quels sont-ils, sinon les saints prophètes et apôtres qui, lorsque je pèche, me révèlent et me conseillent la manière dont je dois rectifier mes erreurs, réparer mes péchés ? Isaïe me vend un bélier à sacrifier pour le péché quand il me dit comme de la bouche de Dieu : « Holocaustes de béliers, graisse d'agneaux, sang de taureaux et de boucs, je n'en veux plus[k]. » Et peu après, il ajoute : « Ôtez la malice de vos âmes loin de vos regards ; apprenez à faire le bien, délivrez l'opprimé, faites droit à l'orphelin, rendez justice à la veuve ; puis, venez et plaidons, dit le Seigneur. Quand vos péchés seraient comme l'écarlate, comme neige je les ferai blanchir, et seraient-ils comme la pourpre, comme laine blanche je les rendrai[l]. » Daniel me vend un bélier quand il dit : « Il n'est plus de lieu où sacrifier devant toi, afin de pouvoir trouver miséricorde. Mais qu'avec une âme brisée et un esprit humilié nous soyons agréés, comme avec un troupeau d'agneaux gras ! Que tel soit notre sacrifice devant toi aujourd'hui[m] ! » David nous vend un bélier du sacrifice quand il dit : « Le sacrifice à Dieu, c'est un esprit brisé ; d'un cœur contrit et humilié, Dieu n'a point de mépris[n]. » Dès lors, puisque chacun des prophètes ou même des apôtres donne un conseil à ceux qui pèchent pour qu'ils puissent redresser ou corriger leur péché[1], c'est à juste titre qu'ils sembleront leur vendre des béliers pour le sacrifice. Mais quel prix reçoivent-ils des acheteurs ? C'est, je pense, du zèle à lire, des veilles à entendre les paroles de Dieu, et par-dessus tout, le prix le plus précieux à mon avis, l'obéissance

tatis gardent leur efficacité. Et il reste en ce monde la peine, non plus de la mort réelle, infligée jadis, qui effaçait aussitôt le péché, mais de la mort spirituelle de la chair dont parle saint Paul : l'*interitus carnis*, affliction du corps ordinairement subie par les pénitents», autrement dit, la pénitence ecclésiastique. Cf. K. Rahner, *Doctrine*, p. 430 s. et *passim*.

dicit Dominus : *Obedientiam malo quam sacrificium, et dicto audientiam magis quam holocausta*[o].

6. Post haec subsequitur : *Et locutus est* inquit *Dominus ad Moysen dicens : praecipe Aaron et filiis eius dicens : haec est lex holocausti. Hoc holocaustum in concrematione sua erit super altare tota nocte usque in mane, et ignis altaris* 5 *ardebit super illud nec exstinguetur. Et induet se sacerdos tunicam lineam, et campestre lineum induet circa corpus suum et auferet hostiam, quam consumpserit ignis, holocaustum de altari, et ponet illud secus altare. Et despoliabit se stola sua et induetur stola alia, et eiciet hostiam, quae* 10 *cremata est, extra castra in locum mundum. Et ignis super altare ardebit nec exstinguetur; et comburet super illud sacerdos ligna mane, et constipabit in illud holocaustum, et imponet super illud adipem salutaris; et ignis semper ardebit super altare nec exstinguetur*[a].

15 Audi semper debere esse *ignem super altare* et tu, si vis esse sacerdos Dei, sicut scriptum est : *Omnes enim vos sacerdotes Domini eritis*[b] ; et ad te enim dicitur : *Gens electa, regale sacerdotium, populus in acquisitionem*[c]. Si ergo vis sacerdotium agere animae tuae, numquam recedat 20 ignis de altari tuo. Hoc est, quod et Dominus in Evangeliis praecepit, ut *sint lumbi vestri praecincti, et lucernae vestrae ardentes*[d]. Semper ergo tibi *ignis* fidei et *lucerna* scientiae accensa sit.

Sed et quod dixit : *Lumbi vestri praecincti* Dominus in 25 Evangelio, hoc idem est, quod et nunc legislator praecepit, ut campestri lineo praecingatur sacerdos et ita veteri cinere deposito innovet sacros ignes. Oportet enim etiam nos dicere : *Ecce, vetera transierunt, et facta sunt omnia nova*[e]. Campestri enim lineo cingitur vel, sicut alibi dicitur,

5 o. Cf. I Sam. 15, 22

6 a. Lév. 6, 8-13 (1-6) || b. Is. 61, 6 || c. I Pierre 2, 9 || d. Lc 12, 35 || e. II Cor. 5, 17

dont le Seigneur déclare : « Je préfère l'obéissance au sacrifice, la docilité à ma parole aux holocaustes[o]. »

« Loi de l'holocauste »

6. Et voici la suite : « Le Seigneur parla à Moïse en ces termes : Commande ceci à Aaron et à ses fils. Voici la loi de l'holocauste. Cet holocauste sera sur son brasier, sur l'autel, toute la nuit jusqu'au matin ; et le feu de l'autel y brûlera et ne s'éteindra point. Le prêtre revêtira sa tunique de lin, et revêtira un pagne de lin autour de son corps ; il enlèvera de l'autel la victime que le feu aura consumée en holocauste et il la mettra au côté de l'autel. Puis il ôtera sa robe, en revêtira une autre, et il jettera la victime consumée hors du camp dans un lieu pur. Le feu sur l'autel brûlera sans s'éteindre ; le prêtre y allumera du bois le matin, y disposera l'holocauste et y déposera la graisse du sacrifice de salut ; et le feu sans cesse brûlera sur l'autel sans s'éteindre[a]. »

Le feu

Entends : il doit sans cesse y avoir « du feu sur l'autel ». Et toi, veux-tu être un prêtre de Dieu, selon qu'il est écrit : « Tous vous serez prêtres du Seigneur[b] »? Et de fait, c'est à toi qu'il est dit : « Race élue, sacerdoce royal, peuple acquis[c]. » Si donc tu veux exercer le sacerdoce de ton âme, que jamais le feu ne s'éloigne de ton autel. C'est aussi la prescription du Seigneur dans les Évangiles : « Que vos reins soient ceints et vos lampes allumées[d]. » Que sans cesse donc pour toi « le feu » de la foi et « la lampe » de la science restent allumés.

Vêtements du pontife

De plus, ce que dit le Seigneur dans l'Évangile : « Que vos reins soient ceints » est précisément ce qu'ordonne ici le législateur : que le prêtre se ceigne d'un pagne de lin et qu'ensuite, la vieille cendre enlevée, il renouvelle le feu sacré. Car il faut nous aussi déclarer : « L'ancien est passé, vois : tout est neuf[e] ». De fait, se ceindre d'un pagne de lin

30 femoralibus utitur, qui luxuriam fluxae libidinis cingulo restrinxerit castitatis. Ante omnia enim sacerdos, qui divinis assistit altaribus, castitate debet accingi, nec aliter purgare vetera et instaurare poterit nova, nisi lineis induatur. De lineis saepe iam dictum est, et tunc maxime, 35 cum de indumentis sacerdotalibus dicebamus quod species ista formam teneat castitatis, quia origo lini ita de terra editur, ut ex nulla admixtione concepta sit.

Observandum tamen est quod aliis indumentis sacerdos utitur, dum est in sacrificiorum ministerio, et aliis, cum 40 procedit ad populum. Hoc faciebat et Paulus scientissimus pontificum et peritissimus sacerdotum. Qui cum esset in coetu perfectorum, tamquam intra *sancta sanctorum*[f] positus et stola perfectionis indutus dicebat : *Sapientiam loquimur inter perfectos, sapientiam autem non huius mundi* 45 *neque principum huius mundi, qui destruuntur ; sed loquimur Dei sapientiam in mysterio absconditam, quam nemo principum huius saeculi cognovit. Si enim cognovissent, numquam Dominum maiestatis crucifixissent*[g]. Sed post haec tamquam *ad populum exiens*[h] mutat stolam et alia 50 induitur longe inferiore quam illa. Et quid dicit ? *Nihil*

6 f. Cf. Ex. 30, 29 || g. I Cor. 2, 6-8 || h. Cf. Nombr. 11, 24

1. Le lin prend naissance de la terre, comme le corps humain a été façonné à partir de la glaise, dit Origène : « C'est en effet une plante qui lève de la terre... », *In Jer. hom.* 11, 5, *SC* 232, p. 432. Vue traditionnelle : « Les prêtres portent des vêtements de lin. Car au pur il n'est pas permis de toucher l'impur... Le lin naît du principe immortel de la terre ; il fournit un vêtement simple et pur qui ne pèse pas sur celui qui s'en recouvre. » PLUTARQUE, *De Is. et Os.* 35. « Le sage... doit être paré de la raison, plus précieuse que tout l'or du monde ; puis quand il s'est retiré loin des habitations humaines, et n'est plus que le serviteur de l'Être unique, il doit revêtir la robe sans ornement de la vérité, que rien de mortel ne touchera, puisqu'elle est faite d'une étoffe de lin, qui ne doit rien à aucun animal péris-

ou, comme il est dit ailleurs, mettre des bandes, c'est brider, par la ceinture de chasteté, l'excès de la semence qui s'écoule. Avant tout, en effet, le prêtre qui se tient devant les autels divins doit être ceint de chasteté, et il ne peut enlever l'ancien et instaurer du neuf qu'à la condition d'être revêtu de lin. Du lin, souvent déjà il fut question[1], notamment quand nous disions, à propos des vêtements sacerdotaux, que cette espèce figure la chasteté, du fait que l'origine du lin provient de la terre, si bien qu'elle n'est conçue d'aucun mélange.

Il faut pourtant noter que le prêtre porte un habit quand il vaque au service des sacrifices, et un autre quand il se présente au peuple. Ainsi faisait Paul, le plus savant des pontifes et le plus sage des prêtres. Quand il était dans l'assemblée des parfaits, comme placé à l'intérieur « du Saint des saints[f] » et revêtu de la robe de perfection, il disait : « C'est bien de sagesse que nous parlons au milieu des parfaits, mais non d'une sagesse de ce monde ni des princes de ce monde qui vont à leur perte ; ce dont nous parlons au contraire, c'est d'une sagesse de Dieu mystérieuse et cachée, que nul des princes de ce monde n'a connue. Car s'ils l'avaient connue, ils n'auraient jamais crucifié le Seigneur de majesté[g]. » Mais ensuite, « sortant vers le peuple[h] » pour ainsi dire[2], il change de robe et en revêt une autre de qualité bien inférieure. Et que dit-il?

sable », PHILON, *De ebr.* 86, tr. J. Gorez. Sur *campestre, femoralia*, cf. *hom.* 6, 6.

2. L'expression concernait d'abord Moïse : « Moïse sortit et dit au peuple », *Nombr.* 11, 24. Origène commente : « Tant que Moïse écoute les paroles du Seigneur et reçoit ses enseignements, il est au-dedans, il se tient à l'intérieur et demeure dans les retraites les plus secrètes. Mais quand il parle aux foules et au peuple qui ne peuvent se tenir au-dedans, on dit qu'il sort dehors. » *In Num. hom.* 6, 1. Ailleurs, il applique la même distinction de l'intériorité et de l'extériorité à la vie du « juste », *hom.* 21, 2, *GCS* 7, p. 31, 10 s., et p. 202, 18 s.

aliud inquit *iudicavi me scire inter vos nisi Iesum Christum, et hunc crucifixum*[i]. Vides ergo istum doctissimum sacerdotem, quomodo, intus cum est inter perfectos, velut in *sanctis sanctorum*, alia utitur stola doctrinae; cum vero 55 *exit* ad eos, qui incapaces sunt, mutat stolam verbi et inferiora docet et alios *lacte* potat ut *parvulos*[j], alios *oleribus* nutrit ut *infirmos*[k], aliis vero *fortes* praeparat *cibos*, his scilicet, qui *pro possibilitate sumendi exercitatos habent sensus ad discretionem boni vel mali*[l]. Sic sciebat 60 Paulus mutare stolas et alia uti ad populum, alia in ministerio sanctorum.

Ipse autem pontificum pontifex et sacerdotum sacerdos Dominus et Salvator noster, de quo dicit Apostolus quia *pontifex sit futurorum bonorum*[m], audi, quomodo primus 65 haec fecerit et ita discipulis suis haec imitanda reliquerit. Evangelium refert de eo et dicit quia : *In parabolis loquebatur ad turbas, et sine parabolis non loquebatur iis, seorsum autem solvebat ea discipulis suis*[n]. Vides quomodo ipse docuit aliis indumentis uti debere pontificem, cum procedit 70 *ad turbas*, aliis, cum eruditis et *perfectis*[o] ministrat in sanctis. Unde optandum nobis est et agendum, ne tales nos inveniat Iesus, ita imparatos et ita saeculi sollicitudinibus alligatos, ut cum turbis loquatur nobis *in parabolis*, ut *videntes non videamus et audientes non audiamus*[p]; 75 sed potius inter eos inveniri mereamur, ad quos dicit : *Vobis datum est nosse mysteria regni Dei*[q].

7. Post hoc : *Haec est* inquit *lex sacrificii, quod offerent filii Aaron sacerdotis ante altare contra Dominum. Auferet ab eo plenam manum de similagine sacrificii cum oleo eius et cum omni ture eius, quae sunt ad sacrificium, et imponet*

6 i. I Cor. 2, 2 || j. Cf. I Cor. 3, 2.1 || k. Cf. Rom. 14, 2 || l. Hébr. 5, 14 || m. Hébr. 9, 11 || n. Matth. 13, 34 ; Mc 4, 34 || o. Cf. I Cor. 2, 6 || p. Cf. Matth. 13, 13 || q. Matth. 13, 11

« J'ai décidé de ne rien savoir parmi vous, sinon Jésus-Christ, et Jésus-Christ crucifié[i]. » Tu le vois : ce prêtre si savant, quand il est à l'intérieur au milieu des parfaits, comme dans le Saint des saints, porte la robe de la doctrine ; mais quand il sort vers ceux qui ne peuvent comprendre, il change la robe de sa parole et enseigne des choses moins relevées : aux uns il fait boire du lait comme à des tout-petits[j], d'autres il les nourrit de légumes comme des faibles[k] ; pour d'autres il apprête « des nourritures solides », à savoir pour ceux qui, « selon leur aptitude à recevoir, ont le sens moral exercé au discernement du bien et du mal[l] ». Ainsi Paul savait changer de robes, en prendre une pour le peuple, une autre au service des saints.

Quant au pontife des pontifes, prêtre des prêtres, notre Seigneur et Sauveur, au dire de l'Apôtre, « le pontife des biens à venir[m] », apprends qu'il fut le premier à le faire, laissant ainsi à ses disciples cet exemple à imiter. L'Évangile rapporte de lui : « Il parlait aux foules en paraboles et sans paraboles il ne leur disait rien, mais à part il expliquait tout à ses disciples[n]. » Tu vois qu'il enseigne lui-même que le pontife doit porter un habit quand il se présente aux foules, et un autre quand avec des gens instruits et parfaits[o] il officie dans le sanctuaire. Aussi devons-nous souhaiter et faire que Jésus ne nous trouve si mal disposés et si asservis aux soucis du siècle, qu'en même temps qu'aux foules il nous parle « en paraboles », pour que « voyant nous ne voyions pas, entendant, nous n'entendions pas[p] » : mais que plutôt nous méritions de nous trouver parmi ceux auxquels il dit : « A vous, il a été donné de connaître les mystères du règne de Dieu[q]. »

« Loi de l'oblation »

7. Après quoi, il dit : « Voici la loi de l'oblation que les fils du prêtre Aaron offriront devant l'autel en présence du Seigneur. On y prélèvera une pleine main de fleur de farine de l'oblation, avec son huile et tout son encens destinés à

5 *super altare hostiam odorem suavitatis, memoriale eius Domino. Quod autem superfuerit ex ea, manducabit Aaron et filii eius. Azyma edetur in loco sancto, in atrio tabernaculi testimonii manducabunt eam. Non coquetur fermentata, partem illis hanc dedi ab hostiis Domini; sancta sanctorum* 10 *sunt, sicut est pro peccato et pro delicto. Omnes masculi sacerdotum edent eam; legitimum aeternum in progenies vestras ab hostiis Domini. Omnis qui tetigerit ea, sanctificabitur*[a].

In his, quae proposita sunt, mos quidem sacrificandi 15 sacerdotibus datur et observantiae, quibus coli Deus vel purificari populus videretur vel etiam in necessariis victus causa consuleretur sacerdotibus et ministris. Offerendae enim *similae* in sacrificio mensura posita est, quae *decima pars ephi*[b] appellatur, huic *oleum* superfunditur 20 et *tus* superponitur. Sed cum ad altare pervenerit, sacerdos, inquit, *plenam manum ex ea sumet*, ita ut intra plenitudinem manus concludat et *oleum*, quod infusum est, et *tus*, quod superpositum est, ut sit hoc libamen et *sacrificium* Deo in *odorem suavitatis*. Cetera, inquit, maneant sacerdotibus 25 ad edendum, sed edenda ea tradidit lex *in loco sancto, in atrio tabernaculi, ita ut nihil fermentetur ex iis. Hanc* enim inquit, *dedi partem sacerdotibus et haec sunt sancta sanctorum*. Sed et illud observari voluit, ut soli *masculi edant ex eo*, femina nulla contingat. Addit et hoc, quod, 30 *qui tetigerit ea, sanctificetur*[c].

Sed si velimus nunc ab his, qui *in manifesto Iudaei*[d] sunt, requirere de singulis, qua ratione illud hoc modo dictum sit aut illud alio modo, absoluta nobis responsione satisfacient dicentes : ita visum est legem danti; nemo

7 a. Lév. 6, 14-18 (7-11) || b. Cf. Lév. 6, 20 (13) || c. Cf. Lév. 6, 15 s. (8 s.) || d. Cf. Rom. 2, 28

---

1. « Mémorial » personnel de l'oblation, dont il est encore question *infra*, § 9 fin, différent du « mémorial » des douze tribus, *hom.* 13, 3.

l'oblation et on déposera sur l'autel en offrande de suave odeur, son mémorial pour le Seigneur[1]. Et ce qui en reste, Aaron et ses fils le mangeront. Ce sera mangé en azymes dans un lieu saint, dans le parvis de la tente du témoignage ils le mangeront. On ne le cuira point avec du levain, c'est la part que je leur donne des oblations faites au Seigneur ; c'est une chose très sainte, comme le sacrifice pour le péché et le sacrifice pour la faute. Tout mâle parmi les prêtres en mangera. C'est une loi perpétuelle pour vos descendants, concernant les oblations faites au Seigneur. Quiconque y touche sera sanctifié[a]. »

La part des prêtres

Ces prescriptions donnent aux prêtres la règle de l'oblation et de la pratique dont on croyait honorer Dieu ou purifier le peuple, ou même dont on pourvoyait à la subsistance indispensable des prêtres et des ministres. En effet, on fixe la mesure de la fleur de farine à offrir dans l'oblation, soit « un dixième d'épha[b] », qu'on arrose d'huile et saupoudre d'encens. Parvenu à l'autel, le prêtre « en prendra une pleine main », le maximum que la main puisse tenir, avec l'huile versée et l'encens placé sur elle, pour en faire à Dieu une offrande et « un sacrifice de suave odeur ». Le reste sera réservé aux prêtres pour leur nourriture, mais la loi a fixé qu'on doit le manger « dans un lieu saint, dans le parvis de la tente, de sorte qu'il n'y en ait rien qui fermente ». « Voilà, dit-il, la part que j'ai donnée aux prêtres, et c'est chose très sainte. » En outre il a voulu cette observance : que seuls « les mâles en mangent », qu'aucune femme n'y touche. Et il ajoute que « celui qui y touche sera sanctifié[c] ».

Interprétation

Or voudrions-nous exiger en détail de ceux qui sont « Juifs en apparence[d] » la raison de telle forme de prescription ou de telle autre : ils satisferont à notre demande par cette réponse tranchante : Tel est le bon plaisir du législateur ; personne ne

35 discutit Dominum suum. Et ideo cedentes iis in ceteris de hoc novissimo sermone requiramus, ut dicant, quomodo *omnis, qui tetigerit ex sacrificio sanctorum, sanctificetur.* Si homicida tetigerit, si profanus, si adulter, si incestus, sanctificatus erit ? Non enim excepit aliquem, sed dixit :
40 *Omnis qui tetigerit ea, sanctificabitur*[e]. Ponamus enim quia etiam nunc integer sit status illius templi, offerantur hostiae, sacrificia consummentur; ingressus est aliquis templum scelestus, iniquus, impurus, invenit carnes ex sacrificiis propositas, tetigit eas : sanctificatus continuo
45 pronuntiabitur ? Enimvero nullo modo vel rei natura vel veritas religionis hoc recipit; et ideo redeundum nobis est ad expositiones evangelicas atque apostolicas, ut lex possit intelligi. Nisi enim velamen abstulerit Evangelium de facie Moysi[f], non potest videri vultus eius nec sensus
50 eius intelligi. Vide ergo, quomodo in Ecclesia Apostolorum discipuli adsunt his, quae Moyses scripsit, et defendunt ea, quod et impleri queant et rationabiliter scripta sint; Iudaeorum vero doctores et impossibilia haec et irrationabilia sequentes litteram faciant.

8. Igitur sacrificium, pro quo haec omnia sacrificia in typo et figura praecesserant, unum et perfectum, *immolatus* est *Christus*[a]. Huius sacrificii carnem si quis *tetigerit*, continuo *sanctificatur*, si immundus est, sanatur, si in
5 *plaga* est. Sic denique intellexit illa, de qua paulo ante memoravi, *quae profluvium sanguinis patiebatur*, quia ipse

7 e. Cf. Lév. 6, 18 (11) || f. Cf. II Cor. 3, 14
8 a. Cf. I Cor. 5, 7

---

1. Cf. *hom.* 3, 3, et *Introd.* p. 33. Cette femme devient un type pour l'avenir : toute âme doit toucher la chair salvifique du Christ, et le faisant avec foi, elle touchera à travers elle le divin, *In Matth.* 15, 7, *GCS* 10, p. 365. On notera la succession des alinéas. Évocation d'une scène historique de l'Évangile. Identification du

discute avec son Seigneur. Aussi, les tenant quittes des autres, sur cette dernière parole, exigeons qu'ils disent comment « quiconque touche à l'oblation des dons sacrés sera sanctifié[e] ». Qu'un homicide y touche, ou un impie ou un adultère ou un inceste, sera-t-il sanctifié ? Car on n'excepte personne, il est dit : « Quiconque y touche sera sanctifié. » Supposons qu'aujourd'hui encore leur fameux temple subsiste intact, qu'on offre des victimes, accomplit des sacrifices : dans le temple pénètre un scélérat, un impie, un impur, il trouve exposée de la chair provenant des sacrifices, et il la touche ; va-t-on le proclamer aussitôt sanctifié ? Il est sûr qu'en aucune façon ni la nature de la chose ni la vérité de la religion ne l'admettent ; aussi bien nous faut-il revenir aux explications évangéliques et apostoliques pour comprendre la loi. Car si l'Évangile n'avait enlevé le voile de la face de Moïse[f], on ne pourrait voir son visage ni comprendre le sens qu'il donne. Vois donc comment dans l'Église des apôtres, les disciples défendent les prescriptions de Moïse, soutiennent qu'elles peuvent être accomplies, écrites qu'elles sont avec un sens spirituel ; les docteurs des Juifs, en suivant la lettre, les rendent impraticables et absurdes.

Chair sainte

8. Ainsi donc, l'unique sacrifice parfait en vue duquel tous ces sacrifices avaient précédé en type et en figure, c'est « le Christ immolé[a] ». De ce sacrifice, quiconque touche la chair est aussitôt sanctifié s'il est impur, guéri s'il souffre d'un mal. Ce fut le cas par exemple de cette femme dont j'ai fait mention plus haut[1], « atteinte d'hémorragie » : elle

Corps mystique avec le corps personnel du Christ, le baptême étant comme un contact direct avec son humanité. Enfin, passage de ce sens proprement mystique à un sens spirituel plus large, concernant l'intelligence de l'Écriture. « Il faut en général éviter dans la lecture d'Origène cette séparation qui nous est familière du sens strict au sens large », VON BALTHASAR, *Parole*, p. 86 ; cf. p. 135, n. 2.

esset caro sacrificii et caro *sancta sanctorum*; et quia vere intellexit, quae esset caro *sancta sanctorum*, idcirco accessit. Et ipsam quidem carnem sanctam contingere 10 non audet — nondum enim mundata fuerat nec, quae perfecta sunt, apprehenderat —, sed *fimbriam tetigit vestimenti*, quo sancta caro tegebatur, et fideli tactu *virtutem* elicuit ex carne, quae se et ab immunditia sanctificaret et *a plaga*, quam patiebatur, *sanaret*[b]. Non tibi 15 videntur isto magis ordine stare posse dicta Moysi, quibus dicit : *Omnis qui tetigerit ex carnibus sanctis, sanctificabitur*[c] ?

Has enim carnes, quas nos exposuimus, tetigerunt omnes, qui *ex gentibus* crediderunt[d]. Has tetigit et ille, qui dicebat : *Fuimus enim et nos aliquando stulti, et* 20 *increduli, errantes, servientes desideriis et voluptatibus variis, in malitia et invidia agentes, odibiles, odientes invicem. Sed cum benignitas et humanitas illuxit Salvatoris nostri Dei, salvos nos fecit per lavacrum regenerationis et renovationis Spiritus sancti*[e]. Et alibi dicit : *Et haec* inquit *quidem* 25 *fuistis, sed sanctificati estis, sed iustificati estis in nomine Domini nostri Iesu Christi et in Spiritu Dei nostri*[f]. Si enim, ut diximus, tangat quis carnem Iesu eo modo, quo supra exposuimus, tota fide, omni oboedientia accedat ad Iesum, tamquam ad Verbum carnem factum[g], iste tetigit 30 carnem sacrificii et sanctificatus est.

Tangit autem carnes Verbi et ille, de quo dicit Apostolus : *Perfectorum autem est cibus solidus, eorum, qui pro possibilitate sumendi exercitatos habent sensus ad discretionem boni ac mali*[h]. Tangit ergo et ille carnem Verbi Dei, qui interiora 35 eius discutit et occulta potest explanare mysteria. Et nos

8 b. Cf. Mc 5, 25 s. || c. Cf. Lév. 6, 18 (11) || d. Cf. Act. 15, 19 || e. Tite 3, 3-5 || f. I Cor. 6, 11 || g. Cf. Jn 1, 14 || h. Hébr. 5, 14

comprit que le Christ était la chair du sacrifice, chair très sainte ; et c'est pour avoir vraiment compris ce qu'était la chair très sainte qu'elle s'approcha. La chair sainte même, elle n'ose la toucher, car elle n'avait encore ni été purifiée, ni saisi ce qui était parfait ; mais « elle toucha la frange du manteau » dont la chair sainte était couverte, et par ce contact plein de foi, elle fit sortir de la chair « une force » qui la purifia de l'impureté et « la guérit du mal » dont elle souffrait[b]. Ne te semble-t-il pas que c'est plutôt dans ce sens que peut garder sa valeur la parole de Moïse : « Quiconque touche à cette chair sainte est sanctifié[c] » ?

C'est cette chair, ainsi interprétée, qu'ont touchée tous ceux « des Gentils[d] » qui ont cru. Elle qu'a touchée aussi celui qui disait : « Car nous avons été nous aussi naguère insensés, incrédules, égarés, asservis à des convoitises et des plaisirs divers, vivant dans la méchanceté et l'envie, odieux, nous haïssant les uns les autres. Mais quand a resplendi la bonté de Dieu notre Sauveur et son amour pour les hommes, il nous a sauvés... par le bain de la nouvelle naissance et de la rénovation que produit l'Esprit Saint[e]. » Et il dit ailleurs : « Voilà ce que vous étiez..., mais vous avez été sanctifiés, mais vous avez été justifiés, au nom de notre Seigneur Jésus-Christ et par l'Esprit de notre Dieu[f]. » Car, comme on l'a dit, toucher la chair de Jésus de la manière exposée plus haut, avec une foi totale, s'approcher avec une obéissance entière de Jésus comme du Verbe fait chair[g], c'est toucher la chair du sacrifice et être sanctifié.

D'autre part il touche aussi la chair du Verbe, celui dont parle l'Apôtre : « Elle est pour les parfaits, la nourriture solide, pour ceux qui, selon leur aptitude à recevoir, ont le sens moral exercé au discernement du bien et du mal[h]. » On touche donc encore la chair du Verbe de Dieu, quand on en examine les sens intérieurs et peut en expliquer les mystères cachés. Et nous, si nous avions une

si haberemus talem intellectum, ut possemus singula, quae scribuntur in lege, spiritali interpretatione discernere et obtectum uniuscuiusque sermonis sacramentum in lucem scientiae subtilioris educere; si ita docere possemus 40 Ecclesiam, ut nihil ex his, quae lecta sunt, remaneret ambiguum, nihil relinqueretur obscurum, fortassis et de nobis dici poterat quia tetigimus carnes sanctas Verbi Dei et sanctificati sumus.

Sic autem accipio et illud, quod dictum est, quia *omnes* 45 *masculi ex sacerdotibus edent eam*[i]. Nulla enim femina nec remissa et dissoluta anima poterit edere carnes sanctas Verbi Dei. *Masculus* quaeritur, qui eas edat. *Masculi* denique sunt, qui perducuntur ad numerum[j]; nusquam femina, nusquam *parvuli* numerantur; unde et Apostolus 50 dicebat : *Cum autem factus sum vir, deposui quae erant parvuli*[k]. Talis ergo iste *masculus* et talis vir quaeritur, qui carnes sanctas possit comedere et comedere non in quocumque loco, sed *in loco sancto intra atrium tabernaculi*[l]. Audiant haec qui scindunt Ecclesias et peregrinas ac 55 pravas inducentes doctrinas putant se sacras carnes extra templum Dei et extra aulam dominicam posse comedere. Profana sunt eorum sacrificia, quae contra mandati legem geruntur. *In loco sancto* edi iubentur, *intra atria tabernaculi testimonii. Atria tabernaculi testimonii* sunt, 60 quae fidei murus ambit, spei columnae suspendunt, caritatis amplitudo dilatat. Ubi haec non sunt, carnes sanctae nec haberi possunt nec comedi.

8 i. Lév. 6, 18 (11) || j. Cf. Nombr. 1, 2 || k. I Cor. 13, 11 || l. Cf. Lév. 6, 16 (9)

---

1. « Il est rapporté que, sur l'ordre de Dieu, les femmes ne doivent pas être comptées dans ce nombre, évidemment à cause de la faiblesse

intelligence telle que nous puissions discerner par une interprétation spirituelle chaque détail noté dans la Loi et amener à la lumière d'une science plus pénétrante le sens mystérieux de chacune des paroles ; si nous pouvions instruire l'Église sans que rien de ce qu'on a lu ne reste incertain, rien ne demeure obscur : peut-être alors pourrait-on dire de nous aussi que nous avons touché la chair sainte du Verbe de Dieu, et que nous sommes sanctifiés.

Prérogative de l'homme

Et voici comment j'interprète cette autre parole : « Tout mâle parmi les prêtres en mangera[i]. » C'est que nulle femme, nulle âme molle et relâchée ne pourra manger la chair sainte du Verbe de Dieu. On exige un mâle pour les manger. Les mâles sont par exemple ceux qui sont admis dans le dénombrement[j] ; nulle part une femme, nulle part des enfants n'y figurent[1]. Aussi bien l'Apôtre disait-il : « Une fois devenu homme, j'ai abandonné ce qui était de l'enfant[k]. » Voilà donc le mâle, voilà l'homme cherché, qui puisse manger la chair sainte, et la manger non pas dans un endroit quelconque, mais « dans un lieu saint à l'intérieur du parvis de la tente[l] ». Qu'ils écoutent ces paroles ceux qui déchirent les Églises et, introduisant des doctrines étrangères et corrompues, pensent pouvoir manger la chair sainte hors du temple de Dieu, hors de l'enceinte du Seigneur. Impies sont leurs sacrifices accomplis contre la loi du commandement. C'est « dans un lieu saint » qu'on ordonne de manger, « à l'intérieur du parvis de la tente du témoignage ». Parvis de la tente du témoignage qu'entoure le mur de la foi, que soutiennent les colonnes de l'espérance, qu'élargit l'étendue de la charité. Là où celles-ci font défaut, la chair sainte ne peut ni se trouver ni être mangée.

féminine... On compte les Israélites, et non pas tous, mais à partir de vingt ans et au-dessus. » *In Num. hom.* 1, 1, *GCS* 7, p. 3, 5 s.

9. Bene autem quod et ea, quae ex sacrificio similaginis offeruntur *plena manu cum oleo* offeruntur *et ture*, *in odorem suavitatis Domino*[a]. Istum locum breviter explanavit Apostolus Paulus ad Philippenses dicens : *Repletus sum,* 5 *accipiens ab Epaphrodito ea, quae a vobis missa sunt, odorem suavitatis, hostiam acceptam, placentem Deo*[b]. In quo ostendit quod misericordia quidem erga pauperes oleum infundit in sacrificio Dei, ministerium vero, quod sanctis defertur, suavitatem turis imponit. Sed hoc *plena* 10 *manu* fieri debere praecipitur. Sic enim idem Apostolus dicit, quia *qui parce seminat, parce et metet; qui autem seminat in benedictione, de benedictione et metet*[c].

Est tamen aliquid in ipso sacrificio, quod *memoriale* appellatur, quod offerri Domino dicitur. Ego si possem 15 *die ac nocte in lege Domini meditari*[d] et omnes Scripturas memoria retinere, *memoriale* sacrificii mei Domino obtulissem. Certe si non omnia possumus, saltem ea, quae nunc docentur in Ecclesia, quae recitantur, memoriae commendemus, ut exeuntes de Ecclesia et agentes opera 20 misericordiae et implentes divina praecepta sacrificium *cum ture et oleo* offeramus in *memoriam Domino*[e]. Ex his ergo edocemini, ut, quae auditis in Ecclesia, tamquam munda animalia, veluti ruminantes ea revocetis ad memoriam, et cum corde vestro, quae dicta sunt, conferatis.

25 Quod si aliqua memoriae superfuerint et intellectum vestrum superaverint, facite quod praesentis mandati auctoritas praecipit, dicens : *Quod autem superfuerit ex eis, manducabunt Aaron et filii eius*[f]. Si quid superaverit et excesserit intellectum tuum vel memoriam tuam, serva 30 Aaron, hoc est reserva sacerdoti, reserva doctori, ut ipse

9 a. Lév. 6, 15 (8) || b. Phil. 4, 18 || c. II Cor. 9, 6 || d. Cf. Ps. 1, 2 || e. Cf. Lév. 6, 15 (8) || f. Lév. 6, 16 (9)

Huile et encens

9. Par ailleurs, il est bien que l'offrande de la fleur de farine de l'oblation soit faite « d'une pleine main, avec de l'huile et de l'encens en odeur suave au Seigneur[a] ». L'apôtre Paul a une brève explication du passage quand il dit aux Éphésiens : « Je suis comblé, depuis que d'Épaphrodite j'ai reçu votre envoi, odeur suave, offrande agréée qui plaît à Dieu[b]. » Il montre ainsi que la miséricorde envers les pauvres répand l'huile[1] sur l'oblation faite à Dieu et que le service rendu aux saints y ajoute la suavité de l'encens. Mais il est enjoint qu'on le fasse « d'une pleine main ». Dans ce sens le même Apôtre dit : « Qui sème chichement, chichement aussi moissonnera, qui sème largement, largement aussi moissonnera[c]. »

« Mémorial »

Dans l'oblation même, il est une chose qu'on appelle « mémorial » qui est offerte au Seigneur. Ah ! si je pouvais « jour et nuit méditer la Loi du Seigneur[d] » et retenir de mémoire toutes les Écritures, j'offrirais au Seigneur le mémorial de mon oblation. Si nous ne pouvons tout retenir sans doute, confions du moins à notre mémoire ce qu'à cette heure on enseigne et on lit à l'Église, afin qu'au sortir de l'Église, pratiquant les œuvres de miséricorde et accomplissant les divins préceptes, nous offrions une oblation « avec de l'encens et de l'huile, en mémorial au Seigneur[e] ». De cela instruisez-vous à fond : alors ce que vous entendez à l'Église, comme des animaux purs le ruminant en quelque sorte, vous vous remettrez en mémoire les paroles dites et les repasserez dans votre cœur.

Si tel point échappe à votre mémoire et dépasse votre intelligence, faites ce qu'ordonne l'autorité du précepte présent : « Ce qui en reste, Aaron et ses fils le mangeront[f]. » S'il est un reste qui dépasse ton intelligence ou ta mémoire, garde-le pour Aaron, c'est-à-dire réserve-le au prêtre,

1. Sur l'huile, cf. *hom.* 2, 2, 36 s.

haec manducet, ipse discutiat, ipse exponat; sicut et alibi idem Moyses dicit : *Interroga patres tuos et adnuntiabunt tibi, presbyteros tuos et dicent tibi*[g]. Ipsi enim sciunt, quomodo haec azyma debeat manducari et *in azymis*
35 *sinceritatis et veritatis*[h] exponi.

10. Additur in sequentibus : *Et locutus est Dominus ad Moysen dicens : hoc munus Aaron et filiorum eius, quod offerent Domino in die, qua unxeris eum, decimam partem ephi similaginis in sacrificio semper, dimidium eius mane,*
5 *et dimidium eius post meridiem. In sartagine ex oleo fiet, conspersam offeret eam teneram, sacrificium de fragmentis, sacrificium in odorem suavitatis Domino. Sacerdos, qui unctus fuerit pro eo ex filiis eius, faciat ea; lex aeterna; omnia consummabuntur. Et omne sacrificium sacerdotis*
10 *holocaustum erit, et non edetur*[a].

In ceteris quidem praeceptis pontifex in offerendis sacrificiis populo praebet officium; in hoc vero mandato quae propria sunt curat et quod ad se spectat, exsequitur. Iubetur enim *ex die, qua unctus fuerit, semper et in perpe-*
15 *tuum offerre similaginem oleo conspersam, teneram ex sartagine.* Idque cognominat *sacrificium ex fragmentis, in odorem suavitatis*, et hoc *lege aeterna* permanere et transmitti ad posteros iubet. Addit sane observandum ne ullum *sacrificium sacerdotis*, hoc est quod pro se ipso offert,
20 *edatur* a quoquam, sed *holocaustum* fiat, quod est igni absumi. Praeceptum quidem secundum litteram clarum est, velim tamen videre, qui in hoc typus et quae figura formetur[b].

Dimidium sacrificii huius *mane* vult offerri et *dimidium*
25 *vespere*, certa mensura *similae oleo conspersae tenerae a*

9 g. Deut. 32, 7 || h. Cf. I. Cor. 5, 8
10 a. Lév. 6, 19-23 (12-16) || b. Cf. I Cor. 10, 11

réserve-le au docteur, pour que lui le mange, lui l'examine, lui l'explique ; comme le dit encore ailleurs le même Moïse : « Interroge tes pères et ils te l'apprendront, tes anciens, et ils te le diront[g]. » Eux savent en effet comment ces azymes doivent être mangés, être interprétés « en azymes de pureté et de vérité[h] ».

Oblation pour l'onction des prêtres

10. On ajoute ensuite : « Le Seigneur parla à Moïse en ces termes : Voici l'offrande que feront au Seigneur Aaron et ses fils le jour où il recevra l'onction : un dixième d'épha de fleur de farine en oblation perpétuelle, moitié le matin, moitié l'après-midi. Elle sera faite à la poêle, arrosée d'huile, on l'offrira tendre, oblation de morceaux, oblation en odeur suave au Seigneur. Le prêtre qui sera oint à sa place parmi ses fils fera de même ; c'est une loi perpétuelle ; tout sera consumé. Toute oblation de prêtre sera un holocauste et ne sera point mangée[a]. »

D'après les autres préceptes, le pontife, en offrant des oblations, remplit une fonction pour le peuple ; d'après ce commandement, il s'occupe de sa personne, accomplit ce qui le concerne. Il a ordre en effet, « du jour où il reçoit l'onction, d'offrir sans cesse et à perpétuité de la fleur de farine, arrosée d'huile, tendre, sur la poêle. » Ce rite, on l'appelle « une oblation de morceaux en suave odeur », et on ordonne qu'il demeure en vertu d'une loi perpétuelle et soit transmis aux descendants. On ajoute l'obligation de veiller à ce qu'aucune oblation de prêtre, c'est-à-dire qu'il offre pour lui, ne soit mangée par personne, mais soit un holocauste, c'est-à-dire détruite par le feu. Le précepte selon la lettre est clair, mais je voudrais voir quel type et quelle figure il présente[b].

Deux moitiés de l'oblation

Il veut qu'on offre une moitié de cette oblation le matin et une moitié le soir : une mesure déterminée « de fleur de farine arrosée d'huile, tendre, sur la poêle ».

sartagine. Vide, si non, ut ego suspicor, *sacrificium sacerdotis* haec ipsa sit lex, quae per Moysen promulgatur, cuius *dimidium mane* iubetur offerri, *dimidium* vero *ad vesperam.* Quam legem in duas partes dividi praecepit,
30 in litteram videlicet et spiritum. Et *dimidiam* quidem *partem*, quae est littera, offerri iubet *mane*, primo scilicet legis tempore, quod illis, quibus tunc secundum litteram data est, novam lucem et novum protulit diem. *Dimidium* vero eius offerri iussit *in vesperam*; in vespera enim nobis
35 datus est Salvatoris adventus, in quo *pars* illa *dimidia*, hoc est sensus vel spiritus legis, secundum quod *lex spiritalis est*[c], offeratur *oleo conspersa tenera. Oleum* ad misericordiam revocatur, quae debet in sacerdotibus abundare. *Tenera* ad subtilem et puram intelligentiam
40 pertinet. Quod autem *a sartagine* dicitur, puto quod districtum et multa continentia aridum et torridum velit esse sacerdotem, in quo nihil remissum haberi ad luxuriam, nihil fluitans ad libidinem possit.

Quod autem sacrificium ipsum *ex fragmentis* nominavit
45 *in odorem suavitatis*, puto quod fragmenta sacerdotum velit intelligi, cum legis per eos littera frangitur et cibus ex ea latens intrinsecus spiritalis elicitur; ut audientes *turbae* reficiantur, sicut et Dominus fecisse refertur in Evangeliis, ubi benedixit panes et dedit discipulis et
50 discipuli confringentes apposuerunt *turbis*; et cum satiati fuissent omnes, *superfuerunt* inquit *fragmentorum cophini duodecim*[d]. Istud est ergo *sacrificium ex fragmentis*, cum

10 c. Cf. Rom. 7, 14 || d. Cf. Matth. 14, 15 s.

1. Le symbolisme du jour, abordé ici, est un véritable thème à variations chez Origène, voir la note complémentaire 17.

2. « Considère que le Seigneur aussi, dans les Évangiles, rompt un petit nombre de pains. Et que de milliers de personnes il restaure, combien de corbeilles de restes sont en surplus ! Tant que les pains sont entiers..., nul n'est restauré, les pains eux-mêmes

L'oblation du prêtre ne serait-elle pas, comme je le suppose, la Loi même promulguée par Moïse, dont il est ordonné d'offrir une moitié le matin et une moitié vers le soir. Cette Loi, on prescrit de la diviser en deux parties, à savoir la lettre et l'esprit. La moitié qui est la lettre, on ordonne de l'offrir le matin, soit au premier temps de la Loi, parce qu'à ceux auxquels elle fut alors donnée selon la lettre, elle apporta une lumière nouvelle et un jour nouveau[1]. L'autre moitié, on a l'ordre de l'offrir le soir ; car c'est au soir que nous fut donnée la venue du Sauveur en qui cette moitié, c'est-à-dire le sens ou l'esprit de la Loi, en tant que « la Loi est spirituelle[c] », est offerte « arrosée d'huile, tendre ». L'huile évoque la miséricorde qui doit être débordante chez les prêtres. « Tendre » vise l'intelligence pénétrante et purifiée. Pour l'expression « sur la poêle », elle signifie, je pense, la retenue du prêtre, desséché et brûlé à force de continence, en qui ne puisse être nul abandon à la luxure, nul penchant à la débauche.

Morceaux Qu'on parle d'une oblation « de morceaux en odeur suave », c'est, je pense, pour désigner les morceaux que font les prêtres, quand ils brisent la lettre de la Loi pour en extraire la nourriture spirituelle cachée à l'intérieur, pour qu'en écoutant les foules soient réconfortées : comme fit le Seigneur, rapportent les Évangiles[2], quand il bénit les pains et les donna aux disciples, et que les disciples, les rompant, les distribuèrent aux foules ; et quand tous furent rassasiés, « il resta douze corbeilles de morceaux[d] ». Cette oblation de morceaux est l'examen par le menu des

n'apparaissent pas plus nombreux. Regarde donc maintenant le petit nombre de pains que nous rompons : nous prenons quelques paroles des divines Écritures, et voilà des milliers de personnes rassasiées ! Mais si ces pains n'avaient été rompus, s'ils n'avaient été réduits en morceaux par les disciples, c'est-à-dire si la lettre n'avait été par le menu examinée et rompue, son sens ne pourrait parvenir à tous. » *In Gen. hom.* 12, 5, cf. *SC* 7 *bis*, p. 304 s.

minutatim, quae sunt legis sancta, discutimus, ut spiritalem ex his cibum purumque capiamus.

55 Et haec, inquit, est *lex aeterna*. Iohannes quidem Apostolus in Apocalypsi dicit esse *Evangelium aeternum*[e]. Invenimus et hic scriptum esse *legem aeternam*, sed isti, qui legem secundum litteram sequi volunt, velim mihi nunc dicerent, quomodo lex huius sacrificii esse possit 60 *aeterna*, cum utique destructo templo, subverso altari et omnibus, quae dicebantur sancta, profanatis ritus iste sacrificiorum non potuerit permanere. Quomodo ergo aeternum dicent, quod olim cessasse et finitum esse iam constat ? Restat ut secundum eam partem lex haec 65 *aeterna* dicatur, qua nos dicimus *legem* esse *spiritalem*[f] et per eam spiritalia offerri posse sacrificia, quae neque irrumpi umquam neque cessare possunt. Non enim in loco sunt, qui subvertitur, aut in tempore, quod mutatur, sed in fide credentis et in corde sacrificantis.

70 Sane quod ait : *Non edetur de sacrificio sacerdotis, sed holocaustum erit*[g], certum est ad Domini et Salvatoris nostri personam referri; de illius enim sacrificio *non edetur, sed holocaustum erit*. Hoc in loco sacrificium verbum ipsum accipiendum est et doctrina, de qua nullus edet, 75 hoc est nullus disputat, nullus retractat, sed *holocaustum* est. Quidquid enim dixit, quidquid statuit, aeterna consecratione perdurat, nec aliquis ita insanus invenitur aut profanus, qui retractare de eius sermonibus possit; quos tamquam *holocaustum, sacrificium Deo oblatum* in omni 80 cultu et veneratione habere debemus; quia *caelum et terra transibit, verba autem eius non transibunt*[h], sed semper manent, sicut et ipse semper manet. Per ipsum Deo Patri cum Spiritu sancto *est gloria et imperium in saecula saeculorum. Amen*[i] !

10 e. Cf. Apoc. 14, 6 || f. Cf. Rom. 7, 14 || g. Cf. Lév. 6, 23 (16) || h. Matth. 24, 35 || i. Cf. I Pierre 4, 11 ; Apoc. 1, 6

saintes paroles de la Loi, pour en tirer une nourriture spirituelle et pure.

Loi éternelle

Et c'est, dit l'Écriture, « une Loi éternelle ». L'apôtre Jean parle dans l'Apocalypse de l'« Évangile éternel[e] ». Ici de même on trouve écrit : « Loi éternelle ». Ceux qui veulent suivre la Loi selon la lettre, je voudrais bien qu'ils me disent aujourd'hui comment la loi de cette oblation peut être éternelle, alors que, bien entendu, une fois le temple détruit, l'autel renversé, et tout ce qu'on appelait saint profané, ce rite des oblations n'a pu subsister. Comment donc dire éternelle ce qui de toute évidence a cessé jadis, et désormais est bien fini ? Reste que cette loi est dite « éternelle » pour cette part que nous qualifions de « loi spirituelle[f] », et que par elle on peut offrir des oblations spirituelles qui ne peuvent jamais s'interrompre ni prendre fin. C'est qu'elles ne se font ni dans un lieu voué à la ruine, ni dans un temps soumis au changement, mais dans la foi du croyant et le cœur de qui les offre.

Holocauste

« On ne mangera rien de l'oblation du prêtre, mais ce sera un holocauste[g]. » Cette parole a certainement trait à la personne de notre Seigneur et Sauveur ; car de son oblation « on ne mangera point, mais ce sera un holocauste ». Dans l'oblation, ici, il faut voir le Verbe en personne, et sa doctrine dont nul ne mangera, c'est-à-dire que nul ne discute, nul ne révise, mais qui est « un holocauste ». Car tout ce qu'il a dit, tout ce qu'il a établi, persiste d'une consécration éternelle, et on ne trouve pas un homme assez privé de sens ou de piété, qui puisse réviser ses paroles ; c'est pour « un holocauste, une oblation faite à Dieu » que nous devons les tenir en tout hommage et vénération ; car « le ciel et la terre passeront, mais ses paroles ne passeront pas[h] », elles demeurent toujours comme lui-même toujours demeure. Par lui, à Dieu le Père avec l'Esprit Saint « est gloire et puissance pour les siècles des siècles. Amen[i] » !

HOMILIA V

De eo quod scriptum est : *Haec lex peccati ; in loco, quo iugulantur holocausta, occident et id, quod peccati est*[a] et cetera.

1. *Et locutus est Dominus ad Moysen, dicens : loquere ad Aaron et ad filios eius dicens : haec est lex peccati ; in loco, quo iugulantur holocausta, occident et id, quod peccati est contra Dominum ; sancta sanctorum sunt. Sacerdos qui*
5 *offeret illud, edet illud, in loco sancto edetur, in atrio tabernaculi testimonii. Omnis qui tangit de carnibus eius, sanctificabitur ; et cuicumque adspersum fuerit ex sanguine eius super vestimentum, quodcumque respersum fuerit, et ipsum lavabitur in loco sancto. Et vas fictile, in quocumque*
10 *coctum fuerit, confringetur ; si autem in vase aereo coctum fuerit, defricabit illud et diluet aqua. Omnis masculus ex sacerdotibus edet ea ; sancta sanctorum sunt Domino. Et omnia quae pro peccato sunt, ex quibus illatum fuerit a sanguine eorum in tabernaculo testimonii deprecari in loco*
15 *sancto, non edentur, sed igni comburentur*[a].

Li. 20 s. : cf. Orig., Philoc. c. 30 (Rob. p. 35 : ἀπὸ τῆς εἰς τὸ Λευϊτικὸν ὁμιλίας ε´ εὐθὺς μετὰ τὴν ἀρχήν) : Μὴ νοήσαντες δὲ διαφορὰν ἰουδαϊσμοῦ ὁρατοῦ καὶ ἰουδαϊσμοῦ νοητοῦ, τουτέστιν « ἰουδαϊσμοῦ φανεροῦ » καὶ « ἰουδαϊσμοῦ τοῦ
5 ἐν τῷ κρυπτῷ », οἱ ἀπὸ τῶν ἀθέων καὶ ἀσεβεστάτων αἱρέσεων εὐθέως διέστησαν ἀπὸ τοῦ ἰουδαϊσμοῦ καὶ τοῦ Θεοῦ τοῦ δόντος ταύτας τὰς γραφὰς καὶ ἀνέπλασαν ἕτερον

Tit. a. Cf. Lév. 6, 25 (18)
1 a. Lév. 6, 24-30 (17-23)

V

<SACRIFICE POUR LE PÉCHÉ. SACRIFICE POUR LA FAUTE. SACRIFICE DE SALUT>

Sur le passage : « Voici la loi du sacrifice pour le péché : au lieu où on égorge les holocaustes, on tuera la victime pour le péché[a] *», etc.*

« Loi du sacrifice pour le péché »

1. « Le Seigneur parla à Moïse en ces termes : Parle à Aaron et à ses fils en ces termes : Voici la loi du sacrifice pour le péché : au lieu où on égorge les holocaustes, on tuera aussi la victime pour le péché devant le Seigneur ; c'est une chose très sainte. Le prêtre qui l'offre en mangera : dans un lieu saint elle sera mangée, dans le parvis de la tente du témoignage. Quiconque touche à sa chair sera sanctifié ; et s'il en jaillit du sang sur un habit, tout ce sur quoi il jaillit sera lavé dans un lieu saint. Le vase d'argile où elle a cuit sera brisé ; si c'est dans un vase de bronze qu'elle a cuit, on le récurera et le rincera à l'eau. Tout mâle parmi les prêtres en mangera ; c'est chose très sainte aux yeux du Seigneur. Mais de toute victime pour le péché dont on aura porté du sang dans la tente du témoignage pour faire le rite d'absolution[1] dans le lieu saint, on ne mangera point : elle sera brûlée au feu[a]. »

1. Le terme hébreu auquel correspond *deprecari* est ainsi traduit par *TOB* ; par d'autres, « faire l'expiation », Osty, etc. Mais voir *hom.* 9, 1, et n. 1.

Haec omnia nisi alio sensu accipiamus quam litterae textus ostendit, sicut saepe iam diximus, cum in Ecclesia recitantur, obstaculum magis et subversionem christianae religioni quam hortationem aedificationemque praestabunt.
20 Si vero discutiatur et inveniatur, quo sensu haec dicta sunt et digne Deo, qui haec dicere scribitur, advertantur, fiet quidem Iudaeus, qui haec audit, sed non ille, *qui in manifesto*, sed *qui in occulto Iudaeus est*, secundum illam differentiam Iudaei, quam distinguit Apostolus, dicens :
25 *Non enim, qui in manifesto Iudaeus est, neque quae manifeste in carne est circumcisio, sed qui in occulto Iudaeus est circumcisione cordis, qui spiritu, non littera ; cuius laus non ab hominibus, sed ex Deo est*[b].

Quam differentiam Iudaei visibilis et Iudaei invisibilis
30 non intelligentes impii haeretici non solum ab his Scripturis refugerunt, sed ab ipso Deo, qui legem hanc et Scripturas divinas hominibus dedit, atque alium sibi Deum praeter illum, *qui caelum ac terram condidit*[c], confinxerunt, cum utique fidei veritas unum eundemque Deum legis et
35 Evangeliorum teneat, *visibilium et invisibilium*[d] creatorem ; quia et cognationem plurimam visibilia cum invisibilibus servant, ita ut Apostolus dicat quia *invisibilia Dei a creatura mundi per ea, quae facta sunt, intellecta conspi-*

θεὸν παρὰ τὸν δεδωκότα Θεὸν « τὸν νόμον καὶ τοὺς προφήτας », παρὰ « τὸν ποιήσαντα οὐρανὸν καὶ γῆν ». Τὸ
10 δ' οὐχ οὕτως ἔχει, ἀλλ' ὁ δεδωκὼς τὸν νόμον δέδωκε καὶ τὸ εὐαγγέλιον · ὁ ποιήσας « τὰ βλεπόμενα » κατεσκεύασε καὶ « τὰ μὴ βλεπόμενα ». Καὶ συγγένειαν ἔχει « τὰ βλεπόμενα » καὶ « μὴ βλεπόμενα », οὕτω δὲ ἔχει συγγένειαν, ὥστε « τὰ ἀόρατα τοῦ Θεοῦ ἀπὸ κτίσεως κόσμου τοῖς
15 ποιήμασι νοούμενα καθορᾶσθαι ». Συγγένειαν ἔχει καὶ « τὰ βλεπόμενα » « τοῦ νόμου καὶ τῶν προφητῶν » πρὸς « τὰ μὴ βλεπόμενα », ἀλλὰ νοούμενα « τοῦ νόμου καὶ τῶν προφητῶν ». Ἐπεὶ οὖν συνέστηκεν ἡ Γραφὴ καὶ αὐτὴ οἱονεὶ

Difficulté de la lettre

Toutes ces paroles, à moins qu'on les prenne dans un autre sens que celui que présente le texte de la lettre, comme souvent déjà nous l'avons dit, à leur lecture dans l'Église serviront d'obstacle et de ruine pour la religion chrétienne plutôt que d'exhortation et d'instruction. Mais si on examine et découvre dans quel sens elles ont été dites, si on leur donne l'attention digne de Dieu[1] auquel les attribue l'Écriture, celui qui les entend deviendra un Juif, non pas « celui qui le paraît », mais « celui qui est Juif dans le secret », suivant la distinction qu'établit l'Apôtre : « Car le Juif n'est pas celui qui le paraît, pas plus que la circoncision n'est celle qui paraît dans la chair ; c'est celui qui est Juif dans le secret par la circoncision du cœur, qui l'est par l'esprit, non par la lettre ; et celui-là reçoit sa louange non des hommes mais de Dieu[b]. »

« Corps, âme esprit de l'Écriture »

Faute de comprendre cette distinction du Juif visible et du Juif invisible, les hérétiques impies se sont éloignés non seulement de ces Écritures, mais de Dieu même qui a donné cette Loi et ces Écritures divines aux hommes ; ils se sont forgé un autre Dieu que « Celui qui a créé le ciel et la terre[c] », alors qu'assurément la vérité de la foi affirme un seul et même Dieu de la Loi et des Évangiles, créateur « des choses visibles et des choses invisibles[d] » ; car les choses visibles gardent une étroite parenté avec les invisibles[2], si bien que l'Apôtre déclare : « Les œuvres invisibles de Dieu, depuis la création du monde, grâce aux choses créées, sont

1 b. Rom. 2, 28-29 || c. Cf. Gen. 1, 1 || d. Cf. II Cor. 4, 18

1. Cf. *hom.* 4, 1.
2. Cf. *Introd.*, p. 20 s.

ciuntur[e]. Sicut ergo cognationem sui ad invicem gerunt
40 *visibilia et invisibilia*, terra et caelum, anima et caro, corpus et spiritus, et ex horum coniunctionibus constat hic mundus, ita etiam sanctam Scripturam credendum est ex visibilibus constare et invisibilibus, veluti ex corpore quodam, litterae scilicet, quae videtur, et anima sensus,
45 qui intra ipsam deprehenditur, et spiritu secundum id, quod etiam quaedam in se *caelestia* teneat, ut Apostolus dixit quia : *Exemplari et umbrae deserviunt caelestium*[f].

Quia ergo haec ita se habent, invocantes Deum, qui
50 fecit Scripturae animam et corpus et spiritum, corpus quidem his, qui ante nos fuerunt, animam vero nobis, spiritum autem his, qui *in futuro haereditatem vitae aeternae consequentur*[g], per quam perveniant ad regna caelestia, eam nunc, quam diximus legis animam, requiramus,
55 quantum ad praesens interim spectat. Nescio autem, si possumus etiam ad spiritum eius adscendere in his, quae nobis de sacrificiis lecta sunt. Debemus enim eum, quem diximus *in occulto Iudaeum*[h], sicut ostendimus quia non carne, sed corde circumciditur, ita ostendere quia et sacri-
60 ficat non carne, sed corde, et quia edit de sacrificiis non carne, sed spiritu.

ἐκ σώματος μὲν τοῦ βλεπομένου, ψυχῆς δὲ τῆς ἐν αὐτῷ
20 νοουμένης καὶ καταλαμβανομένης καὶ πνεύματος τοῦ κατὰ « τὰ ὑποδείγματα καὶ σκιὰν τῶν ἐπουρανίων ». Φέρε, ἐπικαλεσάμενοι τὸν ποιήσαντα τῇ Γραφῇ σῶμα καὶ ψυχὴν καὶ πνεῦμα, σῶμα μὲν τοῖς πρὸ ἡμῶν, ψυχὴν δὲ ἡμῖν, πνεῦμα δὲ τοῖς « ἐν τῷ μέλλοντι αἰῶνι κληρονομήσουσι
25 ζωὴν αἰώνιον » καὶ μέλλουσιν ἥκειν ἐπὶ τὰ ἐπουράνια καὶ ἀληθινὰ τοῦ νόμου, ἐρευνήσωμεν οὐ τὸ γράμμα, ἀλλὰ τὴν ψυχὴν ἐπὶ τοῦ παρόντος · εἰ δὲ οἷοί τέ ἐσμεν, ἀναβησόμεθα καὶ ἐπὶ τὸ πνεῦμα κατὰ τὸν λόγον τὸν περὶ τῶν ἀναγνωσθεισῶν θυσιῶν.

perceptibles à l'esprit[e]. » Donc, de même qu'une parenté mutuelle règne entre choses visibles et invisibles, terre et ciel, âme et chair, corps et esprit, et que de leurs liaisons résulte ce monde, ainsi faut-il croire que la sainte Écriture aussi se compose d'éléments visibles et invisibles, pour ainsi dire d'un corps, celui de la lettre qu'on voit, d'une âme, le sens qu'on découvre à l'intérieur de la lettre, et d'un esprit, du fait qu'elle contient des vérités célestes[1], comme a dit l'Apôtre : « Ils célèbrent un culte, copie et ombre des réalités célestes[f]. »

Puisqu'il en est ainsi, invoquons Dieu qui a fait l'âme, le corps et l'esprit de l'Écriture : le corps pour ceux qui furent avant nous, l'âme pour nous, l'esprit pour ceux qui « dans l'avenir obtiendront l'héritage de la vie éternelle[g] » grâce auquel ils parviendront aux royaumes célestes ; et pour l'instant cherchons cette âme de la Loi dont nous avons parlé, en tant qu'elle a trait au délai présent. Mais je ne sais si nous pouvons aussi nous élever jusqu'à son esprit dans ce qu'on nous a lu sur les sacrifices. En effet, à propos du Juif, qualifié par nous de « Juif dans le secret[h] », comme nous avons montré qu'il n'est pas circoncis de chair mais de cœur, ainsi devons-nous montrer encore qu'il sacrifie non par la chair mais par le cœur, qu'il mange des victimes non par la chair mais par l'esprit.

1 e. Rom. 1, 20 || f. Hébr. 8, 5 || g. Cf. Lc 18, 30.18 || h. Cf. Rom. 2, 29

---

1. « L'ensemble de la Loi pour ces hommes est analogue à un être vivant : le corps, c'est la prescription littérale ; l'âme c'est l'esprit *(nous)* invisible déposé dans les mots. Par lui l'âme raisonnable est entrée dans une contemplation supérieure des objets qui lui sont propres... », PHILON, *De vita cont.* 78, tr. P. Miquel. Philon indique ici deux sens et non trois. Sur la différence entre Origène et lui, cf. la note complémentaire 4 ; H. DE LUBAC, *HE*, p. 150-166 ; *EM*, I, 1, p. 204-207.

2. Sed videamus iam, quae sunt ipsa, quae referuntur in lege. *Et locutus est* inquit *Dominus ad Moysen dicens: loquere ad Aaron et filios eius dicens: haec lex peccati*[a] et cetera quae in praesenti recitata sunt. Et ante iam dixisse
5 nos memini quia lex non semper iisdem datur, sed alia quidem dicitur filiis Istrahel, alia autem filiis Aaron, alia etiam, sicut iam pridem observavimus, Moysi et Aaron. Est et alia lex, quae soli Moysi datur, ita ut nec Aaron legis illius particeps fiat. Quarum per singula
10 distinctiones et diversitates quis ita scientiae dono illuminatus a Deo est, ut possit integre aperteque disserere ? Invenimus enim in consequentibus praeceptum Domini ad solum Moysen dari et iuberi, ut *pectusculum arietis perfectionis* Moysi detur, *sicut praecepit* inquit *Dominus*
15 *Moysi*[b]. In qua portione neque Aaron neque filii eius participes fiunt. Et invenitur lex, quae pertinet ad *arietem perfectionis*, non posse pervenire usque ad Aaron neque ad filios eius, multo magis nec ad reliquos filios Istrahel, sed ad solum Moysen, qui erat *amicus Dei*[c]. Verum quid
20 opus est, quae postmodum recitanda sunt, praevenire ? Nunc interim lex recitata est, quae ad Aaron et filios eius promulgatur, *lex peccati*, hoc est hostiae, quae offertur *pro peccato: In loco* inquit *in quo iugulantur holocausta, ibi occident et id*, *quod pro peccato est*, *in conspectu Domini;*
25 *sancta sanctorum sunt*[d]. Multa quidem iam Deo iuvante de sacrificiorum ritu secundum spiritalem intelligentiam in superioribus dicta sunt, sed et nunc, si gratia Domini nos visitare dignetur et vos orationibus adnitamini, addemus quae dederit Dominus.

2 a. Lév. 6, 24-25 (17-18) || b. Lév. 8, 29 || c. Cf. Sag. 7, 27 || d. Cf. Lév. 6, 25 (18)

---

1. « Dans la première partie du *Lévitique*, pour les seuls fils d'Israël est rapportée une loi de ce genre : Parle... aux fils d'Israël... ; d'autres

Attribution des victimes

2. Dès lors voyons la teneur même de la loi : « Le Seigneur parla à Moïse en ces termes : Parle à Aaron et à ses fils en ces termes : Voici la loi du sacrifice pour le péché[a] », et la suite qu'on vient de lire. Il me souvient d'avoir déjà dit auparavant que la Loi n'est pas toujours donnée aux mêmes personnes[1], mais que l'une s'adresse aux fils d'Israël, l'autre aux fils d'Aaron, une autre encore, comme on vient de le noter, à Moïse et Aaron. Il y a aussi une autre loi donnée au seul Moïse, si bien qu'Aaron n'est pas concerné par elle. Quant à la distinction et à la diversité de ces lois, qui donc est assez illuminé par Dieu du don de science, pour être capable d'une explication totale et claire ? Nous trouvons dans la suite qu'un précepte du Seigneur est destiné au seul Moïse, qu'il est enjoint de donner à Moïse « la poitrine du bélier de perfection », « selon la prescription du Seigneur à Moïse[b] ». De cette portion, ni Aaron, ni ses fils ne reçoivent de part. Et on trouve que la loi relative au « bélier de perfection » ne peut convenir ni à Aaron ni à ses fils, ni encore bien moins au reste des fils d'Israël, mais au seul Moïse, qui était « l'ami de Dieu[c] ». Mais qu'est-il besoin d'anticiper sur ce qu'on va lire dans la suite ? A l'instant on a lu la loi promulguée pour Aaron et ses fils, « loi du péché », c'est-à-dire de la victime offerte « pour le péché » : « Au lieu où on égorge les holocaustes, on tuera aussi la victime pour le péché devant le Seigneur ; c'est une chose très sainte[d]. » Déjà bien des choses, avec l'aide de Dieu, ont été dites plus haut sur le rite des sacrifices, selon l'intelligence spirituelle ; ici encore, si la grâce du Seigneur daigne nous visiter et si vous nous prêtez l'appui de vos prières, nous ajouterons ce que nous donnera le Seigneur.

prescriptions ne sont pas pour eux, mais pour Aaron ou ses fils... », *In Ep. ad Rom.* 2, 13, *PG* 14, 904 B.

30 Hostiarum quaedam quidem sunt Dei solius, ita ut nullus hominum participet ex ipsis[e]. Quaedam sunt Aaron sacerdotis et filiorum eius[f]; quaedam ipsius et filiorum et filiarum eius, ita ut etiam uxorem sacerdotis edere liceat ex his[g]. Quaedam sunt sacerdotum et filiorum ac 35 filiarum eorum, sed de quibus edere liceat etiam filios Istrahel[h]. Et in illis quidem hostiis, de quibus licet edere filios Istrahel, sine dubio habent participium etiam sacerdotes et filii sacerdotum; non tamen ex omni hostia, quam edet sacerdos, etiam filios Istrahel edere ex ea licebit. 40 Igitur cum istae sint hostiarum differentiae, illam, quam diximus solius Dei esse, ex qua neque Moysen neque Aaron neque filios eius participare fas est, aliquando quidem *holocaustomata*[i] nominari invenimus, aliquando vero non holocaustomata, sed *holocarpoma*[j], veluti si dicamus quod 45 totum fructus sit, ille scilicet, qui Deo offertur. Est ergo prima legislatio de sacrificiis, si tamen vel observastis vel retinetis diligenter, quae lecta sunt ac disserta et non transcurrunt aures vestras in vanum vel quae a nobis dicuntur vel quae ex divinis voluminibus recitantur. Prima 50 ergo est hostia *holocaustomata*; neque enim oportebat aliam primo hostiam nominari, nisi eam, quae omnipotenti Deo offerebatur. Secunda hostia est, quae ad edendum sacerdotibus mancipatur. Tertia, de qua etiam filios Istrahel contingere vel edere, ipsos scilicet, qui offerunt, fas est. 55 Sed filios Istrahel non omnes, nisi illos tantum, qui *mundi*[k] sunt; soli enim, qui *mundi* sunt, de sacrificiis edere iubentur.

Verum istas omnes hostias tu, qui *in occulto Iudaeus*[l] es, nolo in animalibus requiras visibilibus nec in mutis pecoribus inveniri putes, quod offerri debeat Deo. Istas 60 hostias intra te ipsum require et invenies eas intra animam tuam. Intellige te habere intra temet ipsum greges boum, illos, qui benedicuntur in Abraham. Intellige habere te

2 e. Cf. p. ex. Lév. 1 || f. Cf. p. ex. Lév. 2, 3 || g. Cf. p. ex. Lév. 10, 14 || h. Cf. Lév. 7, 9 (19) || i. Cf. Lév. 1, 3 || j. Cf. Lév. 5, 10 || k. Cf. Lév. 7, 9 (19) || l. Cf. Rom. 2, 29

Certaines victimes sont pour Dieu seul, au point que nul homme n'y a part[e] ; d'autres sont pour Aaron et ses fils[f] ; d'autres sont pour lui, ses fils et ses filles, au point que même à l'épouse du prêtre il est permis d'en manger[g]. Certaines sont pour les prêtres, leurs fils et leurs filles, mais il est encore permis aux fils d'Israël d'en manger[h]. Aux victimes qu'il est permis aux fils d'Israël de manger, sans aucun doute les prêtres et les fils de prêtres ont part ; mais de toute victime que mangera le prêtre, il ne sera point permis aux fils d'Israël de manger. Donc, étant donné cette distinction des victimes, celle que nous avons dite réservée à Dieu seul, dont ni Moïse, ni Aaron, ni ses fils n'ont le droit de prendre une part, se trouve parfois nommée « holocaustomata[i] », parfois non point *holocaustomata*, mais « holocarpoma[j] », autrement dit que le tout est un fruit, à savoir celui qui est offert à Dieu. Voilà donc la première législation sur les sacrifices, si toutefois vous avez écouté et retenu avec soin lecture et explication, et si ne traverse pas en vain vos oreilles ce que nous disons et ce qui est lu des divins livres. Et la première victime est « holocaustomata », car il ne fallait pas qu'on nomme en premier lieu une autre victime que celle qui était offerte au Dieu Tout-Puissant. La seconde victime est celle qui est cédée aux prêtres pour leur nourriture. La troisième, celle qu'il est permis de toucher et de manger même aux fils d'Israël, à savoir, ceux qui l'offrent. Non point à tous les fils d'Israël, mais seulement à ceux qui sont « purs[k] » ; car seuls ceux qui sont purs ont ordre de manger des sacrifices.

Monde intérieur

Mais toutes ces victimes, toi qui es « Juif dans le secret[l] » ne va point les chercher parmi les animaux visibles, ne crois pas qu'on trouve dans le bétail muet ce qu'on doit offrir à Dieu. Ces victimes, cherche-les en toi-même, et tu les trouveras à l'intérieur de ton âme. Comprends que tu as en toi-même des troupeaux de bœufs, ceux qui sont bénis en Abraham.

et greges ovium et greges caprarum, in quibus benedict et multiplicati sunt patriarchae. Intellige esse intra te
65 etiam aves caeli. Nec mireris quod haec intra te esse dicimus; intellige te alium mundum esse in parvo et esse intra te solem, esse lunam, esse etiam stellas. Hoc enim si ita non esset, numquam dixisset Dominus ad Abraham : *Adspice ad caelum et vide stellas, si dinumerari possunt a*
70 *multitudine, sic erit semen tuum*[m]. Nec mireris, inquam, si dicitur ad Abraham quia : *Sic erit semen tuum, sicut stellae sunt caeli* ; de illis scilicet, qui ex fide eius geniti[n] rationabiliter vivant ac divinas leges et praecepta custodiant. Audi amplius aliquid Salvatorem ad discipulos dicentem :
75 *Vos estis lux mundi*[o]. Dubitasne esse intra te solem et lunam, ad quem dicitur quia *lux* sis *mundi* ?

Vis adhuc amplius aliquid de te ipso audire, ne forte parva de te et humilia cogitans tamquam vilem negligas vitam tuam ? Habet hic mundus gubernatorem suum,
80 habet qui eum regat et habitet in ipso, omnipotentem Deum, sicut ipse per prophetam dicit : *Nonne caelum et terram ego repleo, dicit Dominus*[p]? Audi ergo, ipse omnipotens Deus quid etiam de te, hoc est quid de hominibus dicat. *Habitabo* inquit *in iis et inter ipsos ambulabo*[q].
85 Plus aliquid adhuc addit erga personam tuam. *Et ero* inquit *iis in Patrem, et ipsi erunt mihi in filios et filias, dicit Dominus*[r]. Habet hic mundus Filium Dei, habet Spiritum sanctum, secundum quod dicit propheta : *Verbo Domini caeli firmati sunt, et Spiritu oris eius omnis virtus*
90 *eorum*[s] ; et item alibi : *Spiritus enim Domini replevit orbem terrarum*[t]. Audi et tibi quid dicit Christus : *Et ecce, ego vobiscum sum omnibus diebus usque ad consummationem*

2 m. Gen. 15, 5 || n. Cf. Rom. 3, 26 || o. Matth. 5, 14 || p. Jér. 23, 24 || q. Cf. II Cor. 6, 16 || r. II Cor. 6, 18 || s. Ps. 32, 6 || t. Sag. 1, 7

Comprends que tu as aussi des troupeaux de brebis et des troupeaux de chèvres, par lesquels ont été bénis et se sont multipliés les patriarches. Comprends qu'il y a en toi-même des oiseaux du ciel. Ne t'étonne pas de m'entendre dire que tout cela est en toi ; comprends que tu es un autre monde en petit[1] et qu'en toi il y a un soleil, il y a une lune, il y a des étoiles. S'il n'en était pas ainsi, jamais le Seigneur n'aurait dit à Abraham : « Lève les yeux au ciel et vois les étoiles : peut-on en dénombrer la multitude? Telle sera ta postérité[m]. » Ne t'étonne pas, dis-je, s'il est dit à Abraham : « Ta postérité sera comme les étoiles du ciel » : il s'agit de ceux qui, nés de sa foi[n], vivent spirituellement et gardent les lois et les préceptes divins. De plus, écoute ce mot du Sauveur à ses disciples : « Vous êtes la lumière du monde[o]. » Doutes-tu qu'il y a en toi un soleil et une lune, quand il t'est dit que tu es « la lumière du monde »?

Veux-tu en apprendre davantage sur toi, de peur qu'ayant de toi une opinion mesquine et terre à terre, tu ne négliges ta vie comme sans valeur? Ce monde a son gouverneur, il a le Dieu Tout-Puissant qui le dirige et l'habite, comme lui-même le déclare par le prophète : « Le ciel et la terre, n'est-ce pas moi qui les remplis, dit le Seigneur[p]? » Écoute donc ce que Dieu Tout-Puissant lui-même dit de toi, c'est-à-dire des hommes : « J'habiterai en eux, je marcherai au milieu d'eux[q]. » Il ajoute encore autre chose qui te concerne en personne : « Je serai pour eux un père, et eux ils seront pour moi des fils et des filles, dit le Seigneur[r]. » Ce monde a le Fils de Dieu, il a le Saint-Esprit, au dire du prophète : « Par le Verbe du Seigneur les cieux ont été faits, par le Souffle de sa bouche, toute leur armée[s]. » De même ailleurs : « L'Esprit du Seigneur a rempli l'univers[t]. » Écoute ce que te dit encore le Christ : « Voici que moi je suis avec vous tous les jours jusqu'à la

1. Cf. *Introd.*, p. 47, et la note complémentaire 9.

saeculi[u]. Et de Spiritu sancto dicitur : *Et effundam de Spiritu meo super omnem carnem, et prophetabunt*[v]. Cum
95 ergo videas habere te omnia, quae mundus habet, dubitare non debes quod etiam animalia, quae offeruntur in hostiis, habeas intra te et ex ipsis spiritaliter offerre debeas hostias.

3. Sed de his, prout potuimus, in superioribus explanavimus; nunc vero illud addimus, quod dicit quia : *In loco, in quo iugulantur holocausta, ibi etiam hostiae pro peccato*[a]. Vide quam multa misericordia et benignitas Dei
5 est, ut, ubi *holocaustum* iugulatur illud, quod soli Deo offertur, ibi etiam *hostia*, quae *pro peccato* est, immolari iubeatur; quo scilicet intelligat se, qui peccavit et paenitet *conversus ad Deum*[b] et *contribulati spiritus*[c] hostiam iugulat, in *loco* iam *sancto* stare et sociari his, quae pertinent ad
10 Deum. Ibi ergo immolatur *hostia pro peccato*, ubi et *holocaustum: in conspectu* inquit *Domini*[d]. Est fortassis *in conspectu Domini* offerre sacrificium et offerre non *in conspectu Domini*. Quis ergo est, qui offert *in conspectu Domini*? Ille, opinor, qui non *exiit a conspectu Domini*,
15 sicut Cain, et effectus est *timens et tremens*[e]. Si qui ergo est, qui habet fiduciam adstare *in conspectu Domini* et non fugit *a facie* eius nec adspectum eius peccati conscientia declinat, iste *in conspectu Domini* offert sacrificium. Hanc ergo *hostiam*, quae offertur *pro peccatis*, dicit esse *sancta*
20 *sanctorum*[f].

Maius aliquid audere vult sermo, si tamen et vester sequatur auditus. Quae est *hostia*, quae *pro peccatis* offertur et est *sancta sanctorum*, nisi *unigenitus Filius*

2 u. Matth. 28, 20 || v. Joël 2, 28
3 a. Lév. 6, 25 (18) || b. Cf. I Thess. 1, 9 || c. Cf. Ps. 50, 19 || d. Cf. Lév. 6, 25 (18) || e. Cf. Gen. 4, 16.14 || f. Cf. Lév. 6, 25 (18)

---

1. Cf. § 2.
2. « Tout ce que font les saints, ils le font en présence de Dieu... ;

consommation du siècle[u]. » Et de l'Esprit Saint il est dit : « Je répandrai de mon Esprit sur toute chair, et ils prophétiseront[v]. » Quand donc tu vois que tu as tout ce qu'a le monde, tu ne dois pas douter d'avoir, à l'intérieur de toi, même les animaux qu'on offre en victimes ; et c'est d'eux que tu dois spirituellement offrir des victimes.

Lieu du sacrifice

3. Sur ces points, nous nous sommes expliqué de notre mieux plus haut[1] ; ici, nous ajoutons ce qui est dit : « Au lieu où on égorge les holocaustes, on immolera aussi les victimes pour le péché[a]. » Vois la grandeur de la miséricorde et de la bonté de Dieu : où on égorge cet holocauste qu'on offre à Dieu seul, là même, on ordonne d'immoler aussi « la victime pour le péché » ; c'est évidemment pour faire comprendre au pécheur qui se repent, « converti à Dieu[b] », et immole en victime son esprit broyé[c], qu'il se tient déjà « dans un lieu saint » et participe à ce qui appartient à Dieu. Donc, « la victime pour le péché » est immolée là même où l'est l'holocauste, comme il est dit : « devant le Seigneur[d] ». Sans doute peut-on offrir le sacrifice « devant le Seigneur », et ne pas l'offrir « devant le Seigneur ». Quel est donc celui qui l'offre « devant le Seigneur » ? Celui, je pense, qui ne « se retire » pas « de devant le Seigneur », comme Caïn, rempli « de crainte et de tremblement[e] ». Si donc il est quelqu'un qui se tient avec assurance devant le Seigneur et ne fuit pas « loin de sa face » et que n'écarte pas de sa vue la conscience du péché[2], celui-là offre un sacrifice « devant le Seigneur ». Et cette victime offerte pour les péchés est dite « chose très sainte[f] ».

Le Christ « victime et prêtre »

La parole a une signification plus hardie, si toutefois votre attention veut bien me suivre. Quelle est la victime offerte pour le péché et très sainte, sinon le Fils

le pécheur fuit loin de la présence de Dieu... », Adam, après son péché, Caïn, après son fratricide. *In Ex. hom.* 11, 5, *GCS* 6, p. 258, 4 s.

Dei[g], Dominus meus Iesus Christus? Ipse solus est *hostia pro*
25 *peccatis* et ipse est *hostia sancta sanctorum*. Sed quod addidit : *Sacerdos* inquit *qui offert illud, edet illud*[h], videtur difficile esse ad intellectum. Illud enim, quod edendum dicit, ad peccatum referri videtur; sicut et alibi dicit de sacerdotibus propheta quia : *Peccata populi mei manduca-*
30 *bunt*[i]. Unde et hic ostendit sacerdotem peccatum offerentis comedere debere. Saepe ostendimus ex divinis Scripturis Christum esse et hostiam, quae pro peccato mundi offertur, et sacerdotem, qui offerat hostiam; quod uno verbo Apostolus explicat, cum dicit : *Qui se ipsum obtulit Deo*[j].
35 Hic ergo est sacerdos, qui *peccata populi* comedit et consumit, de quo dictum est : *Tu es sacerdos in aeternum, secundum ordinem Melchisedech*[k]. Salvator ergo et Dominus meus *peccata populi* edit. Quomodo edit *peccata populi* ? Audi quid scriptum est : *Deus* inquit *noster ignis consumens*
40 *est*[l]. Quid consumit *Deus ignis* ? Numquid tam inepti erimus, ut putemus quod *Deus ignis ligna* consumat aut *stipulam* aut *fenum*[m] ? Sed consumit *Deus ignis* humana peccata, illa absumit, illa devorat, illa purgat, secundum quod et alibi dicit : *Et purgabo te igni ad purum*[n]. Hoc est
45 *manducare peccatum* eius, qui offert sacrificium *pro peccato*. *Ipse* enim *peccata nostra suscepit*[o] et in semet ipso ea tamquam ignis comedit et absumit. Sic denique e contrario eos, qui permanent in peccatis, *mors* dicitur *deglutisse*, sicut scriptum est : *Deglutiet mors praevalens*[p]. Hoc puto
50 esse quod in Evangelio Salvator dicebat : *Ignem veni mittere in terram, et quam volo ut accendatur*[q]. Atque utinam et mea terra *accendatur* igni divino, ut ultra non adferat

3 g. Cf. Jn 3, 18 || h. Cf. Lév. 6, 26 (19) || i. Os. 4, 8 || j. Hébr. 9, 14 || k. Ps. 109, 4 || l. Deut. 4, 24 || m. Cf. I Cor. 3, 12 || n. Is. 1, 25 || o. Cf. Matth. 8, 17 || p. Cf. Ps. 48, 15 || q. Lc 12, 49

unique de Dieu[g], mon Seigneur Jésus-Christ? Lui seul est « victime pour les péchés », lui seul est « victime très sainte ». Mais ce qu'on ajoute : « Le prêtre qui l'offre la mangera[h] » semble difficile à comprendre. Car ce qu'il dit de manger semble se rapporter au péché ; tout comme ailleurs le prophète dit des prêtres : « Ils mangeront les péchés de mon peuple[i]. » D'où de même, ici, on déclare que le prêtre doit manger le péché de celui qui fait l'offrande. Souvent nous avons montré d'après les divines Écritures que le Christ est à la fois la victime offerte pour le péché du monde et le prêtre qui l'offre[1] : ce que l'Apôtre explique d'un mot : « Il s'est lui-même offert à Dieu[j]. » Il est donc le prêtre qui mange et dévore les péchés du peuple, lui dont il a été dit : « Tu es prêtre pour l'éternité selon l'ordre de Melchisédech[k]. » Donc mon Sauveur et Seigneur mange les péchés du peuple. Comment mange-t-il les péchés du peuple? Écoute l'Écriture : « Notre Dieu est un feu dévorant[l]. » Que dévore-t-il, « Dieu qui est feu »? Serons-nous assez stupides pour penser que « Dieu qui est feu » dévore « du bois, de la paille ou du foin[m] »? Non, « Dieu qui est feu » dévore les péchés des hommes, les détruit, les consume, les purifie, selon ce qui est dit encore ailleurs : « Je te purifierai par le feu, pour te rendre pur[n]. » C'est là « manger le péché » de celui qui offre un sacrifice « pour le péché ». Car « Il a pris nos péchés[o] », et en lui-même, tel un feu, il les mange et les détruit. Comme par exemple, en sens inverse on dit que la mort a englouti ceux qui demeurent dans leurs péchés, selon qu'il est écrit : « La mort victorieuse les engloutira[p]. » Voilà, je pense, ce que disait le Sauveur dans l'Évangile : « Je suis venu jeter un feu sur la terre, et comme je voudrais qu'elle soit embrasée[q] ! » Plaise au ciel que ma terre aussi « soit embrasée » du feu divin, pour qu'elle ne porte plus « épines

1. « La victime et le prêtre », *In Gen. hom.* 8, 6, *SC* 7 *bis*, p. 222. « Le prêtre, la victime et l'autel », *In Jos. hom.* 8, 6, *GCS* 7, p. 342.

spinas et tribulos[r]. Sic intelligere debes et illud, quod scriptum est : *Ignis accensus est ab ira mea, comedet terram*
55 *et generationes eius*[s].

Dicit ergo lex : *Sacerdos qui obtulerit, edet illud in loco sancto, in atrio tabernaculi testimonii*[t]. Consequens enim est, ut secundum imaginem eius, qui sacerdotium Ecclesiae dedit, etiam ministri et sacerdotes Ecclesiae *peccata populi*
60 accipiant et ipsi imitantes magistrum remissionem peccatorum populo tribuant. Debent ergo et ipsi Ecclesiae sacerdotes ita perfecti esse et in officiis sacerdotalibus eruditi, ut *peccata populi in loco sancto, in atriis tabernaculi testimonii* ipsi non peccando consumant.

65 Quid autem est *in loco sancto manducare peccatum*[u]? *Locus* erat *sanctus*, in quem pervenerat Moyses, secundum quod dictum est ad eum : *Locus enim, in quo tu stas, terra sancta est*[v]. Similiter ergo et in Ecclesia Dei *locus sanctus* est *fides perfecta et caritas de corde puro et conscientia*
70 *bona*[w]. Qui in his stat in Ecclesia, *in loco sancto* se stare cognoscat. Neque enim in terra quaerendus est *locus sanctus*, in quam semel data sententia est a Deo dicente : *Maledicta terra in operibus tuis*[x]. Fides ergo integra et sancta conversatio *locus* est *sanctus*.

3 r. Cf. Gen. 3, 18 || s. Deut. 32, 22 || t. Lév. 6, 26 (19) || u. Cf. Os. 4, 8 || v. Ex. 3, 5 || w. Cf. I Tim. 1, 5 || x. Gen. 3, 17

---

1. « Les meilleurs assument *(suscipiunt)* toujours les fautes et les péchés des inférieurs... Notre Grand Prêtre... avec ses fils, les apôtres et les martyrs, assume *(sumit)* les péchés des saints. » *In Num. hom.* 10, 1 et 2, *GCS* 7, p. 68 et 71. Sur la solidarité de toute l'Église avec le Christ dans l'action propitiatoire, voir la note complémentaire 18.

2. Origène dit ailleurs que Moïse, « après s'être uni à Dieu dans un lieu pur et saint par son âme, son esprit et, je crois, aussi par son corps, et avoir reçu un esprit divin », accomplit des miracles, *CC* 2, 51, 39 s., *SC* 132, p. 404 s. Ici, une fois évoqué le buisson ardent, à propos du lieu du sacrifice, tente du témoignage (ou temple),

ni chardons[r] ». Ainsi dois-tu comprendre encore ce passage : « Le feu a été allumé par ma colère, il dévorera la terre et ses produits[s]. »

Rôle du prêtre

La loi déclare donc : « Le prêtre qui offre la victime la mangera dans un lieu saint, dans le parvis de la tente du témoignage[t]. » Il est bien logique, à l'image de celui qui a donné le sacerdoce à l'Église, que les ministres et les prêtres de l'Église aussi portent « les péchés du peuple » et qu'eux-mêmes, imitant leur maître, accordent au peuple la rémission des péchés[1]. Donc les prêtres de l'Église ont l'obligation d'être assez parfaits et instruits des devoirs du sacerdoce pour dévorer « les péchés du peuple dans un lieu saint, dans le parvis de la tente du témoignage » sans pécher eux-mêmes.

Lieu saint

Que signifie « manger le péché dans un lieu saint[u] » ? C'était un lieu saint que celui où était parvenu Moïse, d'après ce qui lui fut dit : « Le lieu où tu te tiens est une terre sainte[v]. » Pareillement, dans l'Église de Dieu il y a un lieu saint : « la foi parfaite, la charité qui vient d'un cœur pur, d'une bonne conscience[w] ». Persévérer en elles dans l'Église c'est, qu'on le sache, se tenir « dans un lieu saint ». Ce n'est pas sur la terre en effet qu'il faut chercher un lieu saint, elle contre qui fut portée une fois pour toutes la sentence de Dieu : « Maudite soit la terre dans tes travaux[x]. » Donc foi intègre et sainte conduite, voilà « le lieu saint[2] ».

il s'élève à l'Église de Dieu communauté spirituelle, et aux âmes qui la composent, à leurs vertus. Il s'agit de foi intègre et de sainte conduite, de victimes de la parole de Dieu et de la saine doctrine. Même interprétation dans *hom.* 13, 5 fin : « le lieu saint » est « dans le cœur ; c'est l'âme raisonnable pure », « où on a ordre de manger l'aliment de la parole de Dieu », cf. *in loco*, note. Dans *Sel. in Ps.* 67 : « Demeure *(topos)* de Dieu, l'âme pure », *PG* 12, 1505 D. Un peu différemment : « Locus igitur sanctus intelligibilis est omnis dictio scripturae divinae », à savoir, les prophètes, Moïse, les Évangélistes, les apôtres de Jésus-Christ, *In Matth. ser.* 42, *GCS* 11, p. 83, 10 s.

75 In hoc itaque loco positus sacerdos Ecclesiae *populi peccata* consumat, ut hostiam iugulans verbi Dei et *doctrinae sanae*[y] victimas offerens purget a peccatis conscientias auditorum. Edet ergo sacerdos carnes sacrificii *in atrio tabernaculi testimonii*[z], cum intelligere potuerit,
80 quae sit ratio in his, quaeve mysteria, quae describuntur de atriis tabernaculi testimonii. Ad haec enim atria secreta et recondita nullus accedit, nulli haec nisi sacerdotibus patent; si tamen pateant, si scientia sua et intellectu mystico potuerint eorum secreta penetrare.

85 Scio autem esse et alia quaedam in Ecclesia dogmata secretiora, quae adire nec ipsis sacerdotibus liceat. Illa dico, ubi arca reconditur, ubi urna mannae et tabulae testamenti[aa]. Illic nec ipsis quidem sacerdotibus datur accessus, sed *uni tantum pontifici*, et huic *semel in anno*[ab]
90 certis quibusque et mysticis purificationibus conceditur istud intrare secretum.

Sunt et alia Ecclesiae dogmata, ad quae possunt pervenire etiam levitae, sed inferiora sunt ab his, quae sacerdotibus adire concessum est.

95 Scio et alia esse, ad quae possunt accedere etiam filii Istrahel, hoc est laici; non tamen alienigenae, nisi si adscripti iam fuerint in Ecclesia Domini : *Aegyptius enim tertia generatione intrabit in Ecclesiam Dei*[ac]. Credo fidem Patris et Filii et Spiritus sancti, in quam credit omnis, qui
100 sociatur Ecclesiae Dei, tertiam generationem mystice dictam.

Verum tamen sciendum est quod ex hostiis, quae offeruntur, licet concedatur sacerdotibus ad edendum, non tamen omnia conceduntur; sed pars ex ipsis aliqua Deo

3 y. Cf. I Tim. 1, 10 || z. Cf. Lév. 6, 26 (19) || aa. Cf. Hébr. 9, 4 || ab. Cf. Hébr. 9, 7 || ac. Cf. Deut. 23, 8.

Doctrines

Établi dans ce lieu, le prêtre de l'Église dévore les péchés du peuple afin que, immolant la victime de la parole de Dieu et offrant les victimes de la saine doctrine[y], il purifie de leurs péchés les consciences des auditeurs. Le prêtre mangera donc la chair du sacrifice « dans le parvis de la tente du témoignage[z] », quand il aura pu comprendre la raison de ces prescriptions ou les mystères figurés par le parvis de la tente du témoignage. A ce parvis secret et caché nul n'accède, à personne il n'est ouvert qu'aux prêtres ; et encore leur est-il ouvert si, par leur science et leur interprétation mystique, ils ont pu en pénétrer les secrets.

Mais, je le sais, il y a encore d'autres doctrines plus secrètes dans l'Église, où il n'est pas permis aux prêtres mêmes d'atteindre. Je veux dire là où sont cachées l'arche, l'urne de la manne et les tables de l'alliance[aa]. Même aux prêtres l'accès n'en est pas donné ; c'est uniquement « au seul pontife », et même à lui, « une seule fois par an[ab] » après des purifications strictes et mystérieuses qu'il est accordé d'en pénétrer le secret.

Il y a aussi d'autres doctrines de l'Église auxquelles peuvent parvenir les lévites, mais elles sont inférieures à celles dont l'accès est accordé aux prêtres.

Je sais qu'il y en a enfin d'autres auxquelles peuvent avoir accès même les fils d'Israël, c'est-à-dire les laïcs ; non toutefois les étrangers, s'ils n'ont pas été déjà inscrits dans l'Église du Seigneur : « C'est à la troisième génération que l'Égyptien entrera dans l'Église de Dieu[ac]. » Je crois que la foi au Père, au Fils et au Saint-Esprit, à laquelle adhère quiconque entre comme membre dans l'Église de Dieu, est appelée mystiquement troisième génération.

Part réservée

Pourtant il faut savoir que, des victimes qu'on offre, bien qu'il soit permis d'en accorder aux prêtres pour leur nourriture, on n'accorde cependant pas la totalité. Une part en est

105 offertur et altaris ignibus traditur, ut sciamus etiam nos quod, etsi conceditur nobis aliqua ex divinis Scripturis apprehendere et agnoscere, sunt tamen aliqua, quae Deo reservanda sunt; quae cum intelligentiam nostram superent, sensusque eorum supra nos sit, ne forte aliter a 110 nobis quam se habet veritas, proferantur, melius igni ista servamus. Et ideo etiam in hoc loco, quae quidem concessa sunt hominibus ad edendum, prout potuimus, intra tabernaculum Domini consumpsimus; si qua vero supersunt et vel vos in audiendo vel nos superant in dicendo, servemus 115 igni altaris tamquam eam partem, quae *pro peccato* super altare Domini iubetur offerri.

4. *Et haec est* inquit *lex arietis, qui pro delicto est; sancta sanctorum. In loco, in quo iugulant holocaustomata, iugulabunt et arietem, qui pro delicto est, contra Dominum*[a] et cetera.

5 Videtur quidem in Scripturis divinis frequenter peccatum pro delicto et delictum pro peccato indifferenter et absque aliqua distinctione nominari; in hoc tamen loco invenitur esse discretum. Nam cum superius in hostia *pro peccato*[b] ritum sacrificii atque ordinem tradidisset, nunc separatim 10 mandat sacrificium *pro delicto*, et quamvis eodem ordine atque eadem observantia cuncta mandentur et addat in novissimis : *Sicut id, quod pro peccato est, ita et id, quod pro delicto est; lex una erit eorum*[c], tamen voluit ostendere esse aliquid differentiae in his, quibus sacrificia divisa mandavit. 15 In quo ego puto delictum quidem commissum esse levius aliquanto quam peccatum. Nam invenimus de peccato dici quod sit *peccatum ad mortem*[d], de delicto non legimus

4 a. Lév. 6, 31 s. (7, 1 s.) || b. Cf. Lév. 6, 24 s. (17 s.) || c. Lév. 6, 37 (7, 7) || d. Cf. I Jn 5, 16-17

offerte à Dieu, et livrée au feu de l'autel : c'est pour que nous sachions nous aussi que, même s'il nous est accordé de saisir et de connaître certaines vérités des divines Écritures, il en est cependant qu'on doit réserver à Dieu ; comme elles sont au-dessus de notre intelligence et que leur sens nous dépasse, de peur que nous les proposions en altérant la vérité, il vaut mieux les réserver au feu. Voilà pourquoi, ce qu'on accorde aux hommes pour leur nourriture, c'est dans ce lieu, à l'intérieur de la tente du Seigneur, que nous l'avons consommé de notre mieux ; s'il est un surplus qui nous dépasse, tant vous qui écoutez que moi qui parle, réservons-le pour le feu de l'autel comme cette part qu'on ordonne d'offrir « pour le péché » sur l'autel du Seigneur.

Sacrifice pour la faute

4. « Voici la loi concernant le bélier offert pour la faute : c'est chose très sainte. Au lieu où on égorge les holocaustes, on égorgera aussi le bélier offert pour la faute, devant le Seigneur[a] », etc.

Dans les divines Écritures, semble-t-il, on nomme souvent le péché pour la faute et la faute pour le péché, indifféremment et sans aucune distinction. Ici pourtant, on trouve une différence. Alors que plus haut on expliquait le rite et l'ordonnance du sacrifice relatif à la victime pour le péché[b], ici on enjoint à part un sacrifice « pour la faute » ; et bien que tout soit prescrit dans la même ordonnance et la même observance, et qu'on ajoute à la fin : « Tel est le sacrifice pour le péché, tel le sacrifice pour la faute ; une seule loi pour eux[c] », on a cependant voulu accuser entre eux une certaine différence en prescrivant des sacrifices distincts. Sur ce point, je pense que la faute est un peu moins grave que le péché[1]. De fait, nous trouvons dit du péché, qu'il y a « un péché qui mène à la mort[d] » ;

1. « Delictum quidam volunt levius esse quam peccatum », CASSIODORE, *In Ps.* 24, 6, *Diff.*, p. 51, 18 B, cité en note par Baehrens.

quod esse dicatur ad mortem. Scio tamen et illam differentiam, quae nonnullis sapientium visa est, quod delictum
20 quidem sit, cum non facimus ea, quae facere debemus; peccatum vero sit, cum committimus ea, quae committere non debemus. Sed haec quoniam non semper in Scripturis divinis sub ista distinctione invenimus, idcirco generaliter affirmare non possumus. Igitur eodem modo atque eadem
25 traditione de sacrificio, quod *pro delicto* offertur accipiendum est, quo et supra exposuimus de eo, quod *pro peccato* est.

Similiter enim iubentur *adipes arietis hi*, *qui circa renes sunt*, *et hi*, *qui interiora operiunt*[e], imponi super altare; ut
30 et tu, qui haec audis, scias, omne quod est intra te crassius et operit *interiora* tua, debere te offerre igni altaris, ut purgentur omnia *interiora* tua et dicas et tu, sicut et David dicebat : *Benedic anima mea Dominum*, *et omnia interiora mea nomen sanctum eius*[f]. Nisi enim ablata fuerit crassitudo
35 illa, quae tegit *interiora* tua, non possunt subtilem et spiritalem capere sensum nec possunt intellectum capere sapientiae et ideo Dominum laudare non possunt. Quod si ablatum fuerit omne quod pingue est de renibus et de omnibus interioribus viscerum, tunc vere purgatus omni
40 vitio libidinis iugulasti hostiam *pro delicto* et obtulisti sacrificium *Deo in odorem suavitatis*[g].

Sacerdotis inquit *qui offert illud et repropitiabit pro delicto*, *ipsius erit*[h]. Discant sacerdotes Domini, qui Ecclesiis praesunt, quia pars iis data est cum his, quorum
45 delicta repropitiaverint. Quid autem est *repropitiare delictum* ? Si assumpseris peccatorem et monendo, hortando, docendo, instruendo adduxeris eum ad paeniten-

4 e. Cf. Lév. 6, 33 (7, 3) || f. Ps. 102, 1 || g. Cf. Éphés. 5, 2 || h. Lév. 6, 37.38.35 (7, 7.8.5)

de faute, nous ne lisons pas qu'il y en ait qui mène à la mort. Je sais bien la différence notée par certains sages : il y a faute quand on ne fait pas ce qu'on doit faire, et péché, quand on commet ce qu'on ne doit pas commettre[1]. Mais comme nous ne les trouvons pas toujours dans les divines Écritures avec cette distinction, nous ne pouvons l'affirmer en général. Le sacrifice offert pour la faute est donc à comprendre de la même façon traditionnelle, expliquée plus haut, que le sacrifice pour le péché.

De même on ordonne de déposer sur l'autel « la graisse du bélier qui est autour des reins et celle qui couvre les entrailles[e] » ; c'est pour que toi aussi, qui entends cela, tu saches que tout ce qui en toi est grossier et couvre tes entrailles, tu dois l'offrir au feu de l'autel, afin que toutes tes entrailles soient purifiées, et que tu dises toi aussi comme David : « Bénis le Seigneur, mon âme ; toutes mes entrailles, bénissez son saint nom[f]. » Car si cette couche grossière qui couvre tes entrailles n'est pas enlevée, elles sont inaptes au sens subtil et spirituel, impropres à l'intelligence de la sagesse, et partant, incapables de louer le Seigneur. Mais si toute graisse est enlevée des reins et de toutes les entrailles intimes, alors, vraiment purifié de tout désir vicieux, tu immoles une victime pour la faute et offres à Dieu un sacrifice « de suave odeur[g] ».

Ministère du prêtre

« Au prêtre qui l'offre et fait le sacrifice de propitiation pour la faute reviendra l'oblation[h]. » Aux prêtres du Seigneur qui président aux Églises d'apprendre qu'il leur est donné de partager avec ceux pour les fautes desquels ils font l'offrande propitiatoire ! Or, qu'est-ce que faire l'offrande propitiatoire pour la faute ? Si tu prends à part un pécheur et que, avertissant, exhortant, enseignant, instruisant, tu l'amènes à la pénitence, l'arraches à son

1. « Fortasse ergo peccatum est perpetratio mali, delictum autem desertio boni », AUGUSTIN, *Qu. hep.* 3, 20, *ibid.*

tiam, ab errore correxeris, a vitiis emendaveris et effeceris eum talem, ut ei converso propitius fiat Deus, *pro delicto*
50 *repropitiasse* diceris. Si ergo talis fueris sacerdos et talis fuerit doctrina tua et sermo tuus, pars tibi datur eorum, quos correxeris; ut illorum meritum tua merces sit et illorum salus tua gloria. Aut non et Apostolus haec ostendit, ubi dicit quia : *Quod superaedificaverit quis, mercedem*
55 *accipiet*[i]*?* Intelligant igitur sacerdotes Domini, ubi est eis data portio, et in hoc vacent atque his operam dent. Non se inanibus et superfluis actibus implicent, sed sciant se in nullo alio partem habituros apud Deum, nisi in eo quod offerunt *pro peccatis*, id est quod a via peccati
60 converterint peccatores. Notandum etiam illud est quod, quae offeruntur in *holocaustum*, *interiora* sunt; quod vero exterius est, Domino non offertur. Pellis Domino non offertur nec cedit in *holocaustomata*. Talis fuit et ille filius Iuda, qui dicebatur Her, quod interpretatur pellis.
65 Propterea et *pessimus erat et occidit eum Deus*[j], quia isti tales Domino non offeruntur.

5. *Et omne sacrificium, quod fiet in clibano, et omne quod fiet in craticula vel in sartagine, sacerdotis, qui offert illud, ipsius erit*[a]. Quid dicimus ? Putamusne quod omnipotens Deus, qui responsa Moysi caelitus dabat, de *clibano* et
5 *craticula* et *sartagine* praeceperit, ut disceret populus per Moysen quia per haec Deus iis propitius fiet, si quaedam

4 i. Cf. I Cor. 3, 14 || j. Cf. Gen. 38, 7
5 a. Lév. 6, 39 (7, 9)

---

1. « Her, l'homme qui n'est que peau », PHILON, *De post. Caini* 180, tr. R. Arnaldez.

2. Origène écarte prestement le sens littéral. Non qu'il veuille nier que ces lois cérémonielles aient été observées à la lettre autrefois : cette observance faisait partie du culte ancien qu'il n'a jamais nié. Mais celui-ci ne se réduisait pas aux pratiques extérieures. L'usage

erreur, le corriges de ses vices, et le rends tel qu'une fois converti, Dieu lui sera propice, on dira que tu fais l'offrande propitiatoire pour sa faute. Si donc tu es un tel prêtre, et si telles sont ta doctrine et ta parole, tu partages avec ceux que tu redresses : leur mérite est ta récompense et leur salut ta gloire. N'est-ce pas ce que montre l'Apôtre quand il déclare : « Si on bâtit sur le fondement, on recevra une récompense[i] » ? Donc, aux prêtres du Seigneur de le comprendre, quand une part leur est donnée, et de s'en occuper et d'y consacrer leurs soins ; de ne pas s'engager dans des activités vaines et superflues, mais de savoir qu'ils n'auront de part près de Dieu que dans la mesure où ils font l'offrande pour les péchés, c'est-à-dire où ils détournent les pécheurs de la voie du péché ! A noter enfin que ce qu'on offre en holocauste, ce sont les entrailles ; ce qui est extérieur n'est pas offert au Seigneur. La peau n'est pas offerte au Seigneur et n'échoit pas aux holocaustes. Ainsi en fut-il du fils de Juda, du nom de Her, qui se traduit : peau[1]. Aussi était-il « foncièrement mauvais, et Dieu le fit mourir[j] », car de tels hommes ne sont pas offerts au Seigneur.

« Four, gril, poêle »

5. « Toute oblation qui est préparée au four, et toute celle qui est préparée sur le gril ou dans la poêle, reviendra au prêtre qui l'offre[a]. » Qu'est-ce à dire ? Pensons-nous que Dieu Tout-Puissant, qui du ciel donnait des oracles à Moïse, ait légiféré sur le four, le gril et la poêle, pour que le peuple apprenne par Moïse qu'avec ces ustensiles il se rendrait Dieu propice[2], par des oblations qu'on a fait rôtir

d'ustensiles ne pouvait être de lui-même moyen de grâce. Au-delà de la matérialité des rites, était à discerner une intention spirituelle à laquelle il fallait se conformer. Origène affirme que cette intention était celle du législateur : « Moïse a procédé dans ses cinq livres comme un rhéteur de race qui soigne son style et veille à présenter partout le double sens des mots », *CC* 1, 18, 11 s., *SC* 132, p. 122, 11 s.,

in sartagine frixerint, quaedam *in clibano* coxerint, quaedam *in craticula* assaverint ? Sed *non ita* Ecclesiae pueri *Christum didicerunt* nec ita *in eum* per Apostolos *eruditi*
10 *sunt*[b], ut de *Domino maiestatis*[c] aliquid tam humile et tam vile suscipiant. Quin potius secundum spiritalem sensum, quem Spiritus donat Ecclesiae, videamus, quod sit istud *sacrificium*, *quod coquatur in clibano*, vel quis iste *clibanus* intelligi debeat.

15 Sed ubi inveniam modo ad subitum Scripturam divinam, quae me doceat, quid sit *clibanus* ? Dominum meum Iesum invocare me oportet, ut quaerentem me faciat invenire et pulsanti aperiat[d], ut inveniam in Scripturis *clibanum*, ubi possim coquere sacrificium meum, ut
20 suscipiat illud Deus. Et quidem invenisse me puto in Osee propheta, ubi dicit : *Omnes moechantes, sicut clibanus succensus ad comburendum*[e], et iterum : *Incaluerunt* inquit *sicut clibanus corda eorum*[f]. Cor ergo est hominis *clibanus*. Istud autem cor si vitia succenderint vel diabolus inflam-
25 maverit, non coquet, sed exuret. Si vero ille id succenderit, qui dixit : *Ignem veni mittere in terram*[g], panes Scripturarum divinarum et sermonum Dei, quos in corde suscipio, non exuro ad perditionem, sed coquo ad sacrificium. Et fortassis illa coqui dicuntur *in clibano*, quae *interiora* sunt
30 et recondita nec proferri facile ad vulgus possunt ; sunt enim multa in Scripturis divinis huiusmodi, sicut apud Ezechielem, cum vel de Cherubin vel de Deo et de illa magnifica visione describitur[h]. Haec si *in clibano* non coquantur, comedi ita, ut sunt cruda, non possunt. Neque

5 b. Cf. Éphés. 4, 20 s. || c. Cf. Ps. 28, 3 || d. Cf. Lc 11, 10 || e. Os. 7, 4 || f. Os. 7, 6 || g. Lc 12, 49 || h. Cf. Éz. 1 et 10

---

et que cette intention était connue du pontife qui savait la Loi selon l'esprit et selon la lettre, *hom.* 6, 3 fin. Les rites sacrificiels préparatoires ont pris fin : le sens spirituel qu'ils avaient déjà pour

dans la poêle, ou cuire au four, ou frire sur le gril ? Non, les enfants de l'Église « n'ont pas appris le Christ » et n'ont point « été instruits de sa personne[b] » par les apôtres, pour admettre du Seigneur de majesté[c] une conception si basse et si vulgaire. Comment ne pas voir plutôt selon le sens spirituel que l'Esprit accorde à l'Église, ce qu'on doit comprendre de cette oblation cuite au four, ou de ce four ?

Interprétation spirituelle

Mais où trouverai-je d'emblée un passage de l'Écriture divine qui m'enseigne ce qu'est un four ? Il me faut invoquer mon Seigneur Jésus, pour qu'à moi qui cherche il fasse trouver, à moi qui frappe il ouvre[d], afin que je trouve dans les Écritures un four où pouvoir cuire mon oblation, pour que Dieu l'accepte. Du moins je pense l'avoir trouvé dans le prophète Osée : « Tous les adultères sont comme un four allumé pour brûler[e]. » Et encore : « Leurs cœurs sont embrasés comme un four[f]. » Ainsi, le cœur de l'homme est un four[1]. Et ce cœur, si les vices l'embrasent, si le diable l'enflamme, il ne cuira pas, il brûlera. Mais si l'embrase celui qui a dit : « Je suis venu jeter un feu sur la terre[g] », les pains des Écritures divines et des paroles de Dieu que je reçois dans mon cœur, je ne les brûle pas pour leur perte, je les cuis pour l'oblation. Et peut-être dit-on de cuire au four ces significations intérieures et cachées, difficiles à exprimer à la foule ; car il y en a beaucoup dans les Écritures divines, comme chez Ézéchiel dans sa description des Chérubins ou de Dieu et de sa vision sublime[h]. Toutes choses qui, à moins d'être cuites au four, ne peuvent être mangées dans leur crudité.

les observants de jadis est le seul à subsister pour les lecteurs de tous les temps.

1. « C'est au four que l'Écriture a maintenant comparé l'âme de l'ami du savoir qui a espoir de la perfection », PHILON, *Quis rer. div. her.* 311, tr. M. Harl.

35 enim credendum est quod sit animal quoddam in forma leonis positum, quo vehatur Deus vel aliud in forma vituli aut aquilae[i]. Haec ergo et si qua huiusmodi sunt, non sunt cruda proferenda, sed in cordis *clibano* sunt coquenda.

Tria itaque sunt haec, in quibus dicit sacrificia debere 40 praeparari, *in clibano*, *in sartagine*, *in craticula*, et puto quod *clibanus* secundum sui formam profundiora et ea, quae sunt inenarrabilia, significet in Scripturis divinis; *sartago* vero ea, quae si frequenter ac saepe versentur, intelligi et explicari possunt; *craticula* autem ea, quae 45 palam sunt et absque aliqua obtectione cernuntur. Triplicem namque in Scripturis divinis intelligentiae inveniri saepe diximus modum : historicum, moralem, mysticum; unde et corpus inesse ei et animam ac spiritum intelleximus. Cuius intelligentiae triplicem formam sacrificiorum triplex 50 hic apparatus ostendit.

Sed et alibi invenimus, id est in his ipsis, quae de sacrificiis memorantur, dici *canistrum sanctum perfectionis*[j], in quo tres panes haberi mandantur. Vides consonare sibi sacramentorum omnium formas ? *Canistrum perfectionis*, 55 in quo tres panes poni iubentur, quid aliud debemus accipere nisi Scripturas divinas cibos auditoribus tripliciter apponentes ? Vis tibi et de Evangeliis similis mysterii proferamus exempla ? Recolamus Domini voces, ubi dicit quia *medio noctis* venit quidam ad amicum suum pulsans 60 ostium eius et ait : *Amice, commoda mihi tres panes, quoniam amicus mihi supervenit de via, et non habeo quod adponam ei*[k]. In quibus, ut breviter perstringamus, nox est tempus hoc vitae[l], et tres panes sunt unus, qui *in clibano*, alius, qui *in sartagine*, tertius, qui *in craticula* 65 coquitur.

5 i. Cf. Éz. 1, 10 || j. Cf. Lév. 8, 26 || k. Lc 11, 5 || l. Cf. Rom. 13, 12

1. Pour ces trois sens, voir *hom.* 5, 1. Cf. *Introd.* p. 20 s.

Car il ne faut pas croire qu'il y ait dans l'espèce du lion un animal préposé au transport de Dieu, ou un autre dans l'espèce du taureau ou de l'aigle[i]. Ces choses et celles du même genre n'ont point à être exposées crues, mais à être cuites au four du cœur.

Trois sens

Voilà donc trois ustensiles avec lesquels on doit, dit-on, préparer les oblations : le four, la poêle, le gril. A mon avis, le four, en raison de sa forme, évoque ce qu'il y a de plus profond et d'indicible dans les divines Écritures ; la poêle, ce qu'à force d'examen en tout sens on peut comprendre et expliquer ; le gril, ce qui est obvie et apparaît sans voile. Car, nous l'avons dit souvent, on trouve dans les divines Écritures trois sortes de significations : historique, morale, mystique ; ce qui nous fait comprendre qu'elle a un corps, une âme, un esprit[1]. Cette triple manière de comprendre est indiquée par cette triple façon de préparer les oblations.

Ailleurs encore, toujours à propos des oblations, on trouve mentionnée « une sainte corbeille de perfection[j] », dans laquelle on prescrit de placer trois pains. Vois-tu quelle harmonie règne entre les manières d'exprimer tous ces rites ? « La corbeille de perfection » dans laquelle on enjoint de placer trois pains, que nous oblige-t-elle à entendre sinon les divines Écritures qui présentent de trois manières les aliments aux auditeurs ? Veux-tu que je te cite, tirés des Évangiles, des exemples d'un semblable sens mystérieux ? Rappelons-nous les paroles du Seigneur : « Au milieu de la nuit », un homme vint trouver son ami, frapper à sa porte, et lui dire : « Mon ami, prête-moi trois pains, car un ami m'est arrivé de voyage, et je n'ai rien à lui offrir[k]. » Ici, pour en toucher un mot, la nuit[2] est le temps présent de la vie[l], les trois pains sont ceux que l'on cuit, l'un au four, l'autre dans la poêle, l'autre sur le gril.

2. Sur le symbolisme de la nuit, cf. *hom.* 4, 10, et la note complémentaire 17.

6. Post haec : *Et omne* inquit *sacrificium factum in oleo sive non factum omnibus filiis Aaron erit, singulis aequaliter*[a]. Quod sacrificium est *factum in oleo* vel quod est *non factum in oleo? Sacrificium salutaris in oleo* fieri iubetur, 5 sicut supra iam diximus. *Sacrificium* vero *pro peccato* non fit *in oleo*; dicit enim : *Non superponet ei oleum, quoniam pro peccato est*[b]. Quod ergo *pro peccato est*, nec *oleum laetitiae*[c] ei nec tus suavitatis imponitur; de peccantibus enim dicit Apostolus : *Et lugeam eos, qui ante peccaverunt* 10 *et non egerunt paenitentiam*[d]. Nec *odor* in eo *suavitatis*[e] est, quia ex persona peccatoris dicitur : *Computruerunt et corruptae sunt cicatrices meae*[f].

Haec interim a nobis observata sunt de superiori capitulo, ubi lex sacrificii scribitur *pro delicto*[g]. Non autem dubito 15 multa esse, quae nos lateant et sensum nostrum superent. Non enim sumus illius meriti, ut et nos dicere possimus : *Nos autem sensum Christi habemus*[h]. Ipse enim solus est *sensus*, cui pateant universa, quae in legibus sacrificiorum intra litterae continentur arcanum. Si enim mererer, ut 20 daretur mihi *sensus Christi*, etiam ego in his dicerem : *Ut sciamus, quae a Deo donata sunt nobis; quae et loquimur*[i]. Sed nunc contenti parvitate sensus nostri, secundi capitis videamus exordium.

7. *Haec est* inquit *lex sacrificii salutaris, quod offerent Domino. Si quidem pro laudatione offeret illud, et adferet ad sacrificium panes laudationis ex simila factos in oleo, et lagana azyma uncta oleo, et similaginem conspersam in* 5 *oleo. Super panes fermentatos offeret munera sua, quia*

6 a. Lév. 6, 40 (7, 10) ‖ b. Lév. 5, 11 ‖ c. Cf. Ps. 44, 8 ‖ d. II Cor. 12, 21 ‖ e. Cf. Lév. 2, 9 ‖ f. Ps. 37, 5 ‖ g. Cf. Lév. 6, 31 (7, 1) ‖ h. I Cor. 2, 16 ‖ i. I Cor. 2, 12

---

1. Dans « les sacrifices de salut », il n'est jusqu'ici pas question d'huile, cf. *hom.* 1, 2, 16 s. ; 2, 2, 56 s. (*Lév.* 3, 1 s.). Y a-t-il une confusion avec ceux qui vont être abordés au paragraphe suivant (*Lév.* 7, 1 s.) ?

Huile

6. Ensuite, il est dit : « Et toute oblation préparée avec de l'huile ou non sera pour tous les fils d'Aaron, à part égale pour chacun[a]. » Quelle est l'oblation qui est préparée avec de l'huile, quelle est celle qui ne l'est pas ? On ordonne de faire le sacrifice de salut avec de l'huile, comme nous l'avons dit plus haut[1]. Mais l'oblation pour le péché n'est pas faite avec de l'huile ; il est dit en effet : « On ne mettra point d'huile sur elle, car elle est pour le péché[b]. » On ne met donc, sur ce qui est pour le péché, ni huile d'allégresse[c], ni encens de suave odeur. Car des pécheurs, l'Apôtre dit : « Je crains d'avoir à pleurer sur ceux qui ont péché naguère et n'ont pas fait pénitence[d]. » Et chez le pécheur, il n'est pas d'odeur suave[e], car il est dit en son nom : « Infectes et purulentes sont mes plaies[f]. »

Voilà pour l'instant nos observations sur le chapitre qui précède, où est rapportée la loi de l'oblation pour la faute[g]. Je ne doute pas que bien des choses nous échappent et surpassent notre pensée. Nous n'avons pas ce mérite de pouvoir dire nous aussi : « Nous avons la pensée du Christ[h]. » Et Lui seul est « la pensée » à qui est dévoilé tout ce qui dans les lois sur les sacrifices est contenu sous le secret de la lettre. Si j'avais le mérite de recevoir la pensée du Christ, je dirais moi aussi à leur propos : « ... afin de connaître les dons que Dieu nous a faits ; et nous en parlons[i] ». Mais pour le moment, content de la petitesse de notre pensée, voyons le début du second chapitre.

Sacrifice de salut : pour la louange

7. « Voici la loi du sacrifice de salut qu'on offrira au Seigneur. Si on l'offre pour la louange, on ajoutera au sacrifice des pains de louange faits de farine pétrie à l'huile, des galettes d'azymes ointes d'huile, de la fleur de farine imprégnée d'huile. En plus des pains levés on offrira son offrande, parce que c'est le sacrifice

sacrificium laudationis salutaris eius est. Et offeret ab eo unum de omnibus muneribus suis separationem Domino; sacerdoti, qui effundit sanguinem salutaris et carnes sacrificii laudationis salutaris, ipsi erunt; et in qua die donum offertur,
10 *manducabunt, et non derelinquent ex eo in mane*[a].

Sacrificium hoc, quod *salutare* appellatur, in duas dividi partes, et unam quidem *laudationis* nominat, alteram *voti*, utrumque tamen *sacrificium salutare*[b] nominatur. Verum quoniam non est nobis nunc secundum litteram instaurare
15 sacrificia, requiramus in nobis, quisnam est tantus ac talis, qui *sacrificium salutare* et *sacrificium laudis*[c] offerat Deo. Ego illum esse arbitror, qui in omnibus actibus suis facit laudari Deum et impletur per eum illud, quod Dominus et Salvator noster dicit : *Ut videant homines opera vestra*
20 *bona et magnificent Patrem vestrum, qui in caelis est*[d]. Ille ergo obtulit *sacrificium laudis*, pro cuius actibus, pro cuius doctrina, pro cuius verbo et moribus et disciplina laudatur et benedicitur Deus, sicut e contrario sunt illi, de quibus dicitur quia : *Per vos nomen meum blasphematur inter*
25 *gentes*[e]. Observa tamen et hic, quomodo *panes ex simila facti in oleo* et *lagana azyma uncta oleo* et *simila conspersa in oleo*[f] ponitur et triplici iterum sacramento hostia salutaris offertur et ad ultimum : *Sacerdoti* inquit *qui effundit sanguinem salutaris, ipsi erit*[g]. Superius dixit :
30 *Sacerdoti, qui repropitiabit, ipsi erit*[h]; hic : *Sacerdoti, qui effundit sanguinem sacrificii salutaris, ipsi erit*[i]. Digno ordine utitur; prius enim repropitiatio quaerenda est et post haec offerendum *sacrificium salutaris*. Neque enim salus esse cuiquam potest, nisi prius sibi propitium faciat
35 Dominum.

7 a. Lév. 7, 1-5 (11-15) || b. Cf. Lév. 7, 6 (16) || c. Cf. Ps. 49, 23 || d. Matth. 5, 16 || e. Rom. 2, 24 ; Is. 52, 5 || f. Cf. Lév. 7, 3 (13) || g. Lév. 7, 4 (14) || h. Lév. 6, 37 (7, 7) || i. Lév. 7, 4 (14)

---

1. « Le sacrifice de louange honorera notre Dieu, car ' ceux qui

salutaire de sa louange. On offrira une part de toutes ses offrandes, comme prélèvement pour le Seigneur ; au prêtre qui répand le sang du sacrifice salutaire reviendra la chair du sacrifice salutaire de louange ; au jour de l'offrande on la mangera et on n'en laissera rien jusqu'au matin[a]. »

Le sacrificateur qualifié

Ce sacrifice, appelé « salutaire », on le divise en deux parties qu'on nomme, l'une « de louange », l'autre « de vœu », l'une et l'autre toutefois nommées « sacrifice salutaire[b] ». Mais comme notre affaire présente n'est pas d'offrir des sacrifices selon la lettre, cherchons parmi nous qui donc est si hautement qualifié qu'il offre à Dieu « le sacrifice salutaire » et « le sacrifice de louange[c] ».

Pour moi, je pense que c'est celui qui en tous ses actes fait louer Dieu, et par qui se réalise la parole de notre Seigneur et Sauveur : « Afin que les hommes voient vos bonnes œuvres et glorifient votre Père qui est aux cieux[d]. » Celui-là donc offre le sacrifice de louange, dont les actes, dont la doctrine, dont la parole, les mœurs et la conduite font louer et bénir Dieu[1], au contraire de ceux dont il est dit : « A cause de vous, mon nom est blasphémé parmi les nations[e]. » Note pourtant ici encore qu'on présente « des pains de farine pétris à l'huile », « des galettes azymes ointes d'huile », « de la fleur de farine imprégnée d'huile[f] », qu'on offre à nouveau la victime salutaire suivant un triple rite, et qu'à la fin il est dit : « Au prêtre qui répand le sang du sacrifice salutaire elle reviendra[g]. » On avait dit plus haut : « Au prêtre qui fait le sacrifice propitiatoire elle reviendra[h]. » On a ici : « Au prêtre qui répand le sang du sacrifice salutaire elle reviendra[i]. » L'ordre suivi convient : il faut d'abord chercher la propitiation, et ensuite offrir le sacrifice salutaire. Car le salut ne peut advenir à personne qui ne se soit d'abord rendu propice le Seigneur.

voient nos bonnes œuvres glorifieront notre Père qui est dans les cieux ' », *Sel. in Ps.* 49, 23, *PG* 12, 1454 A.

Sed et carnes inquit *sacrificii laudationis salutaris ipsi erunt*[j]. Saepe iam diximus quod carnes in Scripturis *solidum* indicant *cibum*[k] perfectamque doctrinam. Secundum Scripturas enim scio esse animae cibum quendam
40 *lactis* et alium cibum animae *olerum* et alium carnis, sicut ipse Apostolus de quibusdam dicit quia : *Lacte vos potavi, non esca. Nondum enim poteratis, sed nec adhuc potestis. Adhuc enim estis carnales*[l]; et iterum alibi dicit : *Alius quidem credit manducare omnia; qui autem infirmus est,*
45 *olera manducet*[m]; et rursum alibi : *Perfectorum autem est cibus solidus*[n] et cetera. Hic ergo carnes *sacrificii salutaris, quod offertur pro laudatione*, ipsius iubentur esse sacerdotis.

Ex simila vero tripliciter oblata, ut supra diximus, unum tantum, quod placuerit, sacerdoti deputatur; cetera
50 offerentis sunt laici, ita tamen ut sub die comedantur nec remaneat ex his aliquid *in mane*[o]. Carnes ergo, in quibus *solidus cibus*[p] est et perfecta scientia, sacerdotibus deputantur, quia debent in omnibus esse perfecti, in doctrina, in virtutibus, in moribus. Si enim hoc in se non habuerint,

7 j. Lév. 7, 5 (15) || k. Cf. Hébr. 5, 14 || l. I Cor. 3, 2-3 || m. Rom. 14, 2 || n. Hébr. 5, 14 || o. Cf. Lév. 7, 5 (15) || p. Cf. Hébr. 5, 14

---

1. « Si nos paroles sont parfaites, fortes et courageuses, nous vous donnons à manger la chair du Verbe de Dieu », *In Num. hom.* 23, 6, *GCS* 7, p. 218, 19 s.

2. Trois classes de croyants, trois sortes de nourriture : pour l'emploi fréquent de cette classification dans nos Homélies voir *Index III*, « perfection ». Mais la pensée d'Origène n'est pas prisonnière des formules. Plus généralement, il parle de deux catégories : ici même, foules ou disciples dans l'Évangile, simples ou parfaits dans l'Église, cf. *hom.* 4, 6 fin ; 13, 6 début. Et dans le cadre tripartite, il diversifie l'énumération des nourritures adaptées à chaque âge : herbes et lait pour les débutants, ... chair de l'Agneau, pain descendu du ciel pour les parfaits, cf. H. Crouzel, *Connaissance*, p. 172-184. D'autre part, il indique une progression pour chaque état. Le *Contre Celse* en témoigne, qui par ailleurs traite longuement de la fidélité des croyants à la foi simple et de l'élite à la foi réfléchie ou sage :

Chair

« De plus, la chair du sacrifice salutaire de louange lui reviendra[j]. » Souvent déjà nous l'avons dit[1] : la chair dans les Écritures signifie la nourriture solide[k] et la doctrine parfaite. D'après les Écritures, je sais qu'il y a une nourriture de l'âme, le lait, une autre nourriture de l'âme, les légumes, et une autre, la chair[2], au dire de l'Apôtre lui-même au sujet de certains : « C'est du lait que je vous ai donné à boire, non un aliment solide. Vous ne pouviez encore le supporter, mais vous ne le pouvez pas davantage. Car vous êtes encore charnels[l]. » Et ailleurs : « Tel croit pouvoir manger de tout ; mais que celui qui est faible mange des légumes[m]. » Et encore ailleurs : « Elle est pour les parfaits, la nourriture solide[n], » etc. Ici donc on ordonne que la chair du sacrifice salutaire qu'on offre pour la louange revienne au prêtre.

« Fleur de farine »

De la fleur de farine offerte sous trois formes, comme on l'a dit plus haut[3], une part réservée seulement est attribuée au prêtre ; les autres sont pour le laïc qui les offre, à condition toutefois qu'elles soient consommées le jour et qu'il n'en reste rien au matin[o]. Donc la chair, qui symbolise la nourriture solide[p] et la science parfaite, est attribuée aux prêtres, parce qu'ils doivent être parfaits en tout, en doctrine, en vertus, en conduite. S'ils n'ont pas en eux

le Logos apparaît comme sous des formes différentes « à chacun selon le degré de sa progression vers la connaissance, qu'il soit débutant, progressant peu ou prou, déjà proche de la vertu ou établi en elle ». « Tantôt (l'individu) s'oriente vers la vertu et fait plus ou moins de progrès, tantôt il parvient à la vertu elle-même avec plus ou moins de contemplation », *CC*, 4, 16, 28 s., et 64, 9 s., *SC* 136, p. 220 s. et 344 s. Cela, peut-être à l'imitation de la classification stoïcienne assouplie, cf. *CC* 5, 28, *SC* 147, p. 84-85, note ; certainement aussi pour mieux décrire la progression de l'instruction chrétienne et la continuité de la vie spirituelle, cf. *hom.* 1, 4.

3. Cf. *supra*, § 5 début.

55 de sacrificiorum carnibus non edent. Unum vero illud, quod separatur tamquam praecipuum ex tribus, quae ex simila praecepta sunt, in hoc illam partem scientiae arbitror designari, de qua superius diximus, quae perfectam indicat profundamque doctrinam.

60 Sed requiras fortasse, cum superius fermentum penitus abiecerit de sacrificiis, quomodo nunc *super panes fermentatos*[q] sacrificium mandat imponi ? Verum diligentius intuere quia non ad sacrificium, sed ad ministerium sacrificii *fermentatus panis* assumitur. Quid ergo hoc sit, 65 age, videamus. Dominus in Evangeliis humanam doctrinam Pharisaeorum, *qui tradebant traditiones*, *praecepta hominum*[r], *fermentum* appellat, cum dicit discipulis : *Observate a fermento Pharisaeorum*[s]. Similiter ergo humana doctrina est, verbi causa, grammatica ars vel rhetorica vel etiam 70 dialectica. Ex qua doctrina ad sacrificium quidem, hoc est in his, quae de Deo sentienda sunt, nihil suscipiendum est; sermo vero lucidus et eloquentiae splendor ac disputandi ratio ad ministerium verbi Dei decenter iubetur admitti. Aut non super hoc fermentum habebat verbi Dei 75 sacrificium positum ille, qui dicebat : *Corrumpunt mores bonos colloquia mala*[t] et : *Cretenses semper mendaces*, *malae bestiae*, *ventres pigri*[u] et alia his similia ex fermento sumpta Graecorum ?

8. Quod autem dicit : *Sub die comedetur*, *nec derelinquetur ab eo usque in mane*[a], conferamus cum ceteris sacrificiis et videamus, quae sit ratio, quod in hoc quidem sacrificio

7 q. Cf. Lév. 7, 3 (13) || r. Cf. Mc 7, 3.7 || s. Matth. 16, 6 || t. I Cor. 15, 33 || u. Tite 1, 12
8 a. Lév. 7, 5 (15)

---

1. La première citation est du poète MÉNANDRE, *Thais, fr.* 75 Mein, devenue dicton populaire. La seconde est tirée de CALLIMAQUE, *Hymne* I, 1 : le début d'hexamètre, passé en proverbe, était attribué

cette perfection, ils ne mangeront pas de la chair des sacrifices. Et pour cette seule part, prélevée comme la principale des trois qu'on doit faire de la fleur de farine, elle désigne, à mon avis, cette partie de la science, mentionnée plus haut, qui dénote une doctrine parfaite et profonde.

« Levain » Peut-être pourrais-tu demander comment, alors que plus haut le levain était absolument exclu des sacrifices, on ordonne ici de déposer l'oblation « sur les pains levés[q] ». Mais regarde de plus près : le pain levé n'est pas pris comme matière du sacrifice, mais comme adjuvant du sacrifice. Qu'est-ce à dire, eh bien, voyons. Le Seigneur dans les Évangiles appelle « levain » la doctrine humaine des pharisiens « qui transmettaient des traditions », « des prescriptions humaines[r] », quand il dit à ses disciples : « Gardez-vous du levain des pharisiens[s]. » Est pareillement doctrine humaine, par exemple, la grammaire ou la rhétorique ou même la dialectique. De cette doctrine on ne peut rien tirer pour le sacrifice, c'est-à-dire pour les pensées qu'on doit avoir de Dieu ; mais l'élocution brillante, l'éclat de l'éloquence et l'art de discuter, on ordonne comme il convient de les admettre au service de la parole de Dieu. Ou alors n'avait-il point placé sur ce levain le sacrifice de la parole de Dieu celui qui disait : « Les mauvais entretiens corrompent les bonnes mœurs[t] », et : « Toujours menteurs les Crétois, mauvaises bêtes, ventres paresseux[u] », et autres semblables emprunts au levain des Grecs[1] ?

« Chair nouvelle » 8. « On le mangera le jour même, on n'en laissera rien jusqu'au matin[a]. » Faisons la comparaison avec les autres sacrifices, et voyons pour quelle raison, dans ce sacrifice salutaire, on prescrit

à Épiménide de Cnossos, personnage grec mystérieux du VIe s. avant J.-C. Cf. *In Luc. hom.* 31, 3, *SC* 87, p. 378 ; *CC* 3, 43, *SC* 136, p. 100 s.

salutari *eadem die*, *quae offeruntur*, praecepit *comedenda*,
5 in alio vero sacrificio etiam in secundam diem servari indulget et usque in tertiam, tertia vero iam die igni tradi, quae superfuerint, ne polluant offerentem[b]. Quid ergo habeat ista differentia, videamus. Sed vere indigemus auxilio Dei, qui omnes *adipes contegentes interiora*[c] nostra
10 dignetur abscidere et omne crassioris sensus velamen auferre, ut haec secundum id, quod a Deo mandari dicitur, possimus advertere.

Conferamus igitur ipsam sibi Scripturam divinam et quam aperuerit nobis absolutionis semitam subsequamur
15 Invenimus enim in sacrificio Paschae, quod *in vesperam* immolari iubetur, dari mandatum similiter, ut *nihil remaneat ex carnibus usque in mane*[d]. Non est hoc otiosum quod hesternas carnes vesci non vult nos sermo divinus, sed recentes semper et novas, eos maxime, qui sacrificium
20 Paschae vel *sacrificium laudis*[e] immolant Deo; novas eos carnes et recentes ipsius diei edere iubet, hesternas prohibet. Recordatus sum simile aliquid et prophetam Ezechielem dicere, cum ei Dominus praecepisset, ut coqueret sibi panes in *stercore humano*[f]. Respondit enim Domino et
25 dixit : *O Domine, numquam contaminata est anima mea, et morticinum aut immundum non introivit in os meum. Sed neque caro hesterna introivit in os meum*[g]. De quo saepe apud memet ipsum requirebam, quaenam esset ista prophetae exsultatio, qua velut magnum aliquid ante
30 Deum proferret et diceret quia : *Numquam carnem hesternam manducavi*. Sed ut video, hinc edoctus et ex istis imbutus mysteriis haec propheta loquebatur ad Dominum quia : non ita abiectus et degener sum sacerdos, ut *hesternis*, id est veteribus *carnibus vescar*.

8 b. Cf. Lév. 19, 6 s. || c. Cf. Lév. 4, 8 || d. Cf. Ex. 12, 6.10 || e. Cf. Ps. 49, 23 || f. Cf. Éz. 4, 12 || g. Éz. 4, 14

de manger le même jour ce qui est offert, alors que dans un autre sacrifice on accorde de le conserver jusqu'au deuxième jour et jusqu'au troisième, à condition qu'au troisième on en jette enfin les restes au feu pour qu'ils ne souillent pas celui qui l'offre[b]. Que signifie donc cette différence, examinons-le. Mais nous avons bien besoin du secours de Dieu : qu'il daigne retrancher toute « la graisse qui couvre nos entrailles[c] » et enlever tout voile d'un sens trop grossier, afin que nous puissions en avoir une vue nette, conforme à ce qu'on dit être l'ordre de Dieu.

Eh bien ! comparons l'Écriture divine à elle-même, et suivons la voie de la solution qu'elle va nous ouvrir. Nous trouvons, à propos du sacrifice de la Pâque qu'on prescrit d'immoler « le soir », que l'ordre est pareillement donné « de ne rien laisser de la chair jusqu'au matin[d] ». Ce n'est pas sans motif que la parole divine ne veut pas qu'on se nourrisse d'une chair de la veille, mais de chair toujours fraîche et nouvelle, ceux-là surtout qui immolent à Dieu le sacrifice de la Pâque ou « le sacrifice de louange[e] » ; on leur prescrit de manger la chair nouvelle et fraîche du jour même, on interdit celle de la veille. Je me rappelle que le prophète Ézéchiel aussi dit quelque chose de semblable, quand le Seigneur lui ordonna de se cuire des pains « sur des excréments humains[f] ». Il répondit au Seigneur : « Ô Seigneur, jamais mon âme n'a été souillée et ni bête morte ni viande infecte n'est entrée dans ma bouche. Ni non plus une chair de la veille n'est entrée dans ma bouche[g]. » Et souvent je me demandais moi-même quel était ce transport de joie du prophète qui lui faisait déclarer comme un exploit devant Dieu : « Jamais je n'ai mangé une chair de la veille. » Mais, à mon point de vue, instruit de cela et pénétré de ces mystères, le prophète voulait dire au Seigneur : Je ne suis pas un prêtre assez vil et dégénéré pour me nourrir d'une chair de la veille, c'est-à-dire ancienne.

35 Audite haec omnes Domini sacerdotes et attentius intelligite, quae dicuntur. Caro, quae ex sacrificiis sacerdotibus deputatur, *verbum Dei* est, quod in Ecclesia docent. Pro hoc ergo figuris mysticis commonentur, ut, cum proferre ad populum sermonem coeperint, non *hesterna* 40 proferant, non vetera, quae sunt secundum litteram, proloquantur, sed per gratiam Dei nova semper proferant et spiritalia semper inveniant. Si enim ea, quae didiceris a Iudaeis hesterno, haec hodie in Ecclesia proferas, hoc est hesternam carnem sacrificii edere. Si meministis, etiam 45 in oblatione primitiarum eodem sermone usus est legislator, ut sint, inquit, *nova recentia*[h]. Vides ubique ea, quae ad laudes Dei pertinent — hoc enim est *sacrificium laudis*[i] —, *nova et recentia* esse debere, ne forte, cum vetera profers in Ecclesia, labia tua loquantur et *mens* tua *sine fructu* 50 sit. Sed audi quid dicit Apostolus : *Si* inquit *loquar linguis, spiritus meus orat, sed mens mea sine fructu est. Quid igitur est? Orabo* inquit *spiritu, orabo et mente, psalmum dicam spiritu, psalmum dicam et mente*[j]. Ita ergo et tu si non ex eruditione spiritali, ex doctrina gratiae Dei praesentem 55 et recentem protuleris sermonem in laudibus Dei, os quidem tuum offert *sacrificium laudis*, sed mens tua pro sterilitate hesternae carnis arguitur. Nam et Dominus panem, quem discipulis dabat dicens iis : *Accipite et manducate*[k], non distulit nec reservari iussit in crastinum. Hoc fortasse 60 mysterii continetur etiam in eo, quod *panem portari non iubet in via*[l], ut semper recentes, quos intra te geris, verbi Dei proferas panes. Denique Gabaonitae illi propterea

8 h. Cf. Lév. 2, 14 || i. Cf. Ps. 49, 23 || j. I Cor. 14, 14-15 || k. Matth. 26, 26 || l. Cf. Lc 9, 3

« Parole nouvelle » Écoutez cela, vous tous prêtres du Seigneur, et fixez toute votre attention pour comprendre ce qui est dit. La chair des sacrifices attribuée aux prêtres est la parole de Dieu qu'ils enseignent dans l'Église. Au sujet de quoi, par des figures mystiques, on leur rappelle que, quand ils se mettent à prononcer l'homélie au peuple, ils n'ont pas à prononcer des paroles de la veille, à proclamer des paroles anciennes qui sont selon la lettre, mais avec la grâce de Dieu à toujours prononcer des paroles nouvelles et à toujours trouver des paroles spirituelles. Ce qu'on apprit hier des Juifs, l'exprimer aujourd'hui dans l'Église, c'est manger de la chair sacrificielle de la veille. Si vous vous souvenez, le législateur a employé la même expression pour l'oblation des prémices : qu'elles soient, dit-il « nouvelles et fraîches[h] ». Tu le vois : partout ce qui a trait aux louanges de Dieu — c'est là « le sacrifice de louange[i] » — doit être nouveau et frais, de peur qu'en prononçant de vieilles paroles dans l'Église, tes lèvres parlent, mais ton intelligence reste stérile. Mais écoute ce que dit l'Apôtre : « Si je parle en langues, mon esprit est en prière, mais mon intelligence est stérile. Que faire donc ? Je prierai avec l'esprit, je prierai aussi avec l'intelligence, je chanterai un psaume avec l'esprit, je le chanterai aussi avec l'intelligence[j]. » Il en va de même pour toi : si l'enseignement spirituel, si la doctrine de la grâce de Dieu ne te dictent pas une prédication nouvelle et fraîche dans tes louanges de Dieu, ta bouche offre bien un sacrifice de louange, mais ton intelligence est blâmée pour la stérilité de la chair de la veille. Et le Seigneur, quand il donnait le pain aux disciples en leur disant : « Prenez et mangez[k] », n'a pas remis ou prescrit de le réserver jusqu'au lendemain. Ce sens mystérieux est peut-être contenu aussi dans ce fait : « Il défend d'emporter du pain en route[l] » : c'est pour que tu présentes toujours frais les pains de la parole de Dieu que tu portes en toi. Enfin les anciens Gabaonites sont condamnés et deviennent « fendeurs de bois et

condemnantur et *ligni caesores vel aquae gestatores*[m] fiunt, quia panes veteres ad Istrahelitas detulerunt, quibus lex 65 spiritalis iubebat semper uti recentibus et novis. Alia sane sacramentorum figura est, quae iubet etiam *in altera die*, quod superfuerit, edi, nihil vero *in tertiam*[n] reservari; de qua suis locis videbimus.

Sed ne illud quidem nos lateat esse quoddam tempus, in 70 quo benedictio sit veteribus vesci. Nam de anno septimo, qui *remissionis annus*[o] vel sabbaticus nominatur, ita dicitur : *Manducabis* inquit *vetera et vetera veterum*[p]. Tunc sub septimi anni mysterio, ut diximus, benedictio est *vetera manducare*, nunc vero prohibetur. Sed multum 75 est excessus habere per haec singula et ex occasione testimoniorum longius evagari, cum explanatio nunc sacrificiorum habeatur in manibus.

9. Dicitur ergo in sequentibus : *Quod si votum fuerit aut si voluntarium sacrificaverit munus suum, quacumque die obtulerit sacrificium suum, edetur, et altera die. Et quod superfuerit de carnibus sacrificii usque in diem tertium,* 5 *igne cremabitur. Si autem manducans manducaverit ex carnibus die tertio, non erit acceptum ei, qui offert illud, non reputabitur ei, coinquinatio est. Anima autem si qua manducaverit ex eo, peccatum accipiet*[a].

Hoc est nimirum quod et David dicit in Psalmis : *Fiat* 10 *oratio eius in peccatum*[b], quando non solum nihil meriti, sed etiam culpae multum ex sacrificiis quaeritur. Audis enim legislatorem decernere quia, si quis manducaverit

8 m. Cf. Jos. 9, 21-23 || n. Cf. Lév. 19, 6 || o. Cf. Deut. 15, 1.2 || p. Lév. 26, 10
9 a. Lév. 7, 6-8 (16-18) || b. Ps. 108, 7

---

1. « Tout enveloppés qu'ils sont de leurs vieux vices et de leurs impuretés, comme l'étaient les Gabaonites avec leurs haillons et leurs vieilles sandales, ils croient en Dieu, ils se montrent respectueux

porteurs d'eau [m] », pour avoir apporté des vieux pains aux Israélites, à qui la Loi spirituelle ordonnait d'user toujours de pains frais et nouveaux[1]. Il y a sans doute une autre figure mystérieuse dans l'ordre de manger le lendemain ce qui reste, mais de ne rien conserver pour le troisième jour[n] ; nous le verrons en son lieu.

Aliments anciens

Mais n'ignorons pas non plus qu'il y a un temps où c'est une bénédiction de se nourrir d'aliments anciens. Car de la septième année, appelée « année de la rémission[o] » ou sabbatique, il est dit : « Tu mangeras de la récolte ancienne et très ancienne[p]. » Jadis, au temps de la célébration de la septième année, nous l'avons dit, c'est une bénédiction de « manger des aliments anciens », aujourd'hui, c'est défendu. Mais c'est faire une trop longue digression sur chacun de ces cas et nous égarer trop loin à l'occasion de témoignages, alors que notre tâche présente est d'expliquer les sacrifices.

Sacrifice de salut, votif ou spontané

9. Il est dit ensuite : « Si l'offrande du sacrifice est votive ou spontanée, elle sera mangée le jour où on l'offre et le lendemain. Ce qui reste de la chair du sacrifice jusqu'au troisième jour sera brûlé au feu. Que si l'on mangeait de cette chair au troisième jour, l'offrande ne serait pas agréée pour celui qui l'offre et ne compterait pas pour lui, c'est une chose immonde. Et toute personne qui en mangerait se chargerait d'un péché[a]. »

C'est assurément ce que déclare aussi David dans les Psaumes : « Que sa prière soit tenue pour péché[b] », puisque des sacrifices résulte non seulement l'absence de tout mérite, mais même une faute grave. En effet, tu entends le législateur décréter que si on mangeait de « ce qui en

à l'égard des serviteurs de Dieu et du culte de l'Église, mais ils ne manifestent dans leur conduite aucun signe d'amélioration et de renouvellement », *In Jos. hom.* 10, 1, *SC* 71, p. 273, tr. A. Jaubert.

ex eo, *quod superfuerit in tertiam diem, peccatum accipiet.* Unde cognoscendum est, quanta humanae conditioni
15 peccatorum labes immineat, cum oriatur etiam inde peccatum, ubi hostia propitiationis offertur. Haec, credo, considerans beatus David dicebat in Psalmis : *Peccata quis intelligit*[c]*? Voti* igitur vel *voluntatis* sacrificium est, quod et *secunda* quidem *die* vesci fas est, penitus vero abiuratur
20 in tertiam. Sed dat remedium negligentibus : si, inquit, invalidus fueris et non potueris omnes carnes sacrificii secunda die finire, nihil de his in die tertia comedas, sed igni trade *quod superest*. Si enim volueris post duos dies manducare de sacrificio, peccatum accipies.

25 Ego, prout sensus mei capacitas habet, in hoc biduo puto duo Testamenta posse intelligi, in quibus liceat omne verbum, quod ad Deum pertinet — hoc enim est sacrificium — requiri et discuti atque ex ipsis omnem rerum scientiam capi; si quid autem *superfuerit*, quod non divina
30 Scriptura decernat, nullam aliam tertiam scripturam debere ad auctoritatem scientiae suscipi, quia haec dies tertia nominatur, sed igni tradamus, *quod superest*, id est Deo reservemus. Neque enim in praesenti vita Deus scire nos omnia voluit, maxime cum id et Apostolus dicat, quia :
35 *Ex parte scimus et ex parte prophetamus; cum venerit autem quod perfectum est, destruentur illa, quae ex parte sunt*[d]. Iste est ergo ignis, cui, quae *in tertium diem superfuerint*[e], servare debemus, et non temeritate praesumpta

9 c. Ps. 18, 13 ‖ d. I Cor. 13, 9-10 ‖ e. Cf. Lév. 7, 7 (17)

---

1. Origène aspire à une connaissance parfaite de l'Écriture et des mystères, *hom.* 4, 8. Il reconnaît ici que notre connaissance ne peut être totale « dans la vie présente ». Par ailleurs, il affirme de mille manières un progrès spirituel indéfini. Le restreint-il à cette vie passagère ? Il le semblerait, d'après certaines paroles ; cf. VON BALTHASAR, *Parole*, p. 19-22. « Mais d'autres paroles montrent

reste au troisième jour, on se chargerait d'un péché ». Ce qui doit nous apprendre quelle grande souillure menace la condition humaine des pécheurs, puisqu'un péché naît là même où on offre la victime propitiatoire. C'est, je crois, la considération qui faisait dire au bienheureux David dans les Psaumes : « Ses péchés, qui les comprend[c] ? » Donc, l'offrande votive ou spontanée est chose qu'il est permis de manger aussi le deuxième jour, mais absolument interdit le troisième. Mais un remède est offert aux négligents : si on est malade et ne peut pas finir toute la chair du sacrifice le deuxième jour, qu'on n'en mange rien le troisième jour, mais qu'on livre au feu ce qui reste. Car, vouloir en manger après deux jours, c'est se charger d'un péché.

Les deux jours, le troisième jour

Pour moi, à la mesure de ma capacité intellectuelle, je pense que dans ces deux jours on peut comprendre les deux Testaments, où il est permis de rechercher et d'examiner toute parole relative à Dieu — car c'est là le sacrifice — et d'en retirer la science complète des réalités. Mais s'il y a un reste que la divine Écriture ne tranche pas, on ne doit admettre aucune autre troisième écriture pour garantir la science, car on l'appelle le troisième jour. Livrons au feu ce qui reste, réservons-le à Dieu. En effet, dans la vie présente, Dieu n'a pas voulu que nous sachions tout[1] ; d'autant plus que même l'Apôtre le déclare : « Partielle est notre science, partielle notre prophétie ; mais quand viendra ce qui est parfait, sera détruit ce qui est partiel[d]. » Voilà le feu auquel nous devons réserver ce qui restera au troisième jour[e], sans nous attribuer par une

assez que l'éternité même est un progrès... ' Car toujours se renouvellent la connaissance des secrets et la révélation des arcanes par la Sagesse de Dieu, non seulement aux hommes, mais aussi aux anges et aux vertus célestes », *In Cant.* 2, *GCS* 8, p. 186. *Parole*, p. 24.

assumamus nobis cunctorum scientiam, ut merito nobis
40 dicatur ab eodem Apostolo : *Nescientes neque quae loquuntur neque de quibus affirmant*[f]. Ne forte ergo non fiat acceptum sacrificium nostrum et hoc ipsum, quod ex divinis Scripturis cupimus scientiam capere, vertatur nobis in peccatum, servemus eas mensuras, quas nobis per legislatorem lex
45 spiritalis enuntiat.

10. *Et carnes quaecumque tactae fuerint ab omni immundo, non manducabuntur, igni cremabuntur. Omnis mundus manducabit carnes ; et anima quaecumque manducaverit carnes sacrificii salutaris, quod est Domino, et immunditia*
5 *eius in eo fuerit, peribit anima illa de populo suo. Et anima quaecumque tetigerit omnem rem immundam vel ab immunditia hominis vel quadrupedum immundorum vel ab omni abominamento immundo, et manducaverit ex carnibus sacrificii salutaris, quod est Domini, peribit anima illa de*
10 *populo suo*[a].

Triplices immunditiae causas hic legislator exposuit. Unam, ne *carnes* sacrificiorum aliqua *immunditia* contingantur. Aliam, ne is, qui edit *carnes sacrificii*, immundus sit et *immunditia eius in ipso sit*. Tertiam, quod, etsi
15 carnes mundae sint et ipse, qui edit, mundus sit, tamen ne *contigerit aliquid immundum* vel a pecoribus vel ab avibus vel ex omnibus, quae immunda pronuntiata sunt. Et haec quidem voluntas est legis de ritu sacrificiorum corporalium sancientis.

20 Secundum nostrae vero expositionis ordinem, ubi carnes sanctae verba intelliguntur esse divina, huiusmodi habenda est observatio, quia saepe accidit mundas carnes contingi ab aliquo immundo, ut verbi causa dixerim, si quis de Deo

9 f. I Tim. 1, 7
10 a. Lév. 7, 9-11 (19-21)

témérité présomptueuse la science de toutes choses, comme à juste titre nous dit le même Apôtre : « Alors qu'ils ne savent ni ce qu'ils disent, ni sur quoi ils tranchent[f]. » Donc, pour éviter que notre sacrifice ne soit point agréé, et que le fait même de désirer dérober une science aux divines Écritures ne se change pour nous en péché, gardons ces mesures que nous révèle la Loi spirituelle par le législateur.

Impuretés

10. « Toute chair qu'aura touchée n'importe quoi d'impur ne sera pas mangée, mais brûlée au feu. Quiconque est pur mangera de la chair[1] ; mais toute personne qui mangera de la chair du sacrifice salutaire qui appartient au Seigneur, alors que son impureté est en elle, cette personne sera retranchée de son peuple. Et toute personne qui touche n'importe quoi d'impur, impureté d'homme ou de bêtes impures, immonde impureté quelconque, puis mange de la chair du sacrifice salutaire qui appartient au Seigneur, cette personne sera retranchée de son peuple[a]. »

Le législateur a exposé ici trois causes d'impureté. L'une, que la chair des sacrifices soit touchée par quelque impureté. L'autre, que celui qui mange de la chair du sacrifice soit impur et que son impureté soit en lui. La troisième, que, même si la chair est pure et celui qui la mange pur, cependant il a eu un contact avec quelque chose d'impur, provenant du bétail ou des oiseaux ou de tout ce qui est déclaré impur. Voilà ce que veut la loi dans ses prescriptions sur le rite des sacrifices corporels.

Première impureté

D'après le principe de notre interprétation, où la chair sainte s'entend de la parole divine, il faut faire cette remarque : il arrive souvent que la chair pure soit touchée par quelque chose d'impur. Prenons un exemple : on fait une prédication

1. « De la chair », litt. ; en réalité, de l'autre chair, celle que rien d'impur n'a touchée.

Patre ac de Unigenito eius et Spiritu sancto digno Deitatis
25 mysterio purum faciat sincerumque sermonem, similiter et de omnibus creaturis rationabilibus tamquam a Deo factis ad hoc, ut caperent et intelligerent eum, non autem consequenti mysterio adserat etiam carnis resurrectionem, primus quidem eius sermo, quoniam perfecte et sancte
30 disseruit, *solidus cibus*[b] est, carnes sanctae sunt, hoc vero, quod his addit resurrectionem carnis negando, quia alienum a fide est, superioribus iunctum perfectis et fidelibus verbis sanctas carnes contaminavit et polluit. Ideo ergo praecepit legislator, ne manducentur huiusmodi carnes, qui-
35 bus *immunditia* infidelitatis alicuius adiungitur. Propterea et Apostolus dicit : *Etenim diem festum celebremus non in fermento veteri neque in fermento malitiae et nequitiae, sed in azymis sinceritatis et veritatis*[c].

Secundum *immunditiae* genus est, ne ipse, qui carnes
40 edit, immundus sit, *et immunditia eius in ipso sit*[d], quod hoc modo intelligi potest, verbi gratia, si sit aliquis naturae florentis et ardentis ingenii, non continuo aptus videbitur ad suscipienda Verbi Dei mysteria, sed quaeritur etiam hoc, ut prius a profanis actibus et immundis operibus separetur
45 et ita demum eruditionis capax fiat, si prius capax fuerit sanctitatis. Simile his in Numeris legimus scriptum, ubi Dominus carnes caelitus dedit filiis Istrahel et dicit : *Sanctificamini in crastinum, ut manducetis carnes*[e], hoc ostendens quod, nisi sanctificati essent prius et mundi
50 effecti, carnes iis non daret Deus. Bene autem clementiam Domini legislator ostendit, ut non diceret quia : non manducet carnes, in quo fuit immunditia, sed ait : *In quo*

10 b. Cf. Hébr. 5, 14 || c. I Cor. 5, 8 || d. Cf. Lév. 7, 10 (20) || e. Nombr. 11, 18

1. Sont visés les Samaritains, qui « nient la résurrection des morts

pure et sincère sur Dieu le Père et son Fils Unique et l'Esprit Saint, mystère digne de la Divinité, comme sur toutes les créatures raisonnables en tant que faites par Dieu pour le recevoir et le comprendre ; mais on n'affirme pas aussi dans un mystère qui en découle la résurrection de la chair[1]. La première prédication, explication parfaite et sainte, est « une nourriture solide[b] », une chair sainte ; mais ce qu'on y ajoute en niant la résurrection de la chair, proposition étrangère à la foi ajoutée aux paroles précédentes parfaites et fidèles, contamine et souille la chair sainte. Voilà pourquoi le législateur a prescrit de ne pas manger de cette chair à laquelle est jointe l'impureté de quelque infidélité. C'est aussi la raison qui fait dire à l'Apôtre : « Ainsi donc, célébrons la fête, non avec du vieux levain, ni un levain de malice et de perversité, mais avec des azymes de pureté et de vérité[c]. »

Deuxième impureté

La deuxième sorte d'impureté consiste à manger la chair, alors qu'on est impur « et qu'on a en soi son impureté[d] ». On peut le comprendre à cet exemple : voici quelqu'un d'une riche nature et d'un caractère ardent ; on ne le jugera pas d'emblée apte à recevoir les mystères du Verbe de Dieu ; on exige en outre qu'il renonce d'abord aux actions profanes et aux œuvres impures, et qu'il soit capable de recevoir l'instruction seulement après avoir été capable de sainteté. Nous lisons quelque chose d'analogue dans les *Nombres*, quand le Seigneur donna du ciel de la chair aux fils d'Israël : « Sanctifiez-vous pour demain, afin de pouvoir manger de la chair[e] », dit-il, montrant que s'ils ne s'étaient d'abord sanctifiés et rendus purs, Dieu ne leur donnerait pas de chair. Or, le législateur montre fort bien la clémence du Seigneur en ce qu'il n'a pas défendu de manger de la chair à celui qui a en lui une impureté, mais « à celui qui a

et n'admettent pas la foi au siècle futur », *In Num. hom.* 25, 1, *GCS* 7, p. 233, 20 s. Cf. *In Jo.* 20, 35 (28), *GCS* 4, p. 373, 26 s.

immunditia eius in ipso est[f]. Nemo etenim fere invenitur, in quo non fuit immunditia. Inveniri autem potest, in quo
55 fuerit quidem, sed audita lege Dei ultra iam non sit. Quod si permanet in eo immunditia sua et his auditis converti non vult et emendari, *peribit* inquit *anima illa de populo suo*[g].

Tertia est immunditiae species, qua is, qui mundus est,
60 *aliquid contingit immundum*[h] et non tam suo peccato quam aliena contagione polluitur; ut puta, si quis societur amicitiis et consortio hominis lividi vel iracundi vel adulteri, et ipse quidem propriis actibus non inseratur sceleribus eius, videat tamen eum et intelligat, quomodo
65 fratrem suum odit et homicida est[i], vel quomodo insidiatur alienae mulieri et adulter est, vel quomodo in ceteris quibusque sacrilegus est, nec deprehensis his discedat ab eius consortio : iste est, qui *contingit immundum*[j] vel animal vel avem vel *morticinum*[k] et aliena immunditia
70 ipse pollutus est. De diversitatibus autem immundorum, prout occurrere potuit, in superioribus diximus. Aut non et Apostolus secundum hanc eandem praecepit formam, cum dicit : *Nunc autem scribo vobis in epistola, ut non commisceamini, si qui frater nominatur fornicator aut*
75 *avarus aut idolis serviens aut ebriosus aut rapax, cum huiusmodi nec cibum sumere*[l]*?* In quibus omnibus quid est aliud, quod praecepit, nisi ne alienis peccatis et immunditiis polluamur ?

11. *Et locutus est* inquit *Dominus ad Moysen dicens : loquere ad filios Istrahel dicens : omnem adipem boum et ovium et caprarum non edetis. Et adeps morticinorum, et*

10 f. Cf. Lév. 7, 10 (20) || g. Lév. 7, 11 (21) || h. Cf. Lév. 7, 11 (21) || i. Cf. I Jn 3, 15 || j. Cf. Lév. 7, 11 (21) || k. Cf. Lév. 5, 2 || l. I Cor. 5, 11

---

1. Affirmation plus absolue : « Quiconque entre dans ce monde, on dit qu'il est formé avec une certaine souillure », *hom.* 12, 4 début.

en lui son impureté[f] ». En effet, il ne se trouve presque personne en qui il n'y ait eu de l'impureté[1]. Mais il peut se trouver quelqu'un en qui elle a existé, puis, après l'audition de la Loi de Dieu, n'existe plus. Si son impureté demeure en lui et qu'après avoir entendu cette prescription, il refuse de se convertir et de s'amender, il est dit que « cette personne sera retranchée de son peuple[g] ».

Troisième impureté

La troisième espèce d'impureté est celle de l'homme pur qui « touche quelque chose d'impur[h] », et se trouve souillé moins par son péché que par un contact étranger ; c'est par exemple, quand on se lie d'amitié et quand on s'associe avec un homme envieux ou colérique ou adultère ; sans doute, par ses actions propres ne se mêle-t-on pas aux crimes de cet homme, mais on le voit et on comprend qu'il hait son frère et qu'il est homicide[i], qu'il tend des pièges à la femme d'un autre et qu'il est adultère, ou qu'il est impie en toutes autres occasions, et cela découvert, on ne renonce point à le fréquenter : voilà qui est toucher une chose impure[j], une bête, un oiseau, « un cadavre[k] », et on se souille d'une impureté étrangère. Mais des variétés d'êtres impurs, selon les cas offerts, nous avons parlé plus haut[2]. Ou l'Apôtre aussi n'a-t-il pas donné un ordre de même espèce : « En réalité, je vous écris dans la lettre de ne pas fréquenter celui qui, même portant le nom de frère, serait fornicateur ou cupide ou idolâtre ou ivrogne ou rapace, et de ne pas manger avec un tel homme[l]. » En tout cela qu'ordonna-t-il sinon de ne pas nous souiller par les péchés et les impuretés d'autrui ?

« Graisse » et « sang »

11. « Le Seigneur parla à Moïse en ces termes : Parle aux fils d'Israël en ces termes : Tout ce qui est graisse de bœuf, de brebis, de chèvre, vous n'en mangerez pas. La

2. Cf. *hom.* 3, 3 début.

a fera captum non erit ad omne opus, et in esca non edetur.
5 *Omnis qui edet adipem ex pecoribus, ex quibus offertis ab iis hostiam Domino, peribit anima illa de populo suo. Et omnem sanguinem non edetis in omni habitatione vestra a pecoribus et a volatilibus. Omnis anima quaecumque manducaverit sanguinem, peribit anima illa de populo suo*[a].
10 *Adipes* quidem eorum animalium, quae in sacrificiis offeruntur et aliorum nonnullorum edi vel in usu haberi abnegat legislator, *sanguinem* vero omnis carnis comedi vetat. In superioribus locum mysticum pertractantes, ubi *vitulus* in holocaustum dabatur *pro peccato* et adipes
15 imponebantur altari, sanguinem quidem, quo ex parte aliqua *cornua* liniebantur, reliquus vero *ad basim* effundebatur *altaris*[b], in eorum accepimus figuram, qui *residuus* dicitur *Istrahel*, et postquam *plenitudo gentium subintroierit*[c], salutem in novissimis sperat. *Adipes* vero animam
20 diximus Christi, quae est Ecclesia *amicorum eius, pro quibus animam suam ponit*[d]. Potest ergo fieri et in hoc loco, ut, quod mandatur, ne qui adipes edat ex his, quae Domino offeruntur, hoc sit quod et Dominus dicit : *Ne qui scandalizet unum ex his minimis, qui credunt in me*[e].
25 Quod autem *sanguis* nullius animalis edi iubetur, illud fortasse sit, quod de Istrahelitis dicit Apostolus : *Dicis ergo : si fracti sunt rami, ut ego insererer. Bene, propter incredulitatem fracti sunt. Tu autem fide stas. Noli altum sapere, sed time*[f] ; et iterum : *Noli gloriari adversus ramos*[g],
30 quo scilicet casui eorum nullus insultet; ne forte, sicut

11 a. Lév. 7, 12-17 (22-27) || b. Cf. Lév. 4, 3-8 || c. Cf. Is. 10, 20 ; Rom. 11, 25 || d. Cf. Jn 15, 13 || e. Matth. 18, 6 || f. Rom. 11, 19-20 || g. Rom. 11, 18

---

1. Cf. *hom.* 3, 5.
2. Autre allégorisation de la graisse : « Ceux-là, engraissés par la sagesse nourricière des âmes qui aiment la vertu, possèdent une force solide et inébranlable dont le signe voilé est la graisse prélevée sur

graisse d'une bête morte et la proie d'un fauve ne seront d'aucun usage et ne seront pas prises comme nourriture. Quiconque mangera de la graisse des bêtes dont vous offrez une victime au Seigneur, cette personne sera retranchée de son peuple. Et tout ce qui est sang, vous n'en consommerez pas, où que vous habitiez, que ce soit de bétail ou d'oiseau. Toute personne que ce soit qui consommera du sang sera retranchée de son peuple[a]. »

La graisse des animaux qu'on offre en sacrifices et de quelques autres, le législateur défend de la manger ou d'en faire usage ; mais il interdit de consommer le sang de toute chair. Nous avons traité à fond plus haut[1] le passage à sens mystique, où un jeune taureau était offert en holocauste pour le péché : la graisse était placée sur l'autel ; le sang servait en partie à oindre les cornes de l'autel, et le reste était répandu à la base de l'autel[b] : et là nous avons vu une figure de ceux qu'on appelle « le Reste d'Israël » qui, après « l'entrée de la totalité des Gentils[c] », espère le salut pour les derniers jours. De la graisse, nous avons dit qu'elle figurait l'âme du Christ, à savoir l'Église « de ses amis pour lesquels il livre son âme[d] ». Il peut donc se faire que dans ce passage aussi la défense faite à quiconque de manger la graisse des victimes[2] offertes au Seigneur soit celle que formule le Seigneur : « Que nul ne scandalise un de ces petits qui croient en moi[e]. » Et l'interdiction de consommer le sang d'aucune bête correspond peut-être à ce que l'Apôtre dit des Israélites : « Donc tu dis : Si des branches ont été brisées, c'est pour que moi je sois greffé. Fort bien, c'est pour leur incrédulité qu'elles ont été brisées. Et toi, c'est par la foi que tu tiens. Ne fais pas le fier, crains plutôt[f]. » Et encore : « Ne te glorifie pas aux dépens des branches[g] » : cela, pour que personne n'insulte à leur chute ; de peur, comme dit le même

toute victime et offerte en holocauste », PHILON, *De post. Caini* 122, tr. R. Arnaldez.

idem Apostolus dicit, *et tu excidaris et illi, si non permanserint in incredulitate, inserantur*[h]. *Sanguis* autem puto quod populus ille competenter intelligatur. Non enim ex fide neque ex spiritu Abraham, sed tantum ex sanguine
35 eius descendunt.

12. Post haec : *Et locutus est Dominus ad Moysen dicens : et filiis Istrahel loquere dicens : qui offert sacrificium salutaris sui Domino, offeret munus suum Domino in sacrificio salutaris sui. Manus eius offerent hostiam Domino,*
5 *adipem, qui super pectusculum est et pinnam iecoris, offeret ea ita, ut ponantur donum contra Dominum. Et imponet sacerdos adipem, qui est super pectusculum, super altare, et erit pectusculum Aaron et filiis eius. Et bracchium dextrum dabitis separationem sacerdoti a sacrificiis salutaribus vestris.*
10 *Qui offert sanguinem salutaris et adipem ex filiis Aaron, ipsi erit bracchium dextrum in parte. Pectusculum enim impositionis et bracchium demptionis accepi a filiis Istrahel a sacrificiis salutaribus vestris, et dedi ea Aaron sacerdoti et filiis eius, legitimum aeternum a filiis Istrahel*[a].
15 Est sacrificium, quod dicitur *salutare.* Quod sacrificium nemo offert Domino, nisi qui sanus est et salutis suae conscius gratias Domino refert. Nemo ergo, qui aeger est animo et languidus in operibus, offerre potest *sacrificium salutare.* Vis videre quia nemo aeger et languidus potest
20 istud offerre sacrificium ? Leprosus ille, quem in Evangelio Dominus curasse describitur, non poterat offerre hostiam, donec leprae aegritudine tenebatur; cum autem accessit

11 h. Rom. 11, 22.23
12 a. Lév. 7, 18-24 (28-34)

---

1. Le latin joue sur le sens du mot *bracchium* qui se dit de l'homme et de l'animal. Les traductions de l'hébreu : « cuisse », *BJ*, Osty, « gigot », *TOB*, sont impropres à la signification symbolique d'œuvres. Le terme « bras » s'y prêterait, mais ne peut se dire des quadrupèdes.

Apôtre, « d'être toi aussi retranché, tandis qu'eux, s'ils ne persistent pas dans l'incrédulité, ils seront greffés[h] ». Et par « le sang », je pense qu'il convient d'entendre ce peuple. Car ce n'est pas de la foi ni de l'esprit d'Abraham qu'il est issu, mais uniquement de son sang.

Part des prêtres

12. « Le Seigneur parla à Moïse en ces termes : Parle aux fils d'Israël en ces termes : Celui qui offre son sacrifice de salut au Seigneur présentera au Seigneur son offrande prise sur son sacrifice de salut. Ses mains offriront en victime au Seigneur la graisse qui est sur la poitrine et le lobe du foie ; et il les offrira de manière à les placer comme don devant le Seigneur. Puis le prêtre déposera sur l'autel la graisse qui est sur la poitrine, et la poitrine sera pour Aaron et ses fils. L'épaule droite[1], vous la donnerez au prêtre à titre de prélèvement sur vos sacrifices salutaires. Celui des fils d'Aaron qui offre le sang du sacrifice salutaire et la graisse aura l'épaule droite pour sa part. Car la poitrine présentée et l'épaule prélevée, je les ai prises aux fils d'Israël sur vos sacrifices salutaires, et je les ai données au prêtre Aaron et à ses fils : rite perpétuel de la part des fils d'Israël[a]. »

C'est le sacrifice qu'on appelle « salutaire[2] ». Sacrifice que nul n'offre au Seigneur sinon celui qui est sain et, conscient de son salut, rend grâce au Seigneur. Donc, nul homme malade d'esprit, indolent aux œuvres, ne peut offrir le sacrifice salutaire. Veux-tu voir que nul malade ou indolent ne peut offrir ce sacrifice? Ce lépreux dont l'Évangile rapporte que le Seigneur l'a guéri ne pouvait offrir de victime tant que la maladie de la lèpre le tenait ;

Pour harmoniser le développement du symbolisme, nous traduirons « bracchium » par « l'épaule », expressément donnée comme symbole des œuvres et du travail, *hom.* 6, 3 fin. Cf. *Index III*, *s. v.*

2. Les versets 18-24 continuent la loi du sacrifice ‘ de salut ’ interrompue par l'insertion des v. 12-17, cf. Osty.

ad Iesum *et mundatus est*, tunc iubetur a Domino offerre munera ad altare : *Quod praecepit* inquit *Moyses in testi-*
25 *monium illis*[b]. Audisti qui sit, qui offerre debeat *hostiam salutaris*; audi nunc, quomodo debeat offerre.

Manus inquit *eius offerent hostiam Domino*[c]. Numquid non evidenter clamat legislator quia non homo est, qui offert hostiam, sed *manus eius*, id est, opera eius ? Opera
30 namque sunt, quae commendant hostiam Deo. Si enim attracta sit manus tua ad dandum et expansa ad accipiendum, intra te est adhuc lepra tua et offerre non potes *hostiam salutaris*. *Manus* ergo *eius offerent sacrificium salutaris* et *manus eius* offerent ea, quae Domino offerenda
35 sunt, id est *adipem*, *qui super pectusculum est* et *pinnam iecoris*[d]. In hoc loco, ubi nos habemus : *Manus eius offerent hostiam Domino*[e], in Graecis habetur pro hostia : ὁλοκαρπώματα, quod intelligitur omnem fructum; per quod ostendit non posse Domino offerre omnem fructum eum, qui
40 infructuosus est, qui non affert *fructum iustitiae*[f], fructum misericordiae vel etiam *fructus Spiritus*, quos enumerat Apostolus, *caritatem*, *gaudium*, *pacem*, *patientiam*, *unanimitatem*[g] et cetera his similia. Unde et in alio loco propheta dicit : *Et holocaustum tuum pingue fiat*[h].
45 Offert ergo *adipes*, *qui super pectusculum sunt* et *pinnam iecoris*[i], quae superponantur altari. De adipibus saepe iam diximus. Quod autem dicit : *Adipes*, *qui super pectusculum sunt*, *pectusculum* tuum intellige esse cor tuum, de quo tibi auferendae sunt omnes *malae cogitationes*[j] — inde enim

12 b. Matth. 8, 3.4 || c. Lév. 7, 20 (30) || d. Cf. Lév. 7, 19 s. (29 s.) || e. Lév. 7, 20 (30) || f. Cf. Jac. 3, 18 || g. Cf. Gal. 5, 22 || h. Ps. 19, 4 || i. Cf. Lév. 7, 20 (30) || j. Cf. Mc 7, 21

---

1. « La bouche est le symbole de la parole, le cœur celui de la volonté et les mains celui de l'action », PHILON, *De virt.* 183, tr. M.-R. Servel.

2. Le mot n'est pas noté dans les *Hexaples*.

mais après qu'il se fut approché de Jésus et qu'il « fut guéri », il reçoit du Seigneur l'ordre de présenter son offrande à l'autel : « Ce que Moïse a prescrit à titre de témoignage pour eux[b] ». Tu viens d'apprendre qui doit offrir la victime du sacrifice salutaire ; écoute maintenant comment il doit l'offrir.

« Ses mains offriront la victime au Seigneur[c]. » Le législateur ne proclame-t-il pas clairement que ce n'est pas l'homme qui offre la victime, mais ses mains, c'est-à-dire ses œuvres[1] ? Ce sont en effet les œuvres qui rendent la victime recommandable à Dieu. Car si ta main est fermée pour donner, ouverte pour recevoir, ta lèpre est encore en toi et tu ne peux offrir la victime du sacrifice salutaire. Donc, ses mains offriront le sacrifice de la victime salutaire, et ses mains offriront ce qu'on doit offrir au Seigneur : « la graisse qui est sur la poitrine, et le lobe du foie[d] ». Dans ce passage où nous avons : « Ses mains offriront la victime au Seigneur[e] », au lieu de victime il y a en grec *holocarpômata*[2], ce qui veut dire « tout fruit » : c'est montrer qu'on ne peut offrir tout fruit au Seigneur quand on est stérile, qu'on n'apporte pas de « fruit de justice[f] », de fruit de miséricorde, ou même « les fruits de l'Esprit » qu'énumère l'Apôtre : « charité, joie, paix, patience, concorde[g] » et autres semblables. D'où ailleurs aussi la parole du prophète[3] : « Que ton holocauste soit gras[h]. »

Il offre donc « la graisse qui est sur la poitrine » et « le lobe du foie[i] », placés sur l'autel. De la graisse, nous avons déjà souvent parlé. Dans l'expression « la graisse qui est sur la poitrine », comprends que la poitrine c'est ton cœur dont tu dois ôter toutes « les mauvaises pensées[j] » — car

3. « Que Dieu trouve exquis ton holocauste », Osty, qui note : « Litt. gras. La graisse, qui passait pour la partie la plus succulente de la bête, était réservée à Yahvé, en l'honneur de qui on la faisait brûler. » Mais le contexte, parlant de graisse, autorise à garder la traduction littérale.

50 procedunt — et altaris igni tradendae sunt, ut possit cor tuum mundum effectum Deum videre[k]. Sed et *pinnam iecoris*[l] praecepit offerendam. Diximus et ante iecoris partem loca iracundiae vel cupiditatis exponi; offert ergo *pinnam iecoris*, qui ex se omne vitium irae et furoris 55 excidit.

Adipes igitur, *qui sunt super pectusculum*, imponuntur altari, *ipsum* vero *pectusculum Aaron et filiis eius*. Sed et *bracchium dextrum* separari praecepit et esse iis muneris loco *ex sacrificio salutari*[m]. Vide quibus muneribus hono- 60 ratur sacerdos. *Pectusculum* accipit et *bracchium*, sed *bracchium dextrum*. Putamus non esse aliquid rationis quod ex omnibus membris animalium, quae iugulantur in sacrificiis, haec potissimum membra delecta sint ? Ego puto quod, si qui dicit se esse sacerdotem Dei, nisi habeat 65 pectus ex omnibus membris electum, non est sacerdos; et nisi habeat *bracchium dextrum*, non potest adscendere ad altare Domini nec sacerdos nominari. Quod ergo est sacerdotis pectus aut quale ? Ego tale puto esse, quod plenum sit sapientia, plenum scientia, plenum omni divina 70 intelligentia. Et quid dico plenum intelligentia ? Immo quod plenum sit Deo; quale est et bracchium sacerdotis, quod ei offerunt filii Istrahel pro salute sua, qua salvantur[n].

Formae sunt singula ista, quae scribuntur in lege, eorum, quae in Ecclesia geri debeant. Alioquin nec fuisset 75 necessarium legi haec in Ecclesia, nisi ex his aedificatio aliqua audientibus praeberetur. Si ergo sacerdos Ecclesiae per verba et doctrinam et multam sollicitudinem suam et laborem vigiliarum convertere potuerit peccatorem et docere eum, ut meliorem viam sequatur, ad timorem Dei 80 redeat, cogitet spem futuram, a malis actibus desinat et

12 k. Cf. Matth. 5, 8 || l. Cf. Lév. 7, 20 (30) || m. Cf. Lév. 7, 20 s. (30 s.) || n. Cf. Lév. 7, 22 (32)

c'est de là qu'elles proviennent — pour les livrer au feu de l'autel, afin que ton cœur rendu pur puisse voir Dieu[k]. En outre il prescrit d'offrir « le lobe du foie[l] ». Nous avons dit plus haut[1] que cette partie du foie passe pour être le siège de la colère et de l'envie ; donc, offrir le lobe du foie, c'est retrancher de soi-même tout vice de colère et de fureur.

Poitrine, épaule « La graisse qui est sur la poitrine » est déposée sur l'autel, « et la poitrine » revient « à Aaron et à ses fils ». De plus, on ordonne que « l'épaule droite » soit séparée, et à titre de présent pour eux, prélevée sur le sacrifice salutaire[m]. Vois de quels présents est honoré le prêtre. Il reçoit la poitrine et une épaule, mais l'épaule droite. Pensons-nous qu'il n'y ait pas de raison pour qu'entre tous les membres des animaux immolés dans les sacrifices on ait choisi ceux-là de préférence ? Pour moi, je pense que si quelqu'un se dit prêtre de Dieu et qu'il n'ait pas une poitrine de choix parmi tous ses membres, il n'est pas prêtre ; et s'il n'a pas l'épaule droite, il ne peut monter à l'autel du Seigneur ni être appelé prêtre. Qu'est donc la poitrine du prêtre ou de quelle qualité ? Pour moi, je l'imagine pleine de sagesse, pleine de science, pleine de toute intelligence divine. Que dis-je, pleine d'intelligence ? Bien plutôt pleine de Dieu ; telle est aussi l'épaule du prêtre, celle que les fils d'Israël lui offrent pour le salut qu'ils en retirent[n].

Chacun de ces traits écrits dans la Loi est une figure de ce qui doit être accompli dans l'Église. Autrement, il n'eût pas été nécessaire qu'ils soient lus dans l'Église, s'il n'en résultait de l'édification pour les auditeurs. Si donc un prêtre de l'Église, par ses paroles, sa doctrine, sa grande sollicitude et le labeur de ses veilles, peut convertir un pécheur et lui apprendre à suivre une voie meilleure, à revenir à la crainte de Dieu, à réfléchir à l'espérance future, à renoncer aux mauvaises actions pour se tourner

1. Cf. *hom.* 3, 5.

convertatur ad bonos; si, inquam, tale opus fecerit, consequens est eum, qui ipsius labore salvatur, Deo gratias agere et offerre *hostiam salutaris* pro eo quod salutem consecutus sit.

85 In qua hostia pars efficitur sacerdotis *pectusculum* et *bracchium dextrum*[o], ut sit indicium, quod pectus eius et cor, quod ante mala cogitabat, sacerdotis labore conversum recepit cogitationes bonas et ita mundatum est, ut etiam Deum possit videre[p]. Similiter et in bracchio illud indicium 90 est quod mala eius opera et sinistra, quae sunt utique prava et non bona, convertit in dextra, ut essent secundum Deum; et hoc est dextrum bracchium, in quo pars esse dicitur sacerdotis. Sed et vos deprecamur, qui haec auditis, detis pectuscula, offeratis pectora vestra sacerdotibus Dei, 95 ut auferant ex his omne quod crassum est, ut sacerdotalem eam faciant portionem. Date nobis etiam bracchia, sed dextra a vobis poscimus bracchia; sinistrum nihil volumus, dextra a vobis opera requirimus.

Sed et hoc, quod addidit, *pectusculum* dici *appositionis* 100 et *bracchium demptionis*, non mihi sine causa dictum videtur. Et ideo velim requirere, quid est quod apponendum est pectusculo, ut fiat *pectusculum appositionis.* Posteaquam ablatum fuerit a corde tuo omne, quod crassum est, et emundatum fuerit ab omni operimento, quod igni traden-105 dum est, restat, ut apponatur ei gratia Spiritus sancti, et tunc fiet *pectusculum appositionis*, sed et *bracchium separationis* sive *demptionis*[q]. Quomodo erit et *bracchium separationis* ? Si scias et intelligas discernere, quae sint opera lucis et quae sint *opera tenebrarum*[r], et separes actus

12 o. Cf. Lév. 7, 18 s. (28 s.) || p. Cf. Matth. 5, 8 || q. Cf. Lév. 7, 24 (34) || r. Cf. Rom. 13, 12

vers les bonnes : si, dis-je, il fait une telle œuvre, il est raisonnable que celui qu'il a sauvé par son labeur rende grâce à Dieu et offre une « victime salutaire » pour avoir obtenu son salut.

Dans cette victime, « la poitrine et l'épaule droite[o] » deviennent la part du prêtre : c'est pour qu'il y ait un signe que sa poitrine et son cœur, auparavant sources de mauvaises pensées, convertis grâce au labeur du prêtre, ont reçu des bonnes pensées et sont si purs qu'ils peuvent même voir Dieu[p]. Pareillement dans l'épaule[1] on voit le signe qu'il a changé ses œuvres mauvaises et gauches, assurément déviées et sans valeur, en œuvres droites qui soient conformes à Dieu ; voilà l'épaule droite qui constitue la part du prêtre. Mais vous aussi, qui entendez cela, nous vous en supplions, donnez vos poitrines, offrez vos cœurs aux prêtres de Dieu, pour qu'ils en ôtent tout ce qui est grossier, pour qu'ils en fassent cette part sacerdotale. Donnez-nous aussi vos épaules, mais nous vous demandons des épaules droites ; nous ne voulons rien de gauche, nous réclamons de vous des œuvres droites.

De plus, ce qu'on ajoute en parlant de « poitrine présentée » et « d'épaule séparée » ne me semble pas sans motif. Aussi voudrais-je chercher ce qu'il faut ajouter à la poitrine pour qu'elle devienne « une poitrine présentée ». Une fois ton cœur dépris de tout ce qui est grossier, nettoyé de tout ce qui le recouvrait, qui doit être livré au feu, il reste que lui soit présentée la grâce de l'Esprit Saint, et alors il y aura une « poitrine présentée », mais aussi « une épaule séparée ou prélevée[q] ». Comment y aura-t-il aussi « une épaule séparée » ? Si tu sais et si tu comprends la distinction entre œuvres de lumière et « œuvres de ténèbres[r] », si tu tiens tes actes séparés des ténèbres pour

1. « Or l'épaule est aussi le symbole de l'effort et de la fatigue », PHILON, *Leg. alleg.* 135, tr. Cl. Mondésert.

110 tuos de tenebris, ut sint opera tua in lumine, bracchium tuum efficitur *bracchium separationis*, vel cum separaveris te ab omni fratre *inquiete ambulante*[s], vel certe cum secundum prophetam *separant se et exeunt de medio peccatorum, qui portant vasa Domini*[t]. Denique vernacula 115 quadam consuetudine Scripturae *commune* esse dicitur, quod immundum est; sicut et ad Petrum vox de caelo dicit : *Quod Deus mundavit, tu commune ne dixeris*[u]. Consequenter ergo si id, quod immundum est, *commune* appellatur, quod sanctum est, nominabitur *separatum*.

120 Sed et illud addimus. Si quis Dei solius servus est, communis non potest dici. Si qui autem communis est, dubium non est quod multorum sit et ideo *communis* dicatur. Grande est in hoc sermone mysterium, quod Istrahel secundum carnem in usu quidem habet, sed 125 intellectum non habet. *Communem* dicunt et illi hominem immundum[v], sed cur *communis* dicatur, ignorant. Discant ergo ab Ecclesia Dei quia, qui sanctus est, solius Dei est et cum nullo ei communis est. Qui autem peccator est et immundus, multorum est. Multi enim daemones possident 130 eum et ideo communis appellatur. Denique ille, qui in Evangeliis a Domino curatus est, cum interrogatus esset : *Quod tibi nomen est? dixit: legio, multi enim sumus*[w].

Haec licet in excessu quodam, necessario tamen addita videntur, ut mysterium *pectusculi impositionis* et *bracchii* 135 *separationis*[x] quare scriptum sit, disceremus; quae est

12 s. Cf. II Thess. 3, 11 || t. Cf. Is. 52, 11 || u. Act. 10, 15 || v. Cf. Act. 10, 28 || w. Mc 5, 9 || x. Cf. Lév. 7, 24 (34)

---

1. Cf. *hom.* 11, 1.
2. Ailleurs est encore notée l'ignorance des Juifs sur le sens du terme qualifiant l'homme « esclave de nombreux vices... conformé-

que tes œuvres soient dans la lumière, ton épaule devient « une épaule séparée » ; ou encore quand tu te sépares d'un frère « à la conduite désordonnée[s] », ou du moins quand, selon le prophète, « se séparent et sortent du milieu des pécheurs ceux qui portent les vases du Seigneur[t] ». Enfin, c'est un usage propre à l'Écriture de dire commun ce qui est impur ; ainsi, une voix venant du ciel dit à Pierre : « Ce que Dieu a purifié, toi, ne le dis pas commun[u]. » Par conséquent, si on appelle commun ce qui est impur, on nommera séparé ce qui est saint[1].

De plus, nous ajoutons ceci. Si quelqu'un est serviteur de Dieu seul, il ne peut être dit commun. Mais si on est commun, il n'est pas douteux qu'on appartienne à beaucoup, et que pour cette raison on soit dit commun. Il y a un grand mystère dans ce langage : Israël selon la chair en a l'usage, mais non l'interprétation. Eux aussi appellent « commun » l'homme impur[v], mais pourquoi le dit-on commun, ils l'ignorent[2]. Qu'ils apprennent donc de l'Église de Dieu que celui qui est saint est à Dieu seul, sans partage avec personne[3]. Au contraire, celui qui est pécheur et impur appartient à beaucoup. Car beaucoup de démons le possèdent et c'est pourquoi on l'appelle commun. Ainsi, celui qui dans les Évangiles fut guéri par le Seigneur : comme on lui demandait : « Quel est ton nom ? il répondit : Légion, car nous sommes nombreux[w]. »

Ces remarques, bien qu'elles forment une digression, semblent toutefois une addition nécessaire pour nous apprendre pourquoi est décrit le rite de la poitrine présentée et de l'épaule séparée[x]. C'est la part perpétuelle

ment à celui qui répondit : Légion, car nous sommes nombreux », *In Ep. ad Rom.* 9, 42, *PG* 14, 1246 AB.

3. Un peu différemment Origène dit, parlant de nous tous qui sommes encore pécheurs : « Unusquisque nostrum non est unus, sed multi », *In Reg. hom.* 1, 4, *PG* 12, 998 C.

aeterna portio sacerdotibus data, in qua dignos nos facere dignetur, ut pro cordis puritate et operum probitate in divino sacrificio habere participium mereamur, per aeternum pontificem Dominum et Salvatorem nostrum Iesum 140 Christum, per quem est Deo Patri cum Spiritu sancto *gloria et imperium in saecula saeculorum. Amen*[y].

12 y. Cf. I Pierre 4, 11 ; Apoc. 1, 6

donnée aux prêtres. Que Dieu daigne nous en rendre dignes : ainsi, par la pureté de notre cœur et l'honnêteté de nos œuvres, nous mériterons d'avoir part au divin sacrifice, par le pontife éternel notre Seigneur et Sauveur Jésus-Christ, par qui est à Dieu le Père avec l'Esprit Saint « gloire et puissance pour les siècles des siècles. Amen[y] ».

HOMILIA VI

De indumentis pontificis et sacerdotum.

1. Causam, qua haec, quae nobis recitantur, intelligi possint aut non intelligi, breviter ostendit Apostolus dicens ab eius oculis posse *Veteris Testamenti velamen auferri, qui conversus ad Dominum fuerit*[a]; ex quo sciri voluit quod
5 quanto minus haec nobis plana sunt, tanto minor est ad Deum nostra conversio. Et ideo omni virtute nitendum est, ut ab occupationibus saeculi et a mundanis actibus liberi et ipsas etiam, si fieri potest, superfluas sodalium fabulas relinquentes verbo Dei operam demus et *in lege*
10 *eius meditemur die ac nocte*[b], ut toto corde conversi revelatam et apertam Moysi faciem possimus adspicere[c] et maxime in his, quae nunc recitata sunt vel de sacerdotalibus indumentis vel de consecratione pontificis, in quibus talia quaedam dicuntur, ut etiam illum ipsum carnalem Istrahel
15 ab historica intelligentia penitus excludant; et ideo nobis ad haec exponenda non humani ingenii viribus nitendum est, sed orationibus et precibus ad Deum fusis. In quo etiam vestri adiutorio indigemus, ut Deus, Pater Verbi, det nobis verbum *in apertionem oris* nostri[d], ut possimus
20 considerare mirabilia de lege eius.

1 a. Cf. II Cor. 3, 14.16 || b. Cf. Ps. 1, 2 || c. Cf. II Cor. 3, 7 || d. Cf. Éphés. 6, 19

---

1. Expression fréquente chez Origène, à prendre dans la p:énitude de sens théologique, cf. *hom*, 12, 4 ; *CC* 6, 60, 17 ; 7, 41, 18, *SC* 147, p. 328 ; 150, p. 108. Voir *In Gen. hom.* 12, 1, *SC* 7 *bis*, p. 292 s., et la note du traducteur.

VI

< ORDINATION, RITES ET ORNEMENTS SACERDOTAUX >

Vêtements du pontife et des prêtres

Prier pour comprendre

1. La raison pour laquelle les lectures qu'on nous fait peuvent être comprises ou non, l'Apôtre l'indique en bref quand il déclare que « le voile de l'Ancien Testament » peut « être enlevé » des yeux de celui qui « s'est converti au Seigneur[a] » ; par là il a voulu qu'on sache qu'elles nous sont d'autant moins claires que notre conversion à Dieu est moins sérieuse. Il faut donc faire tous nos efforts pour que, affranchis des occupations du siècle et des tâches du monde, et laissant de côté, si possible, jusqu'aux entretiens inutiles de nos amis, nous nous appliquions à la parole de Dieu et « méditions sa Loi jour et nuit[b] » ; alors, convertis de tout cœur, nous pourrons apercevoir sans voile et à découvert le visage de Moïse[c]. C'est surtout vrai pour les passages qu'on vient de lire sur les habits sacerdotaux ou la consécration du pontife, dont la teneur est telle qu'elle écarte absolument de l'interprétation historique même l'ancien Israël charnel. Aussi, devons-nous, pour cet exposé, prendre appui non sur les forces de l'esprit humain, mais sur d'instantes prières répandues devant Dieu. En quoi nous avons besoin aussi de votre aide, afin que Dieu, le Père du Verbe[1], nous donne sa parole « pour nous ouvrir la bouche[d] », pour que nous puissions examiner les merveilles de sa Loi.

2. Est ergo initium eorum, quae hodie recitata sunt, in his verbis : *Haec unctio Aaron et unctio filiorum eius ab hostiis Domini, qua die applicuit eos sacrificare Domino, sicut praecepit Dominus dare illis, qua die unxit eos a* 5 *filiis Istrahel, legitimum aeternum in progenies eorum. Haec lex holocaustorum et pro peccato et pro delicto, et consummationis et sacrificii salutaris, sicut mandavit Dominus Moysi in monte Sina, qua die praecepit filiis Istrahel offerre munera sua coram Domino in deserto Sina*[a].

10 Cum proposuerit dicere legislator : *Haec unctio Aaron et unctio filiorum eius*[b], non subiunxit, quae esset unctio, nec, qualiter unxisset, exposuit, sed hoc quidem in sequentibus facit, nunc vero posteaquam dixit : *Haec unctio Aaron et filiorum eius*, nihil de unctione subiunxit. Profecto 15 ut ostenderet quia haec, quae supra dixerat, id est *pectusculum impositionis et bracchium separationis*[c], ipsa essent unctio Aaron et filiorum eius, ne putaremus illa pro carnibus dicta, sed ut doceret etiam ipsa sub sacramento unctionis inserta. Denique in sequentibus repetit ea, quae 20 superius exposuerat, et dicit : *Haec lex holocaustorum et sacrificii et pro peccato*[d]. Haec, id est quae supra exposita est, et videtur esse ἀνακεφαλαίωσις, id est recapitulatio, sacramentorum, quae in superioribus latius fuerant enarrata.

25 Post haec vero subiungit : *Et locutus est* inquit *Dominus ad Moysen dicens: sume Aaron et filios eius et stolas et oleum unctionis et vitulum qui est pro peccato, et duos arietes et canistrum azymorum; et omnem synagogam convoca ad*

2 a. Lév. 7, 25-28 (35-38) || b. Lév. 7, 25 (35) || c. Cf. Lév. 7, 24 (34) || d. Lév. 7, 27 (37)

---

1. Littéralement. Il s'agit en fait des avantages procurés par

Récapitulation

2. Voici le commencement de la lecture d'aujourd'hui : « Telle est l'onction[1] d'Aaron et l'onction de ses fils donnant droit sur les victimes du Seigneur, le jour où il les a destinés à sacrifier au Seigneur, comme le Seigneur a prescrit de leur donner, le jour où il les a oints, de la part des fils d'Israël : loi perpétuelle pour leurs descendants. Telle est la loi des holocaustes et des sacrifices pour le péché et pour la faute, et de la consommation et du sacrifice salutaire, comme le Seigneur l'a commandé à Moïse au mont Sinaï, le jour où il a prescrit aux fils d'Israël de présenter leurs offrandes devant le Seigneur dans le désert du Sinaï[a]. »

A l'annonce de son propos : « Telle est l'onction d'Aaron et de ses fils[b] », le législateur n'a ni ajouté quelle était l'onction, ni exposé de quelle manière on oignait ; il le fait bien par la suite, mais ici, après avoir dit : « Telle est l'onction d'Aaron et de ses fils », il n'ajouta rien sur l'onction. Assurément, il veut montrer que ce qu'il avait mentionné plus haut, à savoir « la poitrine présentée » et « l'épaule séparée[c] », constituait l'onction d'Aaron et de ses fils, pour écarter de nous la pensée qu'il s'agirait de la chair, et pour enseigner aussi ce qui est mystérieusement caché sous le rite de l'onction. Enfin, dans la suite il répète ce qu'il avait exposé plus haut : « Telle est la loi des holocaustes, de l'oblation et du sacrifice pour le péché[d]. » Telle, à savoir celle exposée plus haut, et qui paraît être une *anakephalaiôsis*, c'est-à-dire une récapitulation des rites expliqués plus en détail aux pages qui précèdent.

Rites d'ordination

Ensuite, il ajoute : « Le Seigneur parla à Moïse en ces termes : Prends Aaron et ses fils, les habits, l'huile d'onction, le jeune taureau du sacrifice pour le péché, les deux béliers et la corbeille d'azymes ; puis, rassemble toute la communauté

l'onction : « droit de l'onction », SEGOND, CRAMPON ; « prébende », DHORME ; « part », *BJ*, *TOB*, OSTY.

ianuam tabernaculi testimonii. Et fecit Moyses, sicut praecepit
30 *ei Dominus, et convocavit synagogam ad ianuam tabernaculi testimonii. Et dixit Moyses ad synagogam : hoc est verbum, quod mandavit Dominus facere. Et applicuit Moyses Aaron fratrem suum et filios eius, et lavit eos aqua et vestivit eum tunicam et praecinxit eum zonam ; et vestivit eum tunicam*
35 *interiorem et imposuit ei humeralem, et cinxit eum secundum facturam humeralis et constrinxit eum in ipso ; et imposuit super eum logium, et imposuit super logium manifestationem et veritatem ; et imposuit mitram super caput eius, et posuit super mitram ante faciem eius laminam auream sanctificatam*
40 *sanctam, sicut praeceperat Dominus Moysi*[e].

Intentis auribus et vigilanti corde consecrationem pontificis vel sacerdotis audite, quia et vos secundum promissa Dei sacerdotes Domini estis : *Gens enim sancta et sacerdotium estis*[f]. Accepit, inquit, Moyses secundum
45 praeceptum Domini *Aaron et filios eius* et primo quidem lavat, postea vero induit eos. Considerate diligentius ordinem dictorum : primo lavat, postea induit. Non enim potes indui, nisi ante lotus fueris. *Lavamini* ergo *et mundi estote, et auferte nequitias vestras ab animis vestris*[g]. Nisi enim
50 hoc modo lotus fueris, non poteris induere Dominum Iesum Christum, secundum quod dicit Apostolus : *Induite Dominum Iesum Christum, et carnis curam ne feceritis in concupiscentiis*[h]. Lavet te igitur Moyses, ipse te lavet et ipse te induat.

55 Quomodo te lavare potest Moyses, frequenter audisti. Saepe enim diximus quod Moyses in Scripturis sanctis pro lege ponatur, sicut in Evangelio dictum est : *Habent Moysen et prophetas ; audiant illos*[i]. Lex ergo Dei est, quae te lavat, ipsa sordes tuas diluit, ipsa, si audias eam,

2 e. Lév. 8, 1-9 || f. I Pierre 2, 9 || g. Is. 1, 16 || h. Rom. 13, 14 || i. Lc 16, 29

à l'entrée de la tente du témoignage. Moïse agit selon ce que lui avait prescrit le Seigneur et assembla la communauté à la porte de la tente du témoignage. Et Moïse dit à la communauté : Voici l'action que le Seigneur a ordonné de faire. Alors Moïse fit approcher son frère Aaron et ses fils ; il les lava avec de l'eau, le vêtit de la tunique et le ceignit de la ceinture ; il le vêtit de la tunique intérieure, mit sur lui l'huméral, le ceignit selon la forme de l'huméral et l'en drapa ; il plaça sur lui le logium et plaça sur le logium la manifestation et la vérité ; il plaça la mitre sur sa tête et plaça sur la mitre en avant de sa face la lame d'or sacrée et sainte, selon ce qu'avait ordonné le Seigneur à Moïse[e]. »

« Laver »

Les oreilles attentives et le cœur vigilant, écoutez la consécration du pontife ou du prêtre, car vous aussi selon la promesse de Dieu vous êtes prêtres du Seigneur : « Car vous êtes une nation sainte et un sacerdoce[f]. » Moïse suivant l'ordre du Seigneur prit Aaron et ses fils ; d'abord il les lave, ensuite, il les habille. Observez bien attentivement l'ordre du récit : d'abord il lave, ensuite il habille. En effet tu ne peux être habillé si tu n'as été d'abord lavé. Donc : « Lavez-vous, soyez purs, ôtez de vos âmes votre malice[g]. » Car si tu n'es pas lavé de la sorte, tu ne pourras revêtir le Seigneur Jésus-Christ, selon ce que dit l'Apôtre : « Revêtez le Seigneur Jésus-Christ, et ne prenez pas soin de la chair pour en satisfaire les convoitises[h]. » Que Moïse te lave donc, que lui-même te lave et lui-même t'habille !

Comment Moïse peut te laver, tu l'as entendu maintes fois. Nous l'avons dit souvent[1] : Moïse dans les saintes Écritures, représente la Loi, comme il est dit dans l'Évangile : « Ils ont Moïse et les prophètes ; qu'ils les écoutent[i] ! » C'est donc la Loi de Dieu qui te lave, c'est

1. Par exemple, *In Ex. hom.* 2, 4, *GCS* 6, p. 160, 10 ; *In Jos. hom.* 1, 3, *GCS* 7, p. 290, 10.

60 peccatorum tuorum maculas abstergit; ipse est Moyses, hoc est lex, quae sacerdotes consecrat, nec potest sacerdos esse, quem non lex constituerit sacerdotem. Multi enim sunt sacerdotes, sed quos non lavit lex neque puros reddidit verbum Dei neque abluit a peccatorum sordibus sermo 65 divinus.

Sed et vos, qui sacrum baptisma desideratis accipere et gratiam Spiritus promereri, prius debetis ex lege purgari, prius debetis audito verbo Dei vitia genuina resecare et mores barbaros ferosque componere, ut mansuetudine et 70 humilitate suscepta possitis etiam gratiam sancti Spiritus capere. Sic enim dicit Dominus per prophetam : *Super quem requiescam, nisi super humilem et quietum et trementem sermones meos*[j]. Si *humilis* non fueris *et quietus*, non potest habitare in te gratia Spiritus sancti, si non cum tremore 75 susceperis verba divina. Superbam namque et contumacem animam et fictam refugit Spiritus sanctus. Debes ergo prius meditari legem Dei, ut, si forte actus tui intemperati sunt et mores inconditi, lex Dei te emendet et corrigat. Vis videre quia Moyses semper cum Iesu est, hoc est lex 80 cum Evangeliis ? Doceat te Evangelium quia, cum *transformatus esset* in gloriam Iesus, etiam *Moyses et Elias* simul cum ipso *apparuerunt*[k] in gloria, ut scias quia lex et prophetae et Evangelia in unum semper veniunt et in una gloria permanent. Denique et Petrus, cum vellet iis *tria* 85 *facere tabernacula*, imperitiae notatur, tamquam *qui*

2 j. Is. 66, 1.2 || k. Cf. Mc 9, 2 s.

---

1. Il y avait sans doute des catéchumènes dans l'assistance, voir *hom.* 9, 10 milieu. On notera que la transformation morale par l'effort personnel est une condition préalable de la réception de la grâce du Saint-Esprit au baptême. Cf. K. Rahner, *Doctrine*, p. 92, n. 192. Dans l'*hom.* 8, 11 fin, est faite une distinction entre la purifi-

elle qui dissout tes souillures, c'est elle, si tu l'écoutes, qui efface les taches de tes péchés ; c'est Moïse, c'est-à-dire la Loi, qui consacre les prêtres, et il ne peut y avoir de prêtre que la Loi n'ait pas établi prêtre. En fait, nombreux sont les prêtres, mais que la Loi ne lave pas, que la parole de Dieu ne rend pas purs, que la parole divine ne purifie pas des souillures de leurs péchés.

De plus, vous qui désirez recevoir le saint baptême et obtenir la grâce de l'Esprit, vous devez d'abord être purifiés par la Loi, vous devez d'abord, à l'écoute de la parole de Dieu, retrancher vos vices naturels, assagir vos mœurs barbares et sauvages, afin que, ayant acquis la douceur et l'humilité, vous puissiez recevoir aussi la grâce du Saint Esprit[1]. Car le Seigneur dit par le prophète : « Sur qui me reposer, sinon l'humble, le doux, celui qui tremble à mes paroles[j] ? » Si tu n'es pas humble et doux, la grâce du Saint-Esprit ne peut habiter en toi, ni si tu ne reçois pas en tremblant les paroles divines. Car l'Esprit Saint fuit l'âme orgueilleuse, rétive, hypocrite. Tu dois donc d'abord méditer la Loi de Dieu pour que, si tes actes sont immodérés et tes mœurs désordonnées, la Loi de Dieu te réforme et t'améliore. Veux-tu voir que Moïse est toujours avec Jésus : la Loi avec les Évangiles ? Que l'Évangile t'enseigne que, comme Jésus était transfiguré en gloire, Moïse et Élie apparurent en gloire avec lui[k], pour que tu saches que la Loi, les prophètes et les Évangiles viennent toujours ensemble et demeurent dans une seule gloire[2]. A telle enseigne que Pierre, voulant leur dresser trois tentes, est taxé d'ignorance, comme « ne sachant pas

cation du péché et la réception de l'Esprit (voir la note). Dans le *CC* 3, 51, est indiquée la période préparatoire antébaptismale.

2. « Moyses et Elias apparuerunt in gloria colloquentes cum Iesu in monte. In quo ostenditur legem et prophetas cum evangeliis consonare et in eadem gloria spiritalis aspectus atque intelligentiae refulgere. » *In Ep. ad Rom.* 1, 10, *PG* 14, 856 C.

nesciret quid diceret. Legi enim et prophetis et Evangelio non tria, sed unum est tabernaculum, quae est Ecclesia Dei.

Lavat ergo primo Moyses sacerdotem Domini et, cum 90 eum laverit et purgatum reddiderit a sordibus vitiorum, post haec induit eum. Sed consideremus, quae sunt ista indumenta, quibus induit Moyses *fratrem suum* Aaron pontificem primum; si forte possibile sit etiam tibi indui iisdem indumentis et esse pontificem. Est quidem unus 95 pontifex magnus Dominus noster Iesus Christus; sed ille non sacerdotum est pontifex, sed pontificum pontifex, nec sacerdotum princeps, sed princeps principum sacerdotum, sicut et rex non dicitur plebis, sed *regum rex*, et Dominus non servorum, sed *Dominus Dominorum*[l]. Potest 100 ergo fieri, si et tu lotus fueris per Moysen et fueris ita mundus, quasi quem Moyses laverit tantus ille ac talis, possis etiam pervenire ad haec indumenta, quae profert Moyses, et stolas istas, quibus induit *Aaron fratrem suum et filios eius.* Sed non solum indumentis opus est ad 105 sacerdotales infulas, verum et cingulis.

Sed priusquam de specie ipsa indumentorum dicere incipiamus, velim conferre illa infelicia indumenta, quibus primus homo, cum peccasset, indutus est, cum his sanctis et fidelibus indumentis. Et quidem illa dicitur Deus fecisse : 110 *Fecit enim* inquit *Deus tunicas pellicias, et induit Adam et mulierem eius*[m]. Illae ergo tunicae de pellibus erant ex animalibus sumptae. Talibus enim oportebat indui peccatorem, *pelliciis*, inquit, *tunicis*, quae essent mortalitatis, quam pro peccato acceperat, et fragilitatis eius, quae ex

2 l. Cf. I Tim. 6, 15 || m. Gen. 3, 21

---

1. Des vêtements liturgiques, signes de sainteté et de foi pour le grand prêtre et analogiquement pour nous, la pensée d'Origène évoque brièvement le passé et l'avenir. Il va faire allusion, en termes

ce qu'il disait ». Pour la Loi, les prophètes, l'Évangile, il n'y a pas trois, mais une seule tente, l'Église de Dieu.

« Habiller »

Or donc Moïse lave d'abord le prêtre du Seigneur et, après l'avoir lavé et rendu pur des souillures de ses vices, alors il l'habille. Mais examinons quels sont ces habits dont Moïse habille son frère Aaron, le premier pontife ; peut-être sera-t-il possible à toi aussi d'être habillé des mêmes habits et d'être pontife. Il y a un seul grand prêtre, notre Seigneur Jésus-Christ ; toutefois, il n'est pas pontife des prêtres mais pontife des pontifes, ni prince des prêtres mais chef des princes des prêtres, comme on ne le dit pas non plus roi du peuple mais « roi des rois », et Seigneur, non pas des serviteurs, mais « Seigneur des seigneurs[l] ». Il peut donc se faire, si toi aussi tu as été lavé par Moïse, et purifié comme celui que lava l'illustre Moïse, que tu puisses également avoir accès aux habits que présente Moïse, aux robes dont il habille « Aaron son frère et ses fils ». Et ce n'est pas seulement d'habits qu'on a besoin pour les fonctions sacerdotales, mais encore de ceintures.

Avant toutefois d'aborder le sujet de cette espèce d'habits, je voudrais comparer les habits d'infortune, dont le premier homme après avoir péché fut habillé, à ces habits de sainteté et de foi[1]. Il est bien dit que Dieu les a faits : « Dieu fit des tuniques de peau et en vêtit Adam et sa femme[m]. » Donc ces tuniques de peau étaient tirées des animaux. Il convenait en effet que le pécheur soit habillé de « tuniques de peau », qui étaient le symbole de la mortalité résultant de son péché, et de sa fragilité issue de

pauliniens, aux revêtements d'une vie incorruptible. Mais d'abord et en contraste, il rappelle les habits d'infortune dont furent revêtus Adam et Ève après leur faute. Ces « tuniques de peau », d'origine animale, symbolisent donc ici la mortalité telle qu'elle résulta du premier péché et la fragilité telle qu'elle provient de la corruption de la chair : bref, la condition humaine déchue. Nulle part son interprétation n'est aussi explicite. Voir la note complémentaire 19.

115 carnis corruptione veniebat, indicium. Si vero iam lotus ab his fueris et purificatus per legem Dei, induet te Moyses indumento incorruptionis, ita ut nusquam *appareat turpitudo tua*[n] et *ut absorbeatur mortale hoc a vita*[o].

3. Videamus ergo, quali ordine pontifex constituitur. *Convocavit* inquit *Moyses synagogam, et dicit ad eos : hoc est verbum, quod praecepit Dominus*[a]. Licet ergo Dominus de constituendo pontifice praecepisset et Dominus elegisset, 5 tamen convocatur et synagoga. Requiritur enim in ordinando sacerdote et praesentia populi, ut sciant omnes et certi sint quia qui praestantior est ex omni populo, qui doctior, qui sanctior, qui in omni virtute eminentior, ille eligitur ad sacerdotium et hoc adstante populo, ne qua 10 postmodum retractatio cuiquam, ne quis scrupulus resideret. Hoc est autem quod et Apostolus praecepit in ordinatione sacerdotis dicens : *Oportet autem et testimonium habere bonum ab his, qui foris sunt*[b].

Ego tamen et amplius aliquid video in eo, quod dicit : 15 quia *convocavit Moyses omnem synagogam*[c] et puto quod *convocare synagogam* hoc sit colligere omnes animi et in unum congregare virtutes, ut, cum sermo de sacerdotalibus sacramentis habetur, vigilent omnes animi virtutes et intentae sint, nihil in his sapientiae, nihil scientiae, nihil 20 desit industriae, sed adsit omnis multitudo sensuum, adsit omnis congregatio sanctarum cogitationum, ut quid sit pontifex, quid unctio, quid indumenta eius, conferens intra sacrarium cordis sui possit advertere.

2 n. Cf. Ex. 20, 26 || o. Cf. II Cor. 5, 4
3 a. Lév. 8, 4-5 || b. I Tim. 3, 7 || c. Cf. Lév. 8, 4-5

la corruption de la chair. Mais si tu en es déjà lavé et purifié par la Loi de Dieu, Moïse t'habillera d'un habit d'incorruption, en sorte que jamais « n'apparaisse ta honte[n] » et « que ce qui est mortel soit absorbé par la vie[o] ».

Communauté

3. Voyons donc dans quel ordre a lieu l'institution du pontife : « Moïse assembla la communauté et il leur dit : Voici l'action que le Seigneur a prescrite[a]. » Bien que le Seigneur ait donné la règle de l'institution du pontife et que le Seigneur ait fait son choix, cependant on assemble aussi la communauté. En effet, à l'ordination du prêtre la présence du peuple est requise, afin que tous le sachent avec certitude : c'est le plus remarquable de tout le peuple, le plus savant, le plus saint, le plus éminent en toutes vertus qui est choisi pour le sacerdoce[1], et cela, en présence du peuple, pour que dans la suite chez personne aucune hésitation, aucun scrupule ne subsistent. Et telle est bien aussi la prescription de l'Apôtre pour l'ordination d'un prêtre : « Il faut en outre qu'il ait un bon témoignage de ceux du dehors[b]. »

Pour moi cependant, je vois encore quelque chose de plus dans la parole : « Moïse assembla toute la communauté[c] » ; je pense qu'assembler la communauté, c'est rassembler et réunir toutes les vertus de l'âme, afin, quand on traite des rites sacerdotaux, que toutes les vertus de l'âme soient vigilantes et attentives, qu'il n'y manque rien en fait de sagesse, rien en fait de science, rien en fait de zèle, mais que soit présente toute la multitude des sens, présente toute l'assemblée des pensées saintes, pour qu'en les réunissant à l'intérieur du sanctuaire de son cœur, on puisse découvrir ce qu'est le pontife, ce qu'est l'onction, ce que sont les habits.

1. Pour Origène, ce qui est vrai du choix pour l'ordination l'est aussi pour le ministère, cf. *infra*, § 6.

Lavit ergo eum et induit. Quali indumento ? *Tunica*
25 inquit *et praecinxit eum zona et iterum vestivit eum tunicam talarem*[d] vel, ut alibi legimus, *interiorem*. Duabus, ut video, tunicis per Moysen induitur pontifex. Sed quid facimus, quod Iesus sacerdotes suos, Apostolos nostros, prohibuit uti duabus tunicis[e] ? Et dixeramus quod Moyses et Iesus,
30 id est lex et Evangelia sibi invicem consonarent. Posset fortasse dicere aliquis quia, quod praecepit Iesus duas tunicas non habendas, non est contrarium legi, sed perfectius lege, sicut et cum lex homicidium vetat, Iesus autem etiam iracundiam resecat[f], et cum lex prohibet adulterium,
35 Iesus etiam concupiscentiam cordis abscidit[g]. Sic ergo videbitur et duabus ibi tunicis pontificem, hic una Apostolos induisse. Sit quidem etiam iste sensus probabilis, si videtur; ego tamen non intra huius intelligentiae angustiam pontificalia sacramenta concludo.
40 Amplius mihi aliquid ex ista forma videtur ostendi; pontifex est, qui scientiam legis tenet et uniuscuiusque mysterii intelligit rationes et, ut breviter explicem, qui legem et secundum spiritum et secundum litteram novit. Sciebat ergo pontifex ille, quem tunc ordinabat Moyses,
45 quia esset circumcisio spiritalis, servabat tamen et circumcisionem carnis, quia incircumcisus pontifex esse non poterat. Habebat ergo iste duas tunicas : unam ministerii carnalis et aliam intelligentiae spiritalis. Sciebat quia et sacrificia spiritalia offerri debent Deo, offerebat tamen
50 nihilominus et carnalia. Non enim poterat esse pontifex eorum, qui tunc erant, nisi hostias immolaret. Ita ergo convenienter ille pontifex duabus indutus tunicis dicitur.

3 d. Lév. 8, 7 || e. Cf. Lc 3, 11 || f. Cf. Matth. 5, 21-22 || g. Cf. Matth. 5, 27-28

1. « Moïse donna au Grand Prêtre deux tuniques, l'une de lin pour l'intérieur, l'autre chamarrée avec la longue robe pour l'extérieur. De tels passages et d'autres semblables sont des symboles de l'âme

« Deux tuniques » Donc, il le lave et l'habille. De quel habit ? « D'une tunique, et il le ceignit d'une ceinture et de nouveau le revêtit d'une tunique longue[d] », ou comme on dit ailleurs, « intérieure ». Le pontife, à ce que je vois, est habillé de deux tuniques par Moïse. Que faisons-nous alors de l'interdiction de Jésus à ses prêtres, nos apôtres, de porter deux tuniques[e] ? Et nous avions dit que Moïse et Jésus, la Loi et les Évangiles s'accordaient ! On pourrait dire peut-être que l'ordre de Jésus de ne pas avoir deux tuniques n'est pas contraire à la Loi, mais plus parfait que la Loi : tout comme, quand la Loi défend l'homicide, Jésus bannit en outre la colère[f] ; quand la Loi interdit l'adultère, Jésus rejette en outre la convoitise du cœur[g]. On verra ainsi, là le pontife habillé de deux tuniques, ici les apôtres d'une seule. Que ce soit un sens plausible, si l'on veut ; pour moi cependant, je n'enferme pas les rites pontificaux dans une interprétation si étroite.

Quelque chose de plus me paraît signifié par cette cérémonie. Le pontife est celui qui possède la science de la Loi et comprend les raisons de chaque rite, bref, qui connaît la Loi et selon l'esprit et selon la lettre. Il savait donc, ce pontife qu'ordonnait alors Moïse, qu'il y avait une circoncision spirituelle, il gardait pourtant aussi la circoncision charnelle, parce qu'il ne pouvait y avoir de pontife incirconcis. Il avait donc deux tuniques, l'une du ministère charnel, l'autre de l'intelligence spirituelle[1]. Il savait que des sacrifices spirituels doivent être offerts à Dieu, pourtant il n'en offrait pas moins aussi des charnels. Car il ne pouvait être pontife de ceux qui existaient alors, s'il n'immolait des victimes. C'est donc à juste titre qu'on dit ce pontife habillé de deux tuniques. Mais les apôtres !

qui se garde pure intérieurement pour Dieu et reste immaculée extérieurement pour le monde et la vie sensible. » PHILON, *De mut. nom.* 43-44, tr. R. Arnaldez.

Apostoli vero, qui dicturi erant quia : *Si circumcidamini, Christus vobis nihil proderit*[h], et qui dicturi erant quia :
55 *Nemo vos iudicet in cibo aut in potu, aut in parte diei festi aut neomenia aut sabbato; quae sunt umbra futurorum*[i], isti ergo ut huiusmodi secundum litteram legis observantias penitus repudiarent nec occuparent discipulos *iudaicis fabulis*[j] et *imponerent his iugum, quod neque ipsi neque*
60 *patres eorum portare potuerunt*[k], merito duas tunicas habere prohibentur, sed sufficit iis una et haec *interior*. Nam istam, quae foris est et quae desuper apparet, legis tunicam[l] nolunt; unam namque iis Iesus et ipsam *interiorem* habere permittit.

65 Imponit tamen Moyses pontifici et *humeralem*[m], qui est humerorum quidam ex circumductione vestis ornatus. Humeri autem operum tenent ac laboris indicia. Vult ergo pontificem esse etiam in operibus ornatum nec sufficit sola scientia, quia *qui fecerit et docuerit, hic magnus vocabitur*
70 *in regno coelorum*[n].

4. *Et cinxit* inquit *eum secundum facturam humeralis*[a]. Iam et superius dixerat quia *cinxit eum zonam* super tunicam, et modo iterum cingitur *secundum facturam humeralis*[b]. Quod est istud duplex cingulum, quo cons-
5 trictum vult esse ex omni parte pontificem ? Constrictus sit in verbo, constrictus in opere, expeditus ad omnia, nihil remissum, nihil habeat dissolutum. Accinctus sit animi virtutibus, constrictus sit a corporalibus vitiis, nullum animae lapsum, nullum corporis timeat, utroque cingulo

3 h. Gal. 5, 2 || i. Col. 2, 16 || j. Cf. Tite 1, 14 || k. Act. 15, 10 || l. Cf. Lév. 8, 7 || m. Cf. Lév. 8, 7 || n. Matth. 5, 19
4 a. Lév. 8, 7 || b. Cf. Lév. 8, 7

1. « Fables juives », cf. *hom.* 3, 3 fin, note.

Ils allaient dire : « Si vous vous faites circoncire, le Christ ne vous servira de rien[h]. » Ils allaient dire : « Que personne ne vous juge à propos de nourriture ou de boisson, ou en matière de fête, de nouvelle lune ou de sabbat ; c'est là une ombre des biens à venir[i]. » Eux donc, pour qu'ils rejettent totalement les observances de cette sorte selon la lettre de la Loi[1], pour qu'ils n'occupent pas les disciples « aux fables juives[j] », et ne « leur imposent pas un joug que n'ont pu porter ni eux ni leurs ancêtres[k] », ils ont à juste titre interdiction d'avoir deux tuniques : il leur suffit d'une seule, celle qui est intérieure. Celle qui est extérieure et qu'on voit du dehors, la tunique de la Loi[l], ils n'en veulent plus ; et de fait c'est une seule, celle qui est intérieure, que Jésus leur permet d'avoir.

« Huméral »

Cependant Moïse impose encore au pontife l'huméral[m], vêtement de parure qui entoure les épaules. Or les épaules signifient les œuvres et le travail[2]. Il veut donc que le pontife ait aussi la parure des œuvres, et la seule science ne suffit pas, car « celui qui exécute et enseigne, celui-là sera déclaré grand dans le royaume des cieux[n] ».

Deux « ceintures »

4. « Il le ceignit selon la forme de l'huméral[a]. » Déjà plus haut, il avait dit : « Il le ceignit d'une ceinture sur la tunique[b]. » Et voici de nouveau qu'on le ceint « selon la forme de l'huméral ». Que signifie cette double ceinture dont on veut que le pontife soit serré de toutes parts ? Qu'il soit réservé dans sa parole, réservé dans son action, prêt à tout, qu'il n'ait rien de relâché, rien de corrompu. Qu'il soit ceint des vertus de l'âme, préservé des vices corporels, sans crainte d'aucune faute de l'âme, d'aucune du corps ; qu'il porte sans cesse l'une et l'autre ceinture,

2. « Or Sichem signifie épaule, ce qui est le symbole de l'effort patient », PHILON, *Quod det. pot. insid. sol.* 9, tr. I. Feuer.

10 semper utatur, *ut sit castus corpore et spiritu*[c]. Bene autem quod et *secundum facturam humeralis* cingitur. Secundum facta enim sua et secundum opera sua cingulo virtutis utetur.

Et post haec inquit *imposuit super eum logium* — quod 15 est rationale — *et imposuit super logium manifestationem et veritatem; et imposuit mitram super caput eius*[d]. Sed videamus, quid *logium*, quod est rationale, significet. Posteaquam nuditas tecta est et indumentis turpitudo velata, posteaquam munitus operibus et cingulo utroque 20 firmatus est, *logium* ei, id est rationale, tunc traditur. *Logium* sapientiae indicium est, quia sapientia in ratione consistit. Sed quae sit sapientiae huius et rationis virtus, ostendit.

Imponit enim *super rationale manifestationem et verita-* 25 *tem*[e]. Non enim sufficit pontifici habere sapientiam et scire omnium rationem, nisi possit etiam populo manifestare quae novit. Ideo ergo imponitur *rationali* et *manifestatio*, ut possit respondere omni poscenti se rationem de fide et veritate. Ponitur autem super illud et *veritas*, ut non 30 illa adstruat, quae proprio excogitare quivit ingenio, sed quae *veritas* habet, nec umquam a veritate discedat, ut in omni sermone eius semper *veritas* maneat. Hoc est ergo *superposuisse rationali manifestationem et veritatem*. Infelices illos, qui haec legentes omnem intelligentiam suam 35 erga sensum vestimenti corporalis effundunt; dicant nobis, quale est vestimentum *manifestationis*, aut indu-

4 c. Cf. I Cor. 7, 34 || d. Lév. 8, 8-9 || e. Cf. Lév. 8, 8

---

1. Les détails de la vêture du pontife sont expliqués dans les traductions de la Bible. Ici, le latin s'écarte de l'hébreu : « Il mit sur lui le pectoral et plaça dans le pectoral l'Ourim et le Toumim. » Pectoral a pour correspondant, en grec, λογεῖον (LXX ; PHILON, *De vita Mosis* II, 112 s., 125.128, etc.) et en latin, *logium* ou *rationale*. Le sens est incertain : probablement « une sorte de sachet carré

« afin d'être pur de corps et d'esprit[c] ». Et c'est bien pour lui d'être ceint « selon la forme de l'huméral ». Car c'est selon ses actions et selon ses œuvres qu'il portera la ceinture de la vertu.

« Logium » ou « rational »

Il est dit ensuite : « Il plaça sur lui le logium — qui est le rational —, et il plaça sur le logium la manifestation et la vérité ; puis il plaça la mitre sur sa tête[d]. » Voyons la signification du logium, ou rational[1]. Une fois sa nudité couverte et sa honte voilée par des habits, après s'être fortifié par des œuvres et affermi par l'une et l'autre ceinture, alors il reçoit le logium ou rational. Le logium est le signe de la sagesse, car la sagesse se fonde sur la raison. Mais quel pouvoir ont cette sagesse et cette raison, on le montre.

« Manifestation » et « vérité »

En effet, « il place sur le rational la manifestation et la vérité[e] ». Car il ne suffit pas au pontife d'avoir la sagesse et de savoir la raison de toutes choses, s'il ne peut aussi manifester au peuple ce qu'il sait. Donc sur le rational, on place encore la manifestation pour qu'il puisse répondre à quiconque lui demande raison de la foi et de la vérité. De plus, on place sur lui la vérité, pour qu'il n'affirme pas ce qu'il a pu inventer de son esprit propre, mais ce que la vérité contient, et qu'il ne s'éloigne jamais de la vérité, afin que dans chacune de ses paroles toujours la vérité demeure. Voilà ce que signifie « poser sur le rational la manifestation et la vérité ». Malheureux ceux qui, à cette lecture, prodiguent toute leur interprétation pour le sens d'un vêtement corporel ; qu'ils nous disent quel est le vêtement de la manifestation ou quel est l'habit

contenant les sorts sacrés, Ourim et Toumim, à l'aide desquels le Grand Prêtre consulte Dieu », OSTY. Ce sont eux que la LXX appelle δήλωσις καὶ ἀλήθεια, mots repris par PHILON, *o. c.*, 113, etc. ; d'où en latin : *manifestatio* et *veritas*.

mentum quale est *veritatis*. Si qui umquam vidit, si quis audivit *manifestationem et veritatem* vestimenta nominari, dicant nobis quae sint mulieres, quae ista texuerint, in
40 quo haec umquam sint confecta textrino. Sed si verum vultis audire, sapientia est, quae huiusmodi conficit indumenta. Illa occultorum manifestationem, illa texit rerum omnium veritatem. Hanc ergo oremus a Domino ut accipere mereamur, et ipsa nos talibus circumdabit
45 indumentis.

Sed et ipse ordo rerum quam sanctus sit et quam mirabilis, intuere. Non ante *logium* et postea *humerale*, quia non ante sapientia quam opera, sed prius opera haberi debent et postea quaerenda sapientia est. Tum
50 deinde non ante *manifestatio* quam *rationale*, quia non ante alios docere quam nos instructi et rationabiles esse debemus. Super haec autem additur *veritas*, quia *veritas* est summa sapientia. Denique et propheta hunc eundem ordinem servat, cum dicit : *Seminate vobis ad iustitiam, et metite*
55 *fructum vitae, illuminate vobis lumen scientiae*[f]. Vides quomodo non dicit primo : *illuminate vobis lumen scientiae*, sed primo : *seminate vobis ad iustitiam*, et non sufficit seminare, sed *metite* inquit *fructum vitae*, ut post haec possitis implere quod sequitur : *illuminate vobis lumen*
60 *scientiae*. Sic ergo etiam hic imponitur *humeralis* ornatus et non sufficit, sed et *zona* constringitur. Sed ne hoc quidem satis est; secundo adhuc cingitur, ut ita demum *rationale* possit imponi, ut post haec *manifestatio* subsequatur et *veritas*[g]. His indumentis pontifex utitur; tali ornatu debet
65 indui, qui sacerdotium gerit.

5. Sed nondum finivit et alius adhuc addendus ornatus est : necesse est, ut accipiat etiam coronam. Propterea

4 f. Os. 10, 12 || g. Cf. Lév. 8, 7.8

de la vérité ! Si jamais on a vu, si on a entendu dire que des vêtements sont nommés manifestation et vérité, qu'on nous dise quelles femmes les ont tissés, dans quel atelier de tissage ils furent jamais confectionnés. Mais si vous voulez entendre ce qui est vrai, c'est la sagesse qui confectionne ces habits. C'est elle qui tisse la manifestation des réalités cachées, la vérité de toutes choses. Prions donc le Seigneur pour obtenir de la recevoir, et elle nous revêtira de tels habits.

Ordre

De plus, observe combien la suite du récit est sainte et admirable. Il n'y a point d'abord le logium et ensuite l'huméral : la sagesse ne précède pas les œuvres, mais les œuvres doivent exister d'abord, et ensuite il faut chercher la sagesse. Et puis, la manifestation n'est pas avant le rational : on ne doit pas enseigner les autres avant d'être soi-même instruit et raisonnable. Or on leur ajoute la vérité, car la vérité est la suprême sagesse. Ainsi même le prophète conserve cet ordre, quand il dit : « Faites-vous des semailles selon la justice et récoltez du fruit de la vie ; soyez illuminés de la lumière de la science[f]. » Tu vois qu'il ne dit pas d'abord : « Soyez illuminés de la lumière de la science », mais : « Faites-vous des semailles selon la justice » ; et semer ne suffit pas, mais, dit-il, « récoltez du fruit de la vie », afin qu'après cela vous puissiez accomplir la suite : « Soyez illuminés de la lumière de la science. » Ainsi donc ici encore la parure de l'huméral est imposée, et cela ne suffit pas, mais on le serre par une ceinture. Ce n'est même pas assez : on le serre encore une seconde fois, afin qu'alors seulement le rational puisse être placé au-dessus, et qu'on mette ensuite la manifestation et la vérité[g]. Voilà les habits que met le pontife ; d'une telle parure doit être revêtu celui qui exerce le sacerdoce.

« Tiare »

5. Ce n'est pas encore fini, il faut en outre ajouter une autre parure : il est nécessaire qu'il reçoive aussi une couronne. Aussi

accipit primo *cidarim*, quod est vel operimentum quoddam capitis vel ornamentum. Et post haec superponitur ei
5 *mitra*. *Ante faciem*, id est a fronte pontificis, *lamina aurea sanctificata*[a], in qua sculptum dicitur vocabulum Dei[b]. Verum iste capitis ornatus, ubi nomen Dei impositum dicitur, post illa omnia, quibus inferiora corporis membra fuerant exornata, superponitur. In quo mihi indicari
10 videtur, quod super omnia, quae vel de mundo vel de ceteris creaturis sentiri aut intelligi possunt, eminentior tamquam auctoris omnium scientia Dei sit. Et quia ipse *caput est omnium*[c], ideo et ornatus iste super omnia capiti superponitur; nihil enim post haec adicitur pontificis capiti.
15 Et ideo miseri sunt illi, de quibus dicit Apostolus quia non tenent *caput*, *ex quo omnis iunctura conexa et compaginata crescit in incrementum Dei in Spiritu*[d].

Sed nos si bene intelleximus, qui sit sacerdotis ornatus, quive super omnia honor capitis eius, mysteriorum divi-
20 norum profunda mirantes non scire tantum haec et audire, sed et implere desideremus et facere, quia *non auditores legis iustificabuntur apud Deum*, *sed factores*[e]. Potes enim et tu, ut saepe iam diximus, si studiis et vigiliis tuis huiuscemodi tibi praeparaveris indumenta, si te abluerit
25 et mundum fecerit sermo legis et unctio chrismatis et gratia in te baptismi incontaminata duraverit, si indutus fueris indumentis duplicibus, litterae ac spiritus, si etiam dupliciter accingaris, ut carne et animo castus sis, si *humerali* operum et sapientiae *rationali* orneris, si etiam

5 a. Cf. Lév. 8, 9 || b. Cf. Ex. 28, 32.36 || c. Cf. I Cor. 11, 3 || d. Col. 2, 19 || e. Rom. 2, 13

---

1. L'hébreu n'a qu'un terme, généralement traduit par « turban ». Dans les *Hexaples* (sur *Lév.* 8, 9), Origène en présente un second comme variante... Pour PHILON, il y a bien deux ornements : « Sur cette plaque, il y avait un bandeau *(mitra)*, pour éviter le frottement

reçoit-il d'abord « la tiare », sorte de coiffure ou d'ornement de la tête[1]. Puis, lui est superposée « la mitre ». « En avant de sa face », c'est-à-dire sur le front du pontife, « une lame d'or sacrée[a] » sur laquelle, dit-on, est gravé le nom de Dieu[b]. Mais cette parure de la tête où, dit-on, est inscrit le nom de Dieu, c'est après tout ce dont avaient été ornés les membres inférieurs du corps qu'elle est superposée. Cela me paraît signifier qu'au-dessus de tout ce qui peut être senti ou compris soit du monde soit des autres créatures, s'élève, plus éminente, comme celle de l'auteur de toutes choses, la science de Dieu. Et parce qu'il est lui-même « la tête de toutes choses[c] », pour cette raison cette parure est placée au-dessus de tout, sur la tête ; car rien n'est ensuite ajouté à la tête du pontife. Aussi, malheureux sont ceux dont l'Apôtre dit qu'ils ne tiennent pas à « la tête, d'où chaque jointure, reliée et unie, tire la croissance que Dieu lui donne dans l'Esprit[d] ».

Exhortation

Mais nous, si nous avons bien compris quelle est la parure du prêtre, ou quel est par-dessus tout l'honneur de sa tête, admirant la profondeur des mystères divins, désirons non seulement les savoir et les entendre, mais encore les accomplir et les mettre en pratique, car « ce ne sont pas les auditeurs de la Loi qui sont justifiés devant Dieu, mais ses observateurs[e] ». Tu le peux, toi aussi ; nous l'avons déjà dit souvent, si par tes études et tes veilles tu te prépares des habits de ce genre, si la parole de la Loi te lave et te rend pur, si l'onction du chrême et la grâce du baptême persistent en toi sans souillure, si tu es revêtu des deux habits de la lettre et de l'esprit, si encore tu mets deux ceintures afin d'être chaste de chair et d'esprit, si tu te pares de l'huméral des œuvres et du rational de la

sur la tête. Et en outre, on lui avait confectionné un turban *(cidaris)*, car les monarques orientaux portent un turban au lieu d'un diadème. » *De vita Mosis* II, 116, tr. R. Arnaldez.

30 *mitra* tibi et *lamina aurea*[f] plenitudo scientiae Dei, caput coronet, scito te, etiamsi apud homines lateas et ignoreris, apud Deum tamen agere pontificatum intra animae tuae templum. *Vos enim estis templum Dei vivi*, si *Spiritus Dei habitat in vobis*[g]. Post haec quae de consecratione eius 35 dicuntur et de unctione, sparsim a nobis et saepe disserta sunt.

6. Quod autem dicit : *Et applicuit Moyses filios Aaron, et induit eos tunicas et praecinxit eos zonas et imposuit iis cidaras, sicut praecepit Dominus Moysi*[a], attendendum est, quae sit differentia minorum sacerdotum ad maiora 5 sacerdotia. Istis neque bina indumenta traduntur neque *humeralis* neque *rationalis*, neque *capitis ornatus*, nisi tantum *cidaris* et *zonae*, quae tunicam stringant[b]. Et isti ergo accipiunt sacerdotii gratiam, et isti funguntur officio, sed non ut ille, qui et *humerali* et *rationali* ornatus est, 10 qui *manifestatione et veritate* resplendet, qui *aureae laminae* ornamento decoratur. Unde arbitror aliud esse in sacerdotibus officio fungi, aliud instructum esse in omnibus et ornatum. Quivis enim potest sollemni ministerio fungi ad populum; pauci autem sunt [qui] ornati moribus, 15 instructi doctrina, sapientia eruditi, ad manifestandam veritatem rerum peridonei et qui scientiam fidei non sine ornamento sensuum et adsertionum fulgore depromant, quod *aureae laminae* capiti impositus designat ornatus. Unum igitur est sacerdotii nomen, sed non una vel pro 20 vitae merito vel pro animi virtutibus dignitas. Et ideo in his, quae lex divina describit, veluti in speculo inspicere

5 f. Lév. 8, 7 s. || g. Cf. II Cor. 6, 16 ; I Cor. 3, 16
6 a. Lév. 8, 13 || b. Cf. Lév. 8, 7 s.

---

1. La hiérarchie externe présupposerait, au moins comme idéal, une hiérarchie interne de grâce. Et l'action des ministres devrait

sagesse, si en outre la mitre et la lame d'or[f], plénitude de la science de Dieu, te couronnent la tête, sache-le, même caché parmi les hommes et ignoré, auprès de Dieu du moins tu exerces la fonction de pontife à l'intérieur du temple de ton âme. « Car vous êtes le temple du Dieu vivant », si « l'Esprit de Dieu habite en vous[g]. » Ce qu'on dit ensuite de la consécration et de l'onction, nous l'avons expliqué çà et là et à maintes reprises.

Sacerdoce

6. « Moïse fit approcher les fils d'Aaron et les habilla de deux tuniques, les ceignit de ceintures et leur imposa des tiares, comme le Seigneur l'avait prescrit à Moïse[a]. » A noter ici la distinction entre prêtres inférieurs et sacerdoces supérieurs. Aux premiers, on ne met ni deux habits, ni huméral, ni rational, ni parure de la tête, mais seulement une tiare et des ceintures pour serrer leur tunique[b]. Ils reçoivent donc la grâce du sacerdoce, ils en accomplissent le ministère, mais non pas comme celui qui est paré de l'huméral et du rational, qui brille de l'éclat de la manifestation et de la vérité, qui est décoré de l'ornement d'une lame d'or. C'est donc, je pense, une chose pour les prêtres d'accomplir leur ministère, et une autre d'être en tout instruit et paré. N'importe lequel peut s'acquitter d'un ministère solennel devant le peuple ; mais peu sont parés de bonnes mœurs, instruits en doctrine, formés à la sagesse, très propres à rendre manifeste la vérité des choses, et qui communiquent la science de la foi sans omettre l'ornement des significations et l'éclat des affirmations, ce que symbolise la parure de la lame d'or posée sur la tête. Unique donc est le nom du sacerdoce ; non point unique sa dignité, proportionnée au mérite de la vie comme aux vertus de l'âme[1]. Aussi cette description de la Loi divine est-elle comme un

être à la fois sacramentelle et pneumatique. Cf. K. RAHNER, *Doctrine*, p. 279 s., et la note complémentaire 18.

se debet unusquisque sacerdotum et gradus meriti sui inde colligere, si se videat in his omnibus, quae supra exposuimus, positum pontificalibus ornamentis; si conscius
25 sibi sit, quod vel in scientia vel in actibus vel in doctrina tantus ac talis sit, sciat se summum sacerdotium non solum nomine, sed et meritis obtinere. Alioquin inferiorem sibi gradum positum noverit, etiamsi primi nomen acceperit.

Non nos sane debet praeterire etiam hoc, quod potest
30 ab studioso lectore proferri, in quo et ego saepe mecum ipse haesitavi. In Exodo enim legens, ubi de sacerdotalibus mandatur indumentis[c], invenio octo esse species, quae pontifici praeparantur; hic vero septem tantummodo numerantur. Requiro ergo quid sit, quod omissum est.
35 Octava species ibi ponitur campestre, sive, ut alibi legimus, femoralia linea[d], de quo hic inter cetera siluit indumenta. Quid ergo dicemus ? Oblivionem dabimus in verbis Spiritus sancti, ut, cum cetera omnia secundo enarraverit, una eum species superius dicta latuerit ? Non
40 audeo haec de sacris sentire sermonibus. Sed videamus, ne forte, quoniam in superioribus diximus hoc genus indumenti indicium castitatis videri, quo vel femora operiri vel constringi renes videntur ac lumbi, ne forte, inquam, non semper in illis, qui tunc erant sacerdotes,
45 has partes dicat esse constrictas; aliquando enim et de posteritate generis et successu subolis indulgetur. Sed ego in sacerdotibus Ecclesiae huiusmodi intelligentiam non introduxerim; aliam namque rem video occurrere sacramento.

6 c. Cf. Ex. 28, 2 s. || d. Cf. Ex. 28, 42

---

1. « Campestre, femoralia » sont synonymes pour Origène, cf. encore *hom.* 4, 6. Le second terme est attesté dans la Bible : « Circumpedes, et femoralia, et humerale posuit ei », *Eccl.* 45, 10. Il a pour synonyme « feminalia » : « Facies et feminalia linea, ut operant

miroir où doit s'examiner chaque prêtre pour en déduire les degrés de son mérite, s'il se voit revêtu de tous les ornements pontificaux présentés plus haut ; s'il a conscience d'être éminent par sa science, par ses actes, par sa doctrine, qu'il le sache : il obtient le sacerdoce le plus élevé non seulement en titre mais en mérite. Sinon, il saura le degré inférieur qui est son rang, même s'il a reçu le nom du premier.

Hutième vêtement

Sans doute ne doit-on point passer sous silence cette difficulté qu'un lecteur studieux peut relever, sur laquelle moi aussi, j'ai souvent hésité à part moi. Lisant le passage de l'*Exode* relatif aux vêtements sacerdotaux prescrits[c], je trouve huit espèces préparées pour le pontife ; ici, on n'en compte que sept. Je cherche celle qu'on a omise. Une huitième est présentée là, le pagne, ou comme on lit ailleurs[1], les bandes de lin[d], non signalé ici parmi les autres vêtements. Que dire alors ? Admettre un oubli dans les paroles de l'Esprit Saint : quand il expose une seconde fois toutes les autres, une espèce, indiquée plus haut, lui aurait échappé ? Je n'ose penser cela des paroles sacrées. Mais examinons si par hasard — comme nous avons dit plus haut que cette sorte de vêtement paraît être un signe de chasteté, duquel on doive couvrir les cuisses ou serrer les reins et les lombes — si par hasard, dis-je, cela signifierait que chez les prêtres de l'époque ces parties du corps ne sont pas toujours étroitement serrées ; et de fait on faisait alors des concessions pour la postérité de la race et la suite de la descendance. Mais pour les prêtres de l'Église, je ne voudrais pas introduire une telle interprétation ; je vois un autre sens se présenter sous le rite.

carnem turpitudinis suae, a renibus usque ad femora », *Ex.* 28, 42. Il s'agissait de bandes à mettre autour des cuisses, d'après SUÉTONE, *Auguste* 82. Je traduis le premier « pagne », et le second « bandes ».

50 Possunt enim et in Ecclesia sacerdotes et doctores filios generare, sicut et ille, qui dicebat : *Filioli mei, quos iterum parturio, donec formetur Christus in vobis*[e]. Et iterum alibi dicit : *Tametsi multa milia paedagogorum habeatis in Christo, sed non multos patres. Nam in Christo* 55 *Iesu per Evangelium ego vos genui*[f]. Isti ergo doctores Ecclesiae in huiusmodi generationibus procreandis aliquando constrictis femoralibus utuntur et abstinent a generando, cum tales invenerint auditores, in quibus sciant se fructum habere non posse. Denique et in Actibus 60 Apostolorum refertur de quibusdam quod *non potuimus* inquit *in Asia verbum Dei loqui*[g], hoc est imposita habuisse femoralia et continuisse se, ne filios generarent, quia scilicet tales erant auditores, in quibus et semen periret et non posset haberi successio. Sic ergo Ecclesiae sacerdotes, 65 cum incapaces aures viderint aut cum simulatos inspexerint et hypocritas auditores, imponant *campestre*, utantur *femoralibus*[h], non pereat semen verbi Dei, quia et Dominus eadem mandat et dicit : *Nolite mittere sanctum canibus neque margaritas vestras ante porcos, ne forte conculcent* 70 *eas pedibus et conversi dirumpant vos*[i].

Propterea ergo si qui vult pontifex non tam vocabulo esse quam merito, imitetur Moysen, imitetur Aaron. Quid enim dicitur de iis ? Quia *non discedunt de tabernaculo Domini*[j]. Erat ergo Moyses indesinenter in *tabernaculo* 75 *Domini*. Quod autem opus eius erat ? Ut aut a Deo aliquid disceret aut ipse populum doceret. Haec duo sunt pontificis

6 e. Gal. 4, 19 || f. I Cor. 4, 15 || g. Cf. Act. 16, 6 || h. Cf. Ex. 28, 42 || i. Matth. 7, 6 || j. Cf. Lév. 10, 7

---

1. A l'adresse des évêques, l'exigence est formulée un peu différemment : « Exécuter avec exactitude et attention ce qui est écrit est un devoir, surtout pour ceux qui ont la gloire d'appartenir à l'ordre sacerdotal ; ils doivent connaître ce que la Loi divine leur

Dans l'Église aussi, prêtres et docteurs peuvent engendrer des fils, comme celui qui disait : « Mes petits enfants, que dans la douleur j'enfante à nouveau jusqu'à ce que le Christ soit formé en vous[e]. » Et encore ailleurs il dit : « Auriez-vous des milliers de pédagogues dans le Christ, vous n'avez pas plusieurs pères. C'est moi qui, par l'Évangile, vous ai engendrés dans le Christ Jésus[f]. » Donc ces docteurs de l'Église, à l'égard de ce genre de descendance à procréer, gardent parfois serrées les bandes et s'abstiennent d'engendrer, quand ils trouvent des auditeurs tels qu'en eux ils savent ne pas pouvoir produire du fruit. Ainsi dans les *Actes des Apôtres*, on rapporte que certains dirent : « Nous n'avons pu, en Asie, annoncer la parole de Dieu[g]. » C'est dire qu'ils ont mis les bandes et se sont retenus d'engendrer des fils, parce qu'évidemment les auditeurs étaient tels qu'en eux la semence eût péri et qu'une descendance n'eût pas été possible. Ainsi donc les prêtres de l'Église, quand ils remarqueront des oreilles incapables, ou repéreront des auditeurs simulateurs et hypocrites, qu'ils prennent le pagne, qu'ils mettent les bandes[h], que ne périsse pas la semence de la parole de Dieu, car le Seigneur donne un ordre identique : « Ne jetez pas ce qui est sacré aux chiens ni vos perles devant les porcs, de peur qu'ils ne les foulent aux pieds et que, se retournant, ils ne vous déchirent[i]. »

Méditer et prier Voilà pourquoi, si quelqu'un veut être pontife moins par le titre que par le mérite, qu'il imite Moïse, qu'il imite Aaron. De fait, que dit-on d'eux ? « Ils ne s'éloignent pas de la tente du Seigneur[j]. » Moïse était donc sans cesse dans la tente du Seigneur. Et à quoi s'occupait-il ? A apprendre de Dieu quelque vérité ou à l'enseigner lui-même au peuple[1].

donne à observer... Le devoir ne consiste pas seulement à observer les prescriptions extérieures, ' mais en ce que les prêtres s'occupent surtout de ce qui est derrière le voile ', ce qui revient à dire : que les

opera, ut aut a Deo discat legendo scripturas divinas et saepius meditando aut populum doceat. Sed illa doceat, quae ipse a Deo didicerit, non *ex proprio corde*[k], vel ex 80 humano sensu, sed quae Spiritus docet.

Est et aliud opus, quod facit Moyses. Ad bella non vadit, non pugnat contra inimicos. Sed quid facit ? Orat et, donec ille orat, vincit populus eius. Si *relaxaverit et dimiserit manus*, populus eius vincitur et fugatur[l]. Oret ergo et 85 sacerdos Ecclesiae indesinenter, ut vincat populus, qui sub ipso est, hostes invisibiles Amalechitas, qui sunt daemones, impugnantes eos, *qui volunt pie vivere in Christo*[m].

Et ideo nos in his meditantes et haec *die ac nocte*[n] ad 90 memoriam revocantes et orationi instantes ac vigilantes in ea deprecemur Dominum, ut nobis ipse horum, quae legimus, scientiam revelare dignetur et ostendere, quomodo spiritalem legem non solum in intelligentia, sed et in actibus observemus, ut et spiritalem gratiam consequi 95 mereamur illuminati per legem Spiritus sancti, in Christo Iesu Domino nostro, *cui est gloria et imperium in saecula saeculorum. Amen*[o].

6 k. Cf. Éz. 13, 2 ‖ l. Cf. Ex. 17, 11 ‖ m. Cf. II Tim. 3, 12 ‖ n. Cf. Ps. 1, 2 ‖ o. Cf. I Pierre 4, 11 ; Apoc. 1, 6

prêtres s'occupent à la fois d'accomplir les commandements de la Loi divine clairs et manifestes, et de scruter de tout leur discernement ses mystères cachés et voilés. » *In Num. hom.* 10, 3, *GCS* 7, p. 73, 1 s., *SC* 29, tr. A. Méhat, p. 197, modifiée ; voir les notes.

Telles sont les deux occupations du pontife : apprendre de Dieu en lisant les Écritures divines et en les méditant très souvent, ou enseigner le peuple. Mais qu'il enseigne ce qu'il a appris de Dieu, non de son propre cœur[k] ou d'un sens humain, mais ce qu'enseigne l'Esprit[1].

Il est une autre occupation de Moïse. Il ne va point à la guerre, ne combat pas contre les ennemis. Mais que fait-il ? Il prie, et tant qu'il prie, son peuple est vainqueur. S'il « se relâche et abaisse les mains », son peuple est vaincu et mis en fuite[l]. Ainsi donc que le prêtre de l'Église aussi prie sans cesse, pour que le peuple qui dépend de lui vainque ses ennemis, les Amalécites invisibles : les démons qui assaillent « ceux qui veulent vivre avec piété dans le Christ[m] ».

C'est pourquoi nous aussi, méditant ces textes et les rappelant à notre mémoire « jour et nuit », assidus à la prière et lui consacrant nos veilles[n], supplions le Seigneur de daigner lui-même nous dévoiler la science de ce que nous lisons, et nous montrer comment observer la Loi spirituelle, non seulement dans l'intelligence mais aussi dans les actes, afin que, illuminés par la Loi de l'Esprit Saint, nous méritions d'obtenir la grâce spirituelle, dans le Christ Jésus notre Seigneur, « à qui est gloire et puissance pour les siècles des siècles. Amen[o] ».

1. « Il y eut en Israël des prophètes de nom plutôt qu'en vérité. Il y a aujourd'hui dans l'Israël véritable qu'est l'Église de pseudo-prophètes et de faux maîtres... Enseigner cela même que le Seigneur Jésus-Christ a dit, c'est dire, non de son propre cœur mais de par l'Esprit Saint, les paroles de Jésus Fils de Dieu. » *In Ezech. hom.* 2, 2, *GCS* 8, p. 341-342.

HOMILIA VII

De eo, quod mandatum est Aaron et filiis eius, ut *vinum et siceram non bibant, cum ingrediuntur tabernaculum testimonii, vel cum accedunt ad altare*, et de *pectusculo appositionis et bracchio separationis*[a] et de mundis et immundis animalibus vel cibis[b].

1. Plura quidem superiori lectione fuerant recitata, ex quibus temporis brevitate constricti pauca admodum diximus. Non enim nunc exponendi Scripturas, sed aedificandi Ecclesiam ministerium gerimus, quamvis et ex his,
5 quae a nobis ante tractata sunt, prudens quisque auditor evidentes ad intelligendum possit semitas invenire. Et ideo ex his quoque, quae nunc lecta sunt, quoniam cuncta non possumus, aliqua tamen, quae aedificent auditores, velut *agri pleni, quem benedixit Dominus*[a], flosculos colligemus.
10 Quid ergo sit, quod nunc nobis lectum est, videamus. *Et locutus est Dominus ad Aaron dicens: vinum et siceram non bibetis tu et filii tui tecum, cum intrabitis in tabernaculum testimonii, aut cum acceditis ad altare, et non moriemini. Legitimum aeternum in progenies vestras, discernere inter*
15 *medium sanctorum et contaminatorum et inter medium immundorum et inter medium mundorum et instruere filios Istrahel omnia legitima, quae locutus est Dominus ad eos per manum Moysi*[b].

Tit. a. Cf. Lév. 10, 9.14 s. || b. Cf. Lév. 11, 1 s.
1 a. Cf. Gen. 27, 27 || b. Lév. 10, 8-11

VII

< INTERDICTION DU VIN AUX OFFICIANTS. PART DES PRÊTRES. ANIMAUX PURS ET IMPURS >

Prescription faite à Aaron et ses fils « de ne pas boire de vin ni de boisson fermentée quand ils vont à la tente du témoignage ou s'approchent de l'autel »; « poitrine présentée » et « épaule séparée[a] », animaux et aliments purs et impurs[b].

1. Bien des choses avaient été lues à la lecture précédente dont, limité par la brièveté du temps, nous avons expliqué un très petit nombre. En effet, pour le moment nous n'accomplissons pas le ministère d'exposer les Écritures, mais d'édifier l'Église, encore que nos derniers entretiens aient pu faire découvrir à chaque auditeur avisé des voies claires d'interprétation. Pour la même raison, de ce qu'on vient de lire, ne pouvant tout voir, nous cueillerons quelques traits édifiant les auditeurs, comme des fleurs « d'un champ fertile que le Seigneur a béni[a] ».

Loi sur la sobriété des prêtres

Voyons donc ce qu'on vient de nous lire : « Le Seigneur parla à Aaron en ces termes : Ni vin ni boisson fermentée vous ne boirez, toi et tes fils avec toi, quand vous entrerez dans la tente du témoignage, ou quand vous approcherez de l'autel. Ainsi vous ne mourrez pas. Loi perpétuelle pour vos générations, afin de discerner entre le sacré et le profane, entre l'impur et le pur, et afin d'enseigner aux fils d'Israël toutes les lois que le Seigneur a dictées pour eux par l'intermédiaire de Moïse[b]. »

Lex evidens datur et sacerdotibus et principi sacerdotum,
20 ut, *cum accedunt ad altare, vino abstineant, et omni potu, quod inebriare potest*, quod Scripturae divinae appellatione vernacula *sicera* moris est nominare. Vult ergo sermo divinus sobrios in omnibus esse Domini sacerdotes, utpote qui *accedentes ad altare* Dei *orare pro populo*[c] debeant et
25 pro alienis intervenire delictis, qui portionem in terra non habeant, sed ipse *Dominus portio eorum* sit. Sic enim dicit de eis Scriptura : *Filiis* inquit *Levi non dabitis partem in medio fratrum suorum, quia ego portio eorum Dominus Deus ipsorum*[d]. Vult ergo istos, quibus ipse *Dominus portio* est,
30 sobrios esse, ieiunos, vigilantes in omni tempore, maxime autem cum ad exorandum Dominum et sacrificandum in conspectu eius altaribus praesto sunt.

Quae mandata in tantum vim sui servant et omni observantia custodienda sunt, ut et Apostolus haec eadem
35 Novi Testamenti legibus firmet[e]. In quo similiter etiam ipse sacerdotibus vel principibus sacerdotum vitae regulas ponens dicit eos *non* debere esse *vino multo* servientes, sed *sobrios* esse[f]. Sobrietas vero omnium virtutum mater est, sicut e contrario ebrietas omnium vitiorum. Aperte etenim
40 pronuntiavit Apostolus dicens : *Vinum, in quo est luxuria*[g], ut ostenderet ex ebrietate veluti primogenitam filiam generari luxuriam.

Tum praeterea et Salvator Domini et regis auctoritate sacerdotibus simul et populis leges ac jura constituens :
45 *Attendite* inquit *ne forte graventur corda vestra in ebrietate et crapula et in sollicitudinibus saeculi, et veniat super vos*

1 c. Cf. Lév. 9, 7 || d. Nombr. 18, 20 || e. Cf. I Tim. 5, 23 || f. Cf. Tite 1, 7.8 ; 2, 2.3 || g. Éphés. 5, 18

---

1. Aaron, le prêtre, « ne se laissera jamais, de lui-même, approcher par le vin ni par toute drogue qui provoque la déraison », PHILON, *De ebr.* 128, tr. J. Gorez.

Sens littéral Une loi claire est donnée aux prêtres et au prince des prêtres, celle, « quand ils s'approchent de l'autel, de s'abstenir de vin et de toute boisson enivrante », que la divine Écriture a coutume de nommer par l'appellation familière de « boisson fermentée ». La parole divine veut donc les prêtres du Seigneur sobres en tout[1], vu que, « approchant de l'autel » de Dieu, ils doivent « prier pour le peuple[c] », intercéder pour les fautes d'autrui, et vu qu'ils n'ont pas d'héritage sur terre, mais que le Seigneur lui-même est leur héritage. C'est ce que dit d'eux l'Écriture : « Aux fils de Lévi vous ne donnerez point de part au milieu de leurs frères : leur héritage c'est moi, leur Seigneur Dieu[d]. » Elle veut donc que ceux dont Dieu lui-même est l'héritage soient sobres, tempérants, sur leurs gardes toujours, mais surtout quand ils se trouvent à l'autel pour prier le Seigneur et sacrifier en sa présence.

Ces ordres gardent leur force, exigent une stricte observance, à tel point que l'Apôtre même les confirme par les lois du Nouveau Testament[e]. Là, de la même manière lui aussi, posant pour les prêtres et les princes des prêtres des règles de vie, il déclare qu'ils doivent « ne pas s'adonner au vin » mais « être sobres[f] ». Or la sobriété est mère de toutes les vertus, comme en retour l'ivresse est mère de tous les vices[2]. Et de fait l'Apôtre a ouvertement proclamé « le vin source de luxure[g] », pour montrer que l'ivresse enfante la luxure comme sa fille aînée.

En outre le Sauveur même, par son autorité de Seigneur et de Roi, fixant règles et lois pour les prêtres en même temps que pour les peuples, déclare : « Prenez garde que vos cœurs ne s'appesantissent dans l'ivresse et l'orgie, et dans les soucis du siècle, et que la mort ne fonde sur vous

2. « Au total, autant il y a de maux produits par l'ivresse, autant il y a en regard de biens dus à la sobriété », PHILON, *De sobr.* 2, tr. J. Gorez.

subitaneus interitus[h]. Audistis edictum regis aeterni et lamentabilem finem *ebrietatis* vel *crapulae* didicistis. Si quis vobis peritus et sapiens medicus his ipsis verbis
50 praeciperet et diceret : attendite vobis, ne qui, verbi gratia, de illius vel illius herbae suco avidius sumat; quod si fecerit, subitus ei veniet interitus : non dubito quod unusquisque propriae salutis intuitu praemonentis medici praecepta servaret. Nunc vero animarum et corporum
55 medicus simulque Dominus iubet *ebrietatis* herbam et *crapulae* vitandam, similiter et sollicitudinum saecularium velut mortiferos sucos cavendos. Et nescio si quis nostrum non in his consumitur, uti ne dixerim sauciatur.

Est ergo ebrietas vini perniciosa in omnibus; sola
60 namque est, quae simul cum corpore et animam debilem reddat. In ceteris etenim potest fieri, ut secundum Apostolum, cum *infirmatur* corpus, tunc *magis potens sit* spiritus[i], et ubi *is, qui deforis est, homo corrumpitur, ille, qui intus est, renovetur*[j]. In ebrietatis vero aegritudine corpus
65 simul et anima corrumpitur, spiritus pariter cum carne vitiatur. Omnia membra debilia, pedes manus, lingua resoluta; oculos tenebrae, mentem velat oblivio, ita ut hominem se nesciat esse nec sentiat. Habet ergo istud primo dedecoris corporalis ebrietas.

1 h. Lc 21, 34 || i. Cf. II Cor. 12, 10 || j. Cf. II Cor. 4, 16

---

1. Le rapprochement médecine et sagesse ou philosophie était classique, cf. Cicéron, *Tusc.* 3, 1 et 3. Voir *CC* 3, 75, *SC* 136, p. 168 s. et note.

2. Pour le titre de « médecin des corps et des âmes », cf. *hom.* 7, 2 ; 8, 1 et note. *De princ.* 2, 10, 6, *SC* 252, p. 386, 11. *In Jer.* 12, 5 ; (latin) 2, 6, *SC* 238, p. 26 s., 350 s.

à l'improviste[h]. » Vous avez entendu la proclamation du roi éternel, vous avez appris la déplorable fin de l'ivresse et de l'orgie. Qu'un médecin habile et sage[1] vous donne des prescriptions identiques, disant par exemple : Prenez garde que personne ne prenne avec excès du suc de telle ou telle herbe, le faire provoquerait la mort subite : je ne doute pas que chacun pour son salut obéirait à la mise en garde du médecin. Or voici que le médecin des âmes et des corps[2] en même temps que le Seigneur ordonne de se garder de l'herbe de l'ivresse et de l'orgie, et pareillement des soucis du siècle comme de sucs mortels à éviter. Et je ne sais si l'un d'entre vous ne s'y épuise, pour ne pas dire ne s'y blesse.

Ivresse de vin

Ainsi donc, l'ivresse de vin est pernicieuse de toute manière : elle est la seule qui débilite l'âme en même temps que le corps[3]. Dans les autres cas, il peut se faire que, selon l'Apôtre, quand le corps « devient faible », alors l'esprit « soit plus fort[i] », et lorsque « l'homme extérieur dépérit, l'homme intérieur se renouvelle[j] ». Mais dans la maladie de l'ivresse, le corps en même temps que l'âme se détériore, l'esprit tout comme la chair se corrompt. Tous les membres sont faibles, les pieds, les mains[4] ; la langue s'embrouille[5] ; les ténèbres jettent un voile sur les yeux, et l'oubli, sur l'intelligence : on ne sait plus, on ne sent plus qu'on est un homme. Voilà d'abord l'état de déchéance qu'est l'ivresse corporelle.

3. « N'est-ce pas ... ridicule de s'y rendre (aux prières et aux sacrifices sacrés) accablés par le vin à la fois dans son corps et dans son âme ? » PHILON, *De ebr.* 130, tr. J. Gorez.

4. Cf. PHILON, *De ebr.* 131 ; CLEM. ALEX., *Paedag.* 2, 2, 24, *SC* 108, p. 54 s.

5. « Ils boivent jusqu'à la défaillance extrême du corps et de l'âme », PHILON, *De plant.* 160, tr. J. Pouilloux.

70 Iam vero si discutiamus, quot modis mens inebriatur humana, inveniemus ebrios etiam eos, qui sibi sobrii videntur. Iracundia inebriat animam, furor vero eam plus quam ebriam facit, si quid tamen esse ebrietate amplius potest. Cupiditas et avaritia non solum ebrium, sed et 75 rabidum hominem reddunt. Et obscenae concupiscentiae inebriant animam, sicut e contrario et sanctae concupiscentiae inebriant eam, sed ebrietate sancta illa, de qua dicebat quidam sanctorum : *Et poculum tuum inebrians quam praeclarum est*[k]. Sed postmodum de ebrietatis diversitate 80 videbimus; nunc interim vide quanta sunt, quae inebriant animam : et formido inebriat eam et vana suspicio; invidia autem et livor supra omnem ebrietatem macerant eam. Sed enumerari non possunt, quanta sunt, quae infelicem animam vitio ebrietatis afficiant.

85 Nunc interim de sacerdotibus videamus, quos accedentes ad altare vino lex praecipit abstinere. Et quidem quantum ad historicum pertinet praeceptum, sufficiant ista quae dicta sunt. Quantum autem ad intelligentiam mysticam spectat, in superioribus nostra tenetur professio quod 90 secundum auctoritatem Pauli Apostoli Dominus et Salvator noster *futurorum bonorum pontifex*[l] dicitur. Ipse est ergo *Aaron*, *filii* vero *eius* Apostoli eius sunt, ad quos ipse dicebat : *Filioli, adhuc modicum vobiscum sum*[m]. Quod ergo praecepit lex *Aaron et filiis eius*, ut *vinum et siceram* 95 *non bibant cum accedunt ad altare*[n], videamus, quomodo

1 k. Ps. 22, 5 || l. Cf. Hébr. 9, 11 || m. Jn 13, 33 || n. Cf. Lév. 10, 9

---

1. Le thème de la bonne ivresse, de la sobre ivresse apparaît avec PHILON, *De ebr.* 145 s. ; *De fuga* 166 ; *Leg. alleg.* I, 82 ; *Vita Mosis* I, 187, etc. Thème qui sera développé dans la Patristique, cf. J. DANIÉLOU, *Platonisme et Théologie Mystique*, p. 290-294. Il ne se trouve pas chez Clément. Origène parle ici de l'ivresse sainte, bonne ; ailleurs, de l'ivresse divine, *In Jo.*, 1, 30 (33), *SC* 120, p. 161. Cf. H. CROUZEL, *Connaissance*, p. 184-191.

Ivresse des passions

Or si nous examinons de combien de manières peut s'enivrer l'esprit humain, nous trouverons ivres même des gens qui se croient sobres. La colère enivre l'âme, mais la fureur la rend plus qu'ivre, si jamais quelque chose peut dépasser l'ivresse. La cupidité et l'avarice rendent l'homme non seulement ivre, mais enragé. Les désirs obscènes enivrent l'âme, comme en revanche les saints désirs l'enivrent, mais de cette sainte ivresse[1] dont l'un des saints disait : « Et ta coupe enivrante, qu'elle est splendide[k] ! » Mais plus tard nous verrons le cas de cette ivresse différente ; pour l'instant, vois quelle foule de passions enivrent l'âme[2] : la peur encore l'enivre, et le vain soupçon ; mais l'envie et la jalousie plus que toute ivresse la minent. Et l'on ne peut énumérer toutes les passions qui affectent du vice de l'ivresse l'âme infortunée.

Interprétation mystique : le Sauveur

Bornons-nous ici au cas des prêtres à qui la Loi ordonne de s'abstenir de vin quand ils s'approchent de l'autel. Pour le précepte historique, ce qu'on a dit peut suffire. Relativement à l'interprétation mystique, plus haut se trouve notre déclaration que, selon l'autorité de l'apôtre Paul, notre Seigneur et Sauveur est dit « pontife des biens à venir[l] ». Donc Aaron, c'est lui-même ; les fils d'Aaron sont ses apôtres auxquels il disait : « Mes petits enfants, il me reste peu de temps à être avec vous[m]. » Or, ce que la Loi prescrivit à Aaron et à ses fils[3], de ne boire ni vin ni boisson fermentée quand ils s'approchent de l'autel[n], voyons comment nous pouvons l'appliquer au

2. « Les évêques qui prient pour le peuple doivent se détourner de l'ivresse, non seulement celle du vin, mais encore celle des affaires et des discussions humaines », *Sel. in Lev.* 10, 9, *PG* 12, 400 C.

3. L'éditeur Baehrens avait écrit : *Quid...* (interrogatif). Il a corrigé son texte, reprenant la leçon des manuscrits : *Quod...*, cf. *GCS* 7, p. XXXV.

id vero pontifici Iesu Christo Domino nostro et sacerdotibus eius ac filiis, nostris vero Apostolis, possimus aptare.

Et perspiciendum primo est, quomodo prius quidem quam *accedat ad altare* verus hic pontifex cum sacerdotibus 100 suis bibit vinum; cum vero incipit *accedere ad altare et ingredi in tabernaculum testimonii*, abstinet vino. Putas possumus invenire tale aliquid ab eo gestum ? Putas possumus veteris instrumenti formas Novi Testamenti gestis et sermonibus coaptare ? Possumus, si nos ipsum Dei 105 Verbum et iuvare et inspirare dignetur. Quaerimus ergo, quomodo Dominus et Salvator noster, qui est verus pontifex, cum discipulis suis, qui sunt veri sacerdotes, antequam *accedat ad altare* Dei, bibat vinum, cum vero *accedere* coeperit, non bibat.

110 Venerat in hunc mundum Salvator, ut *pro peccatis nostris* carnem suam *offerret hostiam Deo*[o]. Hanc priusquam offerret, inter dispensationum moras vinum bibebat. Denique dicebatur *homo vorax et vini potator*, *amicus publicanorum et peccatorum*[p]. Ubi vero tempus advenit 115 crucis suae et *accessurus erat ad altare*, ubi immolaret hostiam carnis suae : *Accipiens* inquit *calicem benedixit et dedit discipulis suis dicens: accipite, et bibite ex hoc*[q]. Vos, inquit, *bibite*, qui modo accessuri non estis ad altare. Ipse autem tamquam *accessurus ad altare* dicit de se : 120 *Amen dico vobis quia non bibam de generatione vitis huius, usquequo bibam illud vobiscum novum in regno Patris mei*[r].

Si quis vestrum auribus ad audiendum purificatis accedit, ineffabilis mysterii intueatur arcanum. Quid est quod dicit : *Quia non bibam ex generatione vitis huius,* 125 *usquequo bibam illud vobiscum novum in regno Patris mei?* Dicebamus in superioribus promissionem sanctis bonae huius ebrietatis datam, cum dicunt : *Et poculum tuum inebrians, quam praeclarum est*[s]. Sed et in aliis multis

1 o. Cf. Éphés. 5, 2 ; Gal. 1, 4 || p. Cf. Matth. 11, 19 || q. Matth. 26, 27 || r. Matth. 26, 29 || s. Ps. 22, 5

pontife véritable Jésus-Christ notre Seigneur, et à ses prêtres et fils, nos apôtres.

Précisons-le d'abord : avant qu'il s'approche de l'autel, ce pontife véritable boit du vin avec ses prêtres ; mais quand il commence à s'approcher de l'autel et à entrer dans la tente du témoignage, il s'abstient de vin. Crois-tu que nous pouvons trouver le sens d'une telle conduite de sa part ? Crois-tu que nous pouvons adapter les expressions de l'ancienne législation aux actes et aux paroles du Nouveau Testament ? Nous le pouvons, si le Verbe de Dieu lui-même daigne nous aider et nous inspirer. Nous cherchons donc en quel sens notre Seigneur et Sauveur le pontife véritable, avec ses disciples les prêtres véritables, avant de s'approcher de l'autel de Dieu boit du vin, mais quand il commence de s'approcher n'en boit plus.

Le Sauveur était venu en ce monde afin « d'offrir en victime à Dieu » sa chair « pour nos péchés[o] ». Avant qu'il l'offre, dans cette période de l'économie, il buvait du vin. Ainsi on le disait « glouton et ivrogne, ami des publicains et des pécheurs[p] ». Mais quand vint le temps de sa croix, sur le point d'approcher de l'autel où il immolerait sa chair en victime, « il prit la coupe, la bénit et la donna à ses disciples en disant : Prenez et buvez-en[q] ». Buvez, dit-il, vous qui n'allez pas tout de suite approcher de l'autel. Lui au contraire, comme « sur le point d'approcher de l'autel », dit de lui : « En vérité, je vous dis que je ne boirai plus du fruit de cette vigne, jusqu'au jour où je le boirai avec vous, nouveau, dans le royaume de mon Père[r]. »

Ivresse spirituelle

Si l'un de vous s'efforce d'entendre avec des oreilles purifiées, qu'il considère la profondeur d'un sens mystérieux indicible ! Que signifie sa parole : « Je ne boirai plus du fruit de cette vigne, jusqu'au jour où je le boirai avec vous, nouveau, dans le royaume de mon Père » ? Nous disions plus haut la promesse, donnée aux saints, de cette bonne ivresse dont ils parlent : « Et ta coupe enivrante, qu'elle est splendide[s] ! »

Scripturae locis similia legimus, ut ibi : *Inebriabuntur ab*
130 *ubertate domus tuae, et torrentem voluptatis tuae potum dabis illis*[t]. In Ieremia quoque dicit Dominus : *Et inebriabo populum meum*[u]. Et Esaias dicit : *Ecce, qui serviunt mihi bibent, vos autem sitietis*[v]. Et multa de huiuscemodi ebrietate in Scripturis divinis invenies memorari. Quae
135 ebrietas sine dubio pro gaudio animae et laetitia mentis accipitur, sicut et alibi distinxisse nos memini aliud esse nocte inebriari[w] et aliud die inebriari.

2. Si ergo intelleximus, sanctorum quae sit ebrietas, et quomodo haec pro laetitia sanctis in promissionibus datur, videamus nunc, quomodo Salvator noster non bibit vinum, *usquequo bibat illud* cum sanctis *novum in regno*
5 *Dei*[a].

Salvator meus luget etiam nunc peccata mea. Salvator meus laetari non potest, donec ego in iniquitate permaneo. Quare non potest ? Quia ipse est *advocatus pro peccatis nostris apud Patrem*, sicut Iohannes symmista eius pro-
10 nuntiat dicens quia *et si quis peccaverit, advocatum habemus apud Patrem Iesum Christum iustum ; et ipse est repropitiato pro peccatis nostris*[b]. Quomodo ergo potest ille, qui *advocatus* est *pro peccatis* meis, bibere vinum laetitiae, quem ego peccando contristo ? Quomodo potest iste, qui *accedit*
15 *ad altare*[c], ut repropitiet me peccatorem, esse in laetitia, ad quem peccatorum meorum maeror semper adscendit ? *Vobiscum* inquit *illud bibam in regno Patris mei*[d]. Quamdiu nos non ita agimus, ut adscendamus ad regnum, non potest ille vinum bibere solus, quod nobiscum se bibere promisit.

1 t. Ps. 35, 9 || u. Cf. Jér. 38 (31), 14 || v. Is. 65, 13 || w. Cf. I Thess. 5, 7.
2 a. Cf. Matth. 26, 29 || b. I Jn 2, 1-2 || c. Cf. Lév. 10, 9 || d. Cf. Matth. 26, 29

---

1. De l'idée origénienne d'une « souffrance » prolongée du Christ, l'orthodoxie a été soupçonnée. « Elle est cependant presque universel-

De plus, en bien d'autres passages de l'Écriture, on lit des textes semblables, comme dans celui-ci : « Ils s'enivreront de l'abondance de ta maison, au torrent de tes délices tu les feras boire[t]. » Dans Jérémie encore, le Seigneur dit : « Et j'enivrerai mon peuple[u]. » Et Isaïe déclare : « Voici que mes serviteurs boiront, et vous, vous aurez soif[v]. » Et de cette sorte d'ivresse, on trouvera bien des rappels dans les Écritures divines. Cette ivresse, à n'en pas douter, désigne la joie de l'âme et l'allégresse de l'intelligence, selon la distinction que je me souviens avoir faite encore ailleurs entre l'ivresse de nuit[w] et l'ivresse de jour.

Dans l'attente du vin nouveau

2. Si donc nous avons compris ce qu'est l'ivresse des saints, et qu'elle leur est donnée en promesse pour leur allégresse, à présent voyons dans quel sens notre Sauveur ne boit plus de vin, « jusqu'au jour où il le boira » avec les saints, « nouveau, dans le royaume » de Dieu[a].

Mon Sauveur, encore maintenant, pleure mes péchés[1]. Mon Sauveur ne peut goûter d'allégresse tant que je demeure dans l'iniquité. Pourquoi ne le peut-il ? Parce que lui-même est « avocat pour nos péchés auprès du Père », comme le déclare Jean, son intime : « Et si quelqu'un vient à pécher, nous avons un avocat auprès du Père, Jésus-Christ, le Juste ; il est, lui, la victime propitiatoire pour nos péchés[b]. » Comment donc lui, l'avocat pour mes péchés, pourrait-il boire le vin de l'allégresse, quand moi, je le contriste en péchant ? Comment lui, qui « s'approche de l'autel[c] » en victime propitiatoire pour moi pécheur, pourrait-il être dans l'allégresse, quand vers lui la tristesse de mes péchés monte sans cesse ? « Avec vous, dit-il, je le boirai dans le royaume de mon Père[d]. » Tant que nous, nous n'agissons pas de façon à monter au royaume, il ne peut, lui, boire seul ce vin qu'il a promis de boire avec

lement admise aujourd'hui », VON BALTHASAR, *Parole*, p. 90 et p. 139, n. 25. Voir la note complémentaire 20.

20 Est ergo tamdiu in maerore, quamdiu nos persistimus in errore. Si enim Apostolus ipsius *luget quosdam, qui ante peccaverunt et non egerunt paenitentiam in his, quae gesserunt*[e], quid dicam de ipso, qui *Filius* dicitur *caritatis*[f], qui *semet ipsum exinanivit*[g] propter caritatem, quam 25 habebat erga nos et *non quaesivit quae sua sunt*[h], cum *esset aequalis Deo*, sed quaesivit, quae nostra sunt, et propter hoc *evacuavit se*[i] ? Cum ergo ita, quae nostra sunt, quaesierit, nunc iam nos non quaerit nec quae nostra sunt cogitat nec de erroribus nostris maeret nec perditiones 30 nostras et contritiones deflet, qui flevit super *Ierusalem* et dixit ad eam : *Quotiens volui congregare filios tuos, sicut gallina congregat pullos suos, et noluisti*[j]*?* Qui ergo vulnera nostra suscepit et propter nos doluit tamquam animarum et corporum medicus, modo vulnerum nostrorum putre-35 dines negligit ? *Computruerunt* enim, ut ait propheta, *et corruptae sunt cicatrices nostrae a facie insipientiae nostrae*[k].

Pro his ergo omnibus *adsistit nunc vultui Dei interpellans pro nobis*[l], adsistit altari, ut repropitiationem pro nobis offerat Deo; et ideo dicebat tamquam accessurus ad istud 40 altare : *Quia iam non bibam de generatione vitis huius, donec bibam illud vobiscum novum*[m]. Exspectat ergo, ut convertamur, ut ipsius imitemur exemplum, ut sequamur vestigia eius et laetetur nobiscum et *bibat vinum nobiscum in regno Patris sui*. Nunc enim quia *misericors est et* 45 *miserator Dominus*[n], maiore affectu ipse quam Apostolus suus *flet cum flentibus et cupit gaudere cum gaudentibus*[o]. Et multo magis *ipse luget eos, qui ante peccaverunt et non egerunt paenitentiam*[p]. Neque enim putandum est quod Paulus quidem lugeat pro peccatoribus et fleat pro delin-

2 e. Cf. II Cor. 12, 21 || f. Cf. Col. 1, 13 || g. Cf. Phil. 2, 7 || h. Cf. I. Cor. 13, 5 || i. Cf. Phil. 2, 6-7 || j. Matth. 23, 37 || k. Ps. 37, 5 || l. Cf. Hébr. 9, 24 ; 7, 25 || m. Cf. Matth. 26, 29 || n. Cf. Ps. 102, 8 || o. Cf. Rom. 12, 15 || p. Cf. II Cor. 12, 21 nous. Il est donc dans la tristesse, tant que nous persistons dans l'erreur. Si son Apôtre « pleure sur certains qui ont péché jadis et n'ont pas fait pénitence pour leurs actes[e] », que dire de lui, qu'on appelle « Fils de l'amour[f] », qui « s'est anéanti[g] » à cause de l'amour qu'il avait pour nous, et « n'a pas cherché son avantage[h] », bien qu'il fût « égal à Dieu », mais a cherché notre bien, et pour cela « s'est vidé de lui-même[i] »? Après avoir ainsi cherché notre bien, cesse-t-il maintenant de nous chercher, de penser à notre bien, de s'attrister de nos errements, de pleurer notre perte et nos blessures, lui qui a pleuré sur Jérusalem et lui a dit : « Que de fois j'ai voulu rassembler tes enfants comme la poule rassemble ses poussins, et tu n'as pas voulu[j] »? Lui donc qui a pris nos blessures et, pour nous, a souffert comme médecin de nos âmes et de nos corps[1], néglige-t-il à présent l'infection de nos blessures? Car, au dire du prophète : « Infectes et purulentes sont nos plaies, par suite de notre folie[k]. »

Voilà donc pourquoi « il se tient maintenant devant la face de Dieu », « intercédant pour nous[l] », il se tient à l'autel pour offrir à Dieu en notre faveur une victime propitiatoire ; aussi disait-il, comme sur le point de s'approcher de cet autel : « Je ne boirai plus du fruit de cette vigne, jusqu'au jour où je le boirai avec vous, nouveau[m]. » Alors il attend que nous nous convertissions, que nous imitions son exemple, que nous suivions ses traces, pour être dans l'allégresse avec nous et « boire du vin avec nous dans le royaume de son Père ». A présent, parce que « Seigneur de miséricorde et de pitié[n] », c'est avec plus d'affection que son Apôtre, que lui-même « pleure avec ceux qui pleurent et désire se réjouir avec ceux qui se réjouissent[o] ». Et bien davantage, « il pleure sur ceux qui ont péché jadis et n'ont pas fait pénitence[p] ». Car il ne faut pas penser que Paul s'afflige sur les pécheurs et pleure

1. Cf. *supra*, § 1 et note.

50 quentibus, Dominus autem meus Iesus abstineat fletu, cum accedit ad Patrem, cum adsistit altari et repropitiationem pro nobis offert; et hoc est *accedentem ad altare* non bibere vinum laetitiae, quia adhuc peccatorum nostrorum amaritudines patitur. Non vult ergo solus *in* 55 *regno* Dei bibere vinum; nos exspectat; sic enim dixit : *donec bibam illud vobiscum*[q]. Nos sumus igitur, qui vitam nostram negligentes laetitiam illius demoramur.

Exspectat nos, ut bibat *de generatione vitis huius*. Cuius *vitis* ? Illius, cuius ipse erat figura : *Ego sum vitis, vos* 60 *palmites*[r]. Unde et dicit quia : *Sanguis meus vere potus est, et caro mea vere cibus est*[s]. Vere enim *in sanguine uvae lavit stolam suam*[t]. Quid ergo est ? Exspectat laetitiam. Quando exspectat ? *Cum consummavero*, inquit, *opus tuum*[u]. Quando *consummat* hoc *opus* ? Quando me, qui sum 65 ultimus et nequior omnium peccatorum, consummatum fecerit et perfectum, tunc *consummat opus eius*; nunc enim adhuc imperfectum est opus eius, donec ego maneo imperfectus. Denique donec ego non sum subditus Patri, nec ipse dicitur Patri esse *subiectus*[v]. Non quo ipse 70 subiectione indigeat apud Patrem, sed pro me, in quo opus suum nondum consummavit, ipse dicitur non esse

2 q. Cf. Matth. 26, 29 || r. Jn 15, 5 || s. Jn 6, 55 || t. Cf. Gen. 49, 11 || u. Cf. Jn 17, 4 || v. Cf. I Cor. 15, 28

---

1. On notera l'expression : dans son sacrifice historique, préfiguré par les victimes et les sacrifices d'autrefois, *hom.* 3, 5 début ; 4, 8 début, Jésus est « la figure » de la Vigne et des sarments, du Christ total, cf. *Introd.* p. 33.

2. « Non seulement il s'est fait ' obéissant ' au Père ' jusqu'à la mort de la croix ', mais encore, en rassemblant en lui-même à la consommation du siècle tous ceux qu'il a soumis au Père et qui, grâce à lui, parviennent au salut, il est lui aussi, avec eux et en eux ' soumis ' au Père comme dit l'Écriture, étant donné que ' toutes choses subsistent en lui ', qu'il est ' la tête de toutes choses ' et que ' en lui est la plénitude ' de ceux qui cherchent le salut. » Puis Origène, après avoir réfuté une interprétation hérétique rejetant

sur ceux qui font le mal, mais que mon Seigneur Jésus s'abstienne de pleurer quand il accède auprès du Père, quand il se tient à l'autel et offre pour nous une victime propitiatoire ; c'est dire qu'approchant de l'autel, il ne boit pas le vin de l'allégresse, parce qu'il éprouve encore l'amertume de nos péchés. Il ne veut donc pas être seul dans le royaume à boire le vin ; il nous attend ; car il a dit : « jusqu'au jour où je le boirai avec vous[q] ». C'est bien nous qui, négligeant notre vie, retardons son allégresse.

Jusqu'à l'achèvement de son œuvre

Il nous attend pour boire « du fruit de cette vigne ». De quelle vigne ? De celle dont il était la figure[1] : « Je suis la vigne, vous, les sarments[r]. » D'où cette autre parole : « Mon sang est vraiment une boisson, et ma chair est vraiment une nourriture[s]. » Car vraiment « il a lavé sa robe dans le sang de la grappe[t] ». Qu'est-ce à dire ? Il attend l'allégresse. Jusqu'à quand attend-il ? « Lorsque j'aurai achevé ton œuvre[u] », dit-il. Quand achève-t-il cette œuvre ? Quand moi, qui suis le dernier et le pire de tous les pécheurs, il m'aura achevé et rendu parfait, alors « il achève son œuvre » ; maintenant son œuvre est encore imparfaite, tant que moi je demeure imparfait. Enfin, tant que moi je ne suis pas soumis au Père, lui non plus on ne peut dire qu'il soit soumis au Père[v]. Non que lui-même manque de soumission auprès du Père, mais c'est à cause de moi, en qui il n'a pas encore achevé son œuvre, qu'il est dit n'être pas soumis[2] ; car nous lisons

le terme de soumission, poursuit : « Ils ne comprennent pas que la soumission du Christ au Père manifeste la perfection de notre bonheur et proclame le succès de l'œuvre qu'il a entreprise, quand il offre au Père non seulement la totalité du gouvernement et du règne, qu'il a redressée dans toute la création, mais encore les institutions corrigées et restaurées de l'obéissance et de la soumission du genre humain », *De princ.* 3, 5, 6-7, *GCS* 5, p. 277, 14 s., tr. M. Harl, *Origène, Traité des principes (Études Augustiniennes)*, 1976, p. 201-202 ; cf. maintenant *SC* 268, p. 230, 174 s.

subiectus; sic enim legimus, quoniam *corpus sumus Christi et membra ex parte*[w].

Quid autem est, quod dixit *ex parte*, videamus. Ego
75 nunc, verbi gratia, *subiectus* sum Deo secundum spiritum, hoc est proposito et voluntate; sed quandiu in me *caro concupiscit adversus spiritum et spiritus adversus carnem*[x] et nondum potui subicere carnem spiritui, *subiectus* quidem sum Deo, verum non ex integro, sed *ex parte*. Si autem
80 potuero etiam carnem meam et omnia membra mea in consonantiam spiritus trahere, tunc perfecte videbor esse *subiectus*.

Si intellexisti, quid sit *ex parte* et quid sit ex integro esse *subiectum*, redi nunc et ad id, quod de subiectione
85 Domini proposuimus, et vide quia, cum omnes corpus ipsius et membra esse dicamur, donec sunt aliqui in nobis, qui nondum perfecta subiectione subjecti sunt, ipse dicitur non esse *subiectus*. Cum vero *consummaverit opus* suum et universam creaturam suam ad summam perfectionis
90 adduxerit, tunc ipse dicitur *subiectus* in his, quos subdidit Patri[y], et in quibus *opus, quod ei Pater dederat, consummavit, ut sit Deus omnia in omnibus*[z].

Verum haec quorsum spectant ? Ut intelligeremus id, quod supra tractavimus, quomodo non bibit vinum vel
95 quomodo bibit; bibit, antequam *intraret in tabernaculum, antequam accederet ad altare*[aa]; non bibit autem nunc, quia adsistit altari et luget peccata mea; et rursum bibet post haec, *cum subiecta ei fuerint omnia* et salvatis omnibus ac destructa morte peccati[ab] ultra iam necessarium non
100 erit offerre *hostias pro peccato*[ac]. Tunc enim erit gaudium et laetitia et tunc *exsultabunt ossa humiliata*[ad] et implebitur illud, quod scriptum est : *Aufugit dolor et tristitia et gemitus*[ae].

2 w. Cf. I Cor. 12, 27 || x. Gal. 5, 17 || y. Cf. I Cor. 15, 28 || z. Cf. Jn 17, 4 ; I Cor. 15, 28 || aa. Cf. Lév. 10, 9 || ab. Cf. I Cor. 15, 28.26 ; Rom. 6, 6 || ac. Cf. p. ex. Lév. 6, 30 || ad. Ps. 50, 10 || ae. Is. 35, 10

que « nous sommes le corps du Christ et ses membres chacun pour une part[w] ».

Or, voyons ce que veut dire ce « pour une part ». Moi maintenant, par exemple, je suis soumis à Dieu selon l'esprit, c'est-à-dire de propos et de volonté ; mais tant qu'en moi « la chair en ses désirs s'oppose à l'esprit et l'esprit à la chair[x] » et que je n'ai pas encore pu soumettre la chair à l'esprit, je suis bien soumis à Dieu, mais pas totalement, seulement pour une part. Au contraire, si j'arrive à forcer ma chair et tous mes membres à s'accorder avec l'esprit, alors j'apparaîtrai parfaitement soumis.

Si tu as compris ce que c'est qu'être soumis pour une part et que l'être totalement, reviens maintenant à ce que nous avons proposé sur la soumission du Seigneur, et vois que, puisqu'il est dit que tous nous sommes son corps et ses membres, tant qu'il y en a parmi nous quelques-uns qui ne sont pas encore soumis d'une soumission parfaite, il est dit que lui-même n'est pas soumis. Mais quand il aura achevé son œuvre et conduit toute sa création à la perfection suprême, alors lui-même sera soumis en ceux qu'il aura soumis au Père[y], et en qui « il aura achevé l'œuvre que le Père lui avait confiée », « pour que Dieu soit tout en tous[z] ».

Mais à quoi tendent ces propos ? A nous faire comprendre ce que nous avons expliqué plus haut : dans quel sens il ne boit pas de vin ou dans quel sens il en boit ; il en boit avant « d'entrer dans la tente, avant d'approcher de l'autel[aa] » ; il n'en boit pas maintenant, parce qu'il se tient à l'autel et pleure mes péchés ; il en boira de nouveau plus tard, « quand tout lui aura été soumis » et que, tous sauvés et la mort du péché détruite[ab], il ne sera plus nécessaire d'offrir « des victimes pour le péché[ac] ». Car alors ce sera la joie et l'allégresse, alors « danseront les os brisés[ad] », et s'accomplira ce qui est écrit : « Ont fui douleur, tristesse et plainte[ae]. »

Sed et illud non omittamus, quod non solum de Aaron
105 dicitur, ut *non bibat vinum*, sed et de filiis eius, cum ingrediuntur ad sancta[af]. Nondum enim receperunt laetitiam suam ne Apostoli quidem, sed et ipsi exspectant, ut et ego laetitiae eorum particeps fiam. Neque enim discedentes hinc sancti continuo integra meritorum suorum
110 praemia consequuntur; sed exspectant etiam nos, licet morantes, licet desides. Non enim est illis perfecta laetitia, donec pro erroribus nostris dolent et lugent nostra peccata. Hoc fortasse mihi dicenti non credas; quis enim ego sum, qui confirmare sententiam tanti dogmatis audeam ? Sed
115 adhibeo horum testem, de quo non potes dubitare : *Magister* enim *gentium* est *in fide et veritate*[ag] Apostolus Paulus. Ipse igitur ad Hebraeos scribens, cum enumerasset omnes sanctos patres, qui per fidem iustificati sunt, addit post omnia etiam hoc : *Sed isti* inquit *omnes testimonium*
120 *habentes per fidem nondum adsecuti sunt repromissionem, Deo pro nobis melius aliquid providente, uti ne sine nobis perfectionem consequerentur*[ah]. Vides ergo quia exspectat adhuc Abraham, ut, quae perfecta sunt, consequatur. Exspectat et Isaac et Iacob et omnes prophetae exspectant
125 nos, ut nobiscum perfectam beatitudinem capiant.

Propter hoc ergo etiam mysterium illud in ultimam diem dilati iudicii custoditur. *Unum* enim *corpus* est[ai], quod iustificari exspectatur; *unum corpus* est, quod resurgere dicitur in iudicio. *Licet enim sint multa membra, sed unum*
130 *corpus; non potest dicere oculus manui: non es mihi necessaria*[aj]. Etiam si sanus sit oculus et non sit turbatus, quantum pertinet ad videndum, si desint ei reliqua membra, quae erit oculo laetitia ? Aut quae videbitur esse perfectio, si manus non habeat, si pedes desint aut
135 reliqua membra non adsint ? Quia et si est praecellens

2 af. Cf. Lév. 10, 9 || ag. Cf. I Tim. 2, 7 || ah. Hébr. 11, 39-40 || ai. Cf. p. ex. Rom. 12, 5 || aj. I Cor. 12, 20.21

Les saints aussi attendent

De plus, ne l'oublions pas : ce n'est pas seulement d'Aaron qu'on dit qu'il ne boit pas de vin, mais encore de ses fils, lorsqu'ils entrent dans le sanctuaire[af]. Car les apôtres eux non plus n'ont pas encore reçu leur allégresse : eux aussi attendent que je prenne moi aussi part à leur allégresse. Les saints non plus, à leur départ d'ici-bas, n'obtiennent pas d'emblée la pleine récompense de leurs mérites : ils nous attendent encore, bien que nous tardions, bien que nous traînions. Car il n'y a pas pour eux de parfaite allégresse tant qu'ils s'affligent de nos errements et qu'ils pleurent nos péchés. A moi qui le dis, peut-être ne crois-tu pas ; qui suis-je, en effet, pour oser garantir le sens d'une si profonde doctrine? Mais j'en produis un témoin dont tu ne peux douter ; car c'est « le Docteur des Gentils dans la foi et la vérité[ag] », l'apôtre Paul. Lui donc, écrivant aux Hébreux, après avoir énuméré tous les saints pères qui furent justifiés par la foi, ajoute encore : « Et tous ceux-là, bien qu'ils aient reçu un bon témoignage à cause de leur foi, n'ont pas encore bénéficié de la promesse : Dieu, qui prévoyait pour nous un sort meilleur, n'a pas voulu qu'ils parviennent sans nous à la perfection[ah]. » Donc, tu le vois : Abraham attend encore pour parvenir à l'état parfait. Isaac aussi attend, Jacob aussi, et tous les prophètes nous attendent pour recevoir avec nous la parfaite béatitude.

C'est justement pourquoi est gardé ce secret du jugement remis au dernier jour. En effet, il y a « un seul corps[ai] » qui attend d'être justifié ; il y a « un seul corps » dont on dit qu'il ressuscite au jugement. « Car, bien qu'il y ait beaucoup de membres, il y a un seul corps ; l'œil ne peut dire à la main : tu ne m'es pas nécessaire[aj]. » Même si l'œil est sain et sans trouble de la vue, si le reste des membres lui manque, quelle sera pour l'œil l'allégresse? Ou quelle sera sa perfection, s'il n'a pas de mains à son service, si les pieds font défaut, ou si le reste des membres est absent?

aliqua oculi gloria, in eo maxime est, ut vel ipse dux sit corporis vel ceterorum membrorum non deseratur officiis. Hoc autem nos et per illam Ezechiel prophetae visionem doceri puto, cum dicit *congregandum esse os ad os, et*
140 *iuncturam ad iuncturam et nervos et venas et pellem*[ak] ac singula locis suis esse reparanda. Denique vide, quid addit propheta : *Ossa* inquit *ista* (non dixit : omnes homines sunt, sed dixit : *Ossa ista*) *domus Istrahel sunt*[al]. Habebis ergo laetitiam de hac vita discedens, si fueris sanctus. Sed tunc
145 erit plena laetitia, cum nullum tibi membrum corporis deest. Exspectabis enim et tu alios, sicut et ipse exspectatus es.

Quod si tibi, qui membrum es, non videtur esse perfecta laetitia, si desit aliud membrum, quanto magis Dominus
150 et Salvator noster, qui *caput* et auctor est totius corporis[am], non sibi perfectam ducit esse laetitiam, donec aliquid ex membris deesse corpori suo videt! Et propterea forte

2 ak. Cf. Éz. 37, 7.8 || al. Éz. 37, 11 || am. Cf. Éphés. 4, 15.16

---

1. Origène invite prêtres et ministres à la sollicitude et à la fermeté, en disant : « Qu'on ne s'imagine pas avoir le droit de dire : si un tel agit mal, en quoi cela me regarde-t-il ? Comme si la tête disait à l'égard des pieds : Que m'importe si mes pieds souffrent et s'ils ont mal ? Cela ne me concerne pas, pourvu que la tête reste en bonne santé. Comme si l'œil disait à la main : Je n'ai pas besoin de ton travail, que m'importe si tu souffres, si tu es blessée? Est-ce que moi, œil, j'ai à me tourmenter de la maladie de la main ? Ainsi font ceux qui président aux églises lorsqu'ils ne songent pas que nous sommes un seul corps, nous tous qui croyons : nous avons un seul Dieu qui nous lie étroitement dans l'unité et nous contient, le Christ ; de son corps, toi qui présides à l'Église tu es l'œil ; certainement pour tout regarder autour de toi, tout examiner et même prévoir ce qui peut arriver. » *In Jos. hom.* 7, 6, *GCS* 7, p. 333, 13 s.

2. « Famosa est visio, et omnium Ecclesiarum Christi lectione celebrata », Jérôme, *In Ezech.* 11, 37, *PL* 25, 346 D.

3. « A quels ossements dit-il : ' Écoutez la parole du Seigneur ', comme s'ils étaient capables d'entendre la parole du Seigneur,

Car s'il y a pour l'œil une certaine gloire éminente, elle est surtout en ceci : ou que lui-même est le guide du corps, ou qu'il n'est pas privé des fonctions des autres membres[1]. C'est là, je pense, ce qui nous est enseigné par cette vision du prophète Ézéchiel[2], où il dit : « Il faut que l'os soit réuni à l'os, la jointure à la jointure, et que les nerfs, les veines, la peau[ak] » et chaque élément soient rétablis à leur place[3]. Bref, vois ce qu'ajoute le prophète : « Ces os — il n'a pas dit : Tous les hommes, il a dit : Ces os — sont la maison d'Israël[al]. » Tu auras donc de l'allégresse à ton départ de cette vie si tu as été saint. Mais l'allégresse sera complète lorsqu'il ne manquera aucun membre à ton corps. Car toi aussi tu attendras les autres, comme tu fus toi-même attendu.

Allégresse parfaite

Que si à toi, qui es un membre, l'allégresse ne semble point parfaite si un autre membre fait défaut, combien plus notre Seigneur et Sauveur, qui est « la tête[am] » et l'auteur de tout le corps, estime-t-il qu'il n'y a pas pour lui d'allégresse parfaite tant qu'il voit qu'un des membres fait défaut à son corps[4] ! De là, peut-être, la prière qu'il répandait

parce qu'ils sont la maison d'Israël ou le corps du Christ... ? Lorsque aura lieu cette résurrection du corps du Christ véritable et plus parfait, alors les membres du Christ qui, si on les compare à ce qu'ils doivent devenir, ne sont actuellement que des ossements desséchés, seront réunis os contre os, jointure contre jointure ; car aucun de ceux qui manqueront de jointures ne fera partie de cet ' homme parfait ' à la mesure du plein développement du corps du Christ. Alors les membres, bien que nombreux, ne formeront qu'un corps, car tous les membres du corps deviendront, malgré leur multitude, un seul corps. » *In Jo.* 10, 26, *SC* 157, p. 523, tr. C. Blanc. Sur les variantes dans la citation d'Ézéchiel, voir la note de la traductrice.

4. « Le corps ne peut se réjouir du mal qui arrive à l'un de ses membres : il faut bien qu'il s'afflige tout entier et qu'il travaille tout entier à le guérir. Là où il y a un ou deux fidèles, là est l'Église ; mais l'Église, c'est le Christ. » TERTULLIEN, *De paenit.* 10, 5-6 (*Textes et documents* 3), tr. P. de Labriolle, p. 43 s.

orationem fundebat ad Patrem dicens : *Pater sancte, glorifica me illa gloria, quam habui apud te, priusquam*
155 *mundus esset*[an]. Non vult ergo sine te recipere perfectam gloriam suam, hoc est sine populo suo, qui est corpus eius et qui sunt membra eius. Vult enim in isto corpore Ecclesiae suae et in istis membris populi sui ipse velut anima habitare, ut omnes motus atque omnia opera
160 secundum ipsius habeat voluntatem; ut vere compleatur in nobis illud prophetae dictum : *Habitabo in iis et inambulabo*[ao].

Nunc autem, donec *perfecti* non sumus omnes, sed *adhuc sumus in peccatis*[ap], *ex parte* in nobis est et ideo *ex*
165 *parte scimus et ex parte prophetamus*[aq], donec quis pervenire mereatur ad illam mensuram, quam dicit Apostolus : *Vivo autem iam non ego, vivit vero Christus in me*[ar]. *Ex parte* ergo, ut dicit Apostolus, nunc *membra eius sumus*[as] et *ex parte ossa eius sumus.*
170 Cum autem *coniuncta fuerint ossa ad ossa et iuncturae ad iuncturas*[at], secundum hoc quod supra diximus, tunc etiam ipse dicet de nobis illud propheticum : *Omnia ossa mea dicent: Domine, quis similis tibi? Omnia* namque *ossa* ista loquuntur et hymnum dicunt et gratias agunt Deo.
175 Meminerunt enim beneficii eius et ideo *omnia ossa mea dicent: Domine, quis similis tibi? Eripiens pauperem de manu fortioris eius*[au]. De istis ossibus, cum adhuc essent dispersa, antequam veniret, qui ea *colligeret et congregaret in unum*[av], dictum est et illud propheticum : *Dispersa*
180 *sunt ossa nostra secus infernum*[aw]. Quia ergo dispersa erant, propterea dicit per alium prophetam : *Congregetur os ad os et iunctura ad iuncturam et nervi et venae et pelles*[ax]. Cum enim hoc factum fuerit, tunc *omnia ista dicent: Domine, quis similis tibi? Eripiens inopem de manu fortioris*

2 an. Jn 17, 5 || ao. Lév. 26, 12 || ap. Cf. Phil. 3, 15 ; Rom. 5, 8 || aq. I Cor. 13, 9 || ar. Gal. 2, 20 || as. Cf. I Cor. 12, 27 || at. Cf. Éz. 37, 7.8 || au. Ps. 34, 10 || av. Cf. Jn 11, 52 || aw. Ps. 140, 7 || ax. Cf. Éz. 37, 7.8

devant son Père : « Père saint, glorifie-moi de cette gloire que j'avais auprès de toi avant que fût le monde[an]. » Il ne veut donc pas recevoir sa gloire parfaite sans toi, c'est-à-dire sans son peuple, qui est son corps et ses membres. Car il veut, dans ce corps de son Église et dans ces membres de son peuple, habiter lui-même comme l'âme, pour tenir tous les mouvements et tous les actes en son vouloir, afin que vraiment s'accomplisse en nous cette parole du prophète : « J'habiterai au milieu d'eux et m'y promènerai[ao]. »

Or maintenant, tant que nous ne sommes pas tous « parfaits », mais « sommes encore dans les péchés[ap] », partielle est en nous sa présence, et c'est pourquoi « partielle est notre science et partielle notre prophétie[aq] », jusqu'à ce que chacun mérite de parvenir à cette mesure que dit l'Apôtre : « Je vis, mais non plus moi, c'est le Christ qui vit en moi[ar]. » C'est donc partiellement, au dire de l'Apôtre, que maintenant « nous sommes ses membres[as] », et partiellement que « nous sommes ses os ».

Mais quand « seront réunis les os aux os, les jointures aux jointures[at] », comme on l'a dit plus haut, alors lui aussi dira de nous cette parole du prophète : « Tous mes os diront : Seigneur, qui est pareil à toi ? » En effet, tous ces os parlent, ils chantent un hymne et rendent grâce à Dieu. Car ils se souviennent de son bienfait. « Tous mes os diront : Seigneur qui est pareil à toi? Tu arraches le pauvre de la main d'un plus fort que lui[au]. » Ces os, quand ils étaient encore dispersés, avant que vînt celui qui devait « les recueillir et les rassembler en un[av] », ont fait l'objet d'une autre prophétie : « Nos os sont dispersés au bord de l'enfer[aw]. » Et c'est parce qu'ils étaient dispersés, qu'il est dit par un autre prophète : « Ils se réuniront os à os, jointure à jointure, nerfs, veines et peaux[ax]. » Une fois cela fait, alors « tous ces os diront : Seigneur, qui est pareil à toi? Tu arraches le pauvre de la main d'un plus

185 *eius*. Unumquodque enim os ex *istis ossibus* inops erat et atterebatur *fortioris* manu. Non enim habebat *iuncturam* caritatis, non *nervos* patientiae, non *venas* vitalis animi et fidei vigorem. Ubi vero venit, qui *dispersa colligeret* et qui *dissipata coniungeret* consocians *os ad os et* 190 *iuncturam ad iuncturam*, aedificare coepit sanctum corpus Ecclesiae.

Haec inciderunt quidem extrinsecus huic disputationi, sed necessario explanata sunt, ut manifestior fieret pontificis mei ingressus in sancta non bibentis vinum, usquequo 195 sacerdotio fungitur. Post haec tamen bibet vinum, sed *vinum novum*; et *vinum novum* in *caelo novo et in nova terra* et in *novo homine* cum *hominibus novis* et cum his, qui *cantant* ei *canticum novum*[ay]. Vides ergo quia impossibile est de nova vite novum poculum bibi ab eo, qui adhuc 200 *indutus est veterem hominem cum actibus suis. Nemo enim* inquit *mittit vinum novum in utres veteres*. Si vis ergo et tu bibere de hoc *novo vino*, innovare et dic quia : *Et si exterior homo noster corrumpitur*, *sed qui intus est*, *renovatur de die in diem*[az]. Et quidem de his sufficienter dictum.

3. Multa sunt et alia, quae recitata sunt. Sed quoniam cuncta non possumus, eligendum est, de quibus dicere debeamus. Et quoniam quid esset bibere et non bibere vinum, pro viribus diximus, nunc quid sit etiam comedere 5 *pectusculum separationis et bracchium ablationis*, videamus. Et post haec de mundis et immundis vel cibis vel animalibus, in quantum Dominus dederit et temporis spatium fuerit, disseremus.

Dicit ergo Scriptura : *Pectusculum segregationis et*

2 ay. Cf. Matth. 9, 17 ; II Pierre 3, 13 ; Éphés. 2, 15 ; Apoc. 5, 9 || az. Col. 3, 9 ; Matth. 9, 17 ; II Cor. 4, 16

fort que lui ». Car chaque os parmi « ces os » était faible, écrasé par la main « d'un plus fort ». Il n'avait ni la jointure de la charité, ni les nerfs de la patience, ni les veines de l'esprit vivifiant et la vigueur de la foi. Mais quand vint celui qui devait « recueillir ce qui était dispersé et unir ce qui était disjoint », associant « os à os et jointure à jointure », il se mit à construire le saint corps de l'Église.

Nouveauté radicale

On en est venu à des explications un peu hors du sujet ; mais elles étaient nécessaires pour que soit élucidée l'entrée au sanctuaire de mon pontife, qui ne boit pas de vin tant qu'il s'acquitte du sacerdoce. Toutefois ensuite il boit du vin, mais « un vin nouveau » ; « vin nouveau » dans « un ciel nouveau et une nouvelle terre », « Homme nouveau » avec « des hommes nouveaux » et qui lui « chantent un nouveau cantique[ay] ». Tu vois donc qu'il est impossible que la nouvelle coupe, venant de la nouvelle vigne, soit bue par celui qui est encore « revêtu du vieil homme avec ses actes ». « Car personne ne met du vin nouveau dans de vieilles outres. » Si donc tu veux, toi aussi, boire de ce « vin nouveau », renouvelle-toi et dis : « Même si en nous l'homme extérieur dépérit, l'homme intérieur se renouvelle de jour en jour[az]. » Mais en voilà assez sur ce point.

Part des prêtres

3. On a lu bien d'autres choses encore. Dans l'impossibilité de tout dire, il faut choisir les thèmes à développer. Après avoir dit de notre mieux ce que signifiait boire et ne pas boire du vin, voyons maintenant ce que veut dire manger « la poitrine mise à part et l'épaule prélevée ». Puis, en fonction de ce que Dieu accordera et du laps de temps, nous traiterons des aliments ou des animaux purs et impurs.

L'Écriture dit : « La poitrine mise à part et l'épaule

10 *bracchium ablationis manducabis in loco sancto, tu et filii tui et domus tua tecum; legitimum enim tibi et legitimum filiis tuis datum est de sacrificiis salutaribus filiorum Istrahel, bracchium ablationis et pectusculum segregationis*[a]. Non omne pectusculum *segregationis* est *pectusculum* nec 15 omne bracchium *ablationis* vel *separationis* est *bracchium*. Sed quoniam ad Dominum meum Iesum personam pontificis revocavimus et ad filios eius sanctos Apostolos, videamus, quomodo ipse quidem *pectusculum segregationis* manducat et filii eius, alii autem non omnes possunt 20 *segregationis pectusculum* manducare.

Quid igitur est, quod a rebus omnibus segregatur nec est commune cum reliquis, nisi sola substantia Trinitatis ? Si ergo intelligam quidem rationem mundi, non possim autem etiam de Deo intelligere, sicut dignum est, neque 25 revelata mihi fuerit scientia Dei, manduco quidem pectusculum, sed non *pectusculum segregationis*. Etiam si potuero dicere : *Ipse enim mihi dedit omnium, quae sunt, scientiam veram, ut sciam rationem mundi et virtutem elementorum, initium et finem et medietatem temporum,* 30 *permutationum vicissitudines et conversiones temporum, anni circulos et stellarum positiones*[b] ; horum omnium scientia quia rationabilis est, pectusculi cibus est, sed non *pectusculi segregationis*. Si autem potuero de Deo sentire quae magna, quae sancta, quae vera sunt et secreta, tunc 35 *manducabo pectusculum segregationis*, cum id, quod ab omni creatura eminet et segregatur, agnovero. Primus ergo

3 a. Cf. Lév. 10, 14-15 || b. Sag. 7, 17-19

---

1. Traduction de l'hébreu : « Quant à la poitrine du balancement et à la cuisse du prélèvement », Osty, cf. note. « Quant à la poitrine du rite de présentation et au gigot du rite de prélèvement », *TOB*, cf. n. à *Lév.* 7, 30. On voit en quoi le texte latin diffère. On notera le symbolisme que découvre Origène dans « segregatio ». Au lieu

prélevée[1], tu les mangeras dans un lieu saint[2], toi, tes fils et ta maison avec toi ; c'est comme ton dû et le dû de tes fils sur les sacrifices de salut des fils d'Israël, que te sont données l'épaule prélevée et la poitrine mise à part[a]. » Toute poitrine n'est pas « poitrine mise à part », et toute épaule n'est pas « épaule prélevée » ou « séparée ». Mais, comme nous avons appliqué le rôle de pontife à mon Seigneur Jésus et à ses fils les saints apôtres, voyons dans quel sens lui-même et ses fils mangent « la poitrine mise à part », tandis que les autres ne peuvent pas tous manger « la poitrine mise à part ».

Poitrine mise à part

Qu'est-ce donc qui est mis à part de toutes choses et n'a rien de commun avec le reste, sinon la seule substance de la Trinité ? Si donc je comprenais la structure du monde, mais ne pouvais avoir de Dieu une idée qui soit digne de lui, et que la science de Dieu ne m'ait pas été révélée, je mangerais bien une poitrine, mais non « la poitrine mise à part ». Que je puisse affirmer : « C'est lui qui m'a donné la science vraie de tout ce qui est, pour connaître la structure du monde et l'activité des éléments, le début, la fin et le milieu des temps, l'alternance des solstices et le retour des saisons, le déroulement de l'année et la position des astres[b] » : avoir la science de tout cela, affaire de raison, est bien se nourrir d'une poitrine, mais non de « la poitrine mise à part ». Par contre, pouvoir comprendre à propos de Dieu ce qui est grand, saint, vrai, mystérieux, c'est alors « manger la poitrine mise à part », puisque c'est connaître ce qui est au-dessus et à part de toute créature. Le premier donc, cette poitrine, mon

de « ablatio », plusieurs manuscrits ont « oblatio », qui ne convient pas au développement, cf. « bracchium separationis ».

2. « Lieu saint » : expression répétée dans *Lév.* 24, 9, citée dans *hom.* 13, 5 ; à ne pas confondre avec « lieu pur », qui se trouve « hors du camp », de *Lév.* 4, 12, cité dans *hom.* 2, 3 et 6, 4.

pectusculum istud verus pontifex meus *comedit*. Quomodo *comedit* ? *Nemo*, inquit, *novit Patrem*, *nisi Filius*. Secundo in loco *manducant et filii eius*[c]. *Nemo enim* inquit *novit*
40 *Patrem*, *nisi Filius*, *et cui voluerit Filius revelare*[d]. Quibus autem aliis nisi Apostolis suis revelat ?

Sed et *bracchium separationis* vel *ablationis*, sicut et superius diximus, actus sunt et opera eminentioria ceteris, quae utique primus ipse Salvator et Dominus meus
45 implevit. Quomodo implevit ? *Meus* inquit, *cibus est*, *ut faciam voluntatem eius*, *qui me misit*, *et perficiam opus eius*[e]. Cum ergo facit *voluntatem eius*, *qui misit* eum, in hoc non pectusculum, sed *bracchium separationis* comedit. Similiter autem et Apostoli eius, cum faciunt opus
50 Evangelistae et efficiuntur *operarii inconfusibiles*, *recte tractantes sermonem veritatis*[f] *separationis* — vel *ablationis* — *bracchium comedunt*. Vis adhuc planius videre, quomodo Salvator *separationis bracchium* comedat ? Audi quid dicit ad Iudaeos : *Si feci* inquit *in vobis opera*, *quae*
55 *nullus alius fecit*, *pro quo horum vultis me occidere*[g]*?* Vides, quomodo ipse vere *manducat bracchium separationis*, qui opera tam segregata et tam sublimia fecit quam *nullus alius fecit*.

4. Sed iam videamus aliqua etiam ex his, quae de mundis atque immundis vel cibis vel animalibus lecta sunt; et sicut in explanatione poculi de umbra adscendimus ad veritatem spiritalis poculi, ita etiam de cibis, qui per
5 umbram dicuntur, adscendamus ad eos, qui per spiritum veri sunt cibi. Sed ad haec investiganda Scripturae divinae testimoniis indigemus, ne qui putet — amant enim homines

3 c. Cf. Lév. 10, 14 || d. Matth. 11, 27 || e. Jn 4, 34 || f. Cf. II Tim. 2, 15 || g. Cf. Jn 10, 32

véritable pontife l'a mangée. Dans quel sens l'a-t-il mangée? « Personne, dit-il, ne connaît le Père, sinon le Fils ». En second lieu « la mangent aussi ses fils[c] ». Car, dit-il, « Personne ne connaît le Père, sinon le Fils, et celui à qui le Fils voudra bien le révéler[d]. » Or, à quels autres le révèle-t-il, sinon à ses apôtres?

Épaule séparée ou prélevée

De plus, « l'épaule séparée » ou « prélevée », on l'a aussi montré plus haut, signifie les actes et les œuvres supérieurs aux autres, que mon Sauveur et Seigneur accomplit évidemment le premier. Comment les a-t-il accomplis? « Ma nourriture, dit-il, est de faire la volonté de celui qui m'a envoyé et d'achever son œuvre[e]. » Lors donc qu'il fait la volonté de celui qui l'a envoyé, ce n'est pas la poitrine, mais « l'épaule séparée » qu'il mange. Et pareillement, ses apôtres : quand ils font œuvre d'évangélistes et se rendent « ouvriers inconfusibles qui dispensent comme il se doit la parole de vérité[f] », « ils mangent l'épaule séparée » ou « prélevée ». Veux-tu voir encore plus nettement que le Sauveur mange cette épaule séparée? Écoute ce qu'il dit aux Juifs : « Si j'ai fait parmi vous des œuvres que nul autre n'a faites, pour laquelle d'entre elles voulez-vous me faire périr[g]? » Tu vois qu'en vérité il mange « l'épaule séparée », lui qui accomplit des œuvres si à part et si sublimes « que nul autre n'a faites ».

Aliments ou animaux purs et impurs

4. Venons-en à quelques traits de ce qu'on a lu sur les aliments ou les animaux purs et impurs ; et comme, dans l'explication de la coupe, nous nous sommes élevés de l'ombre à la vérité de la coupe spirituelle, de même encore, des aliments dits selon l'ombre, élevons-nous vers ceux qui sont de véritables aliments selon l'esprit. Mais pour cette recherche, nous avons besoin des témoignages de la divine Écriture, afin que personne ne pense — car les hommes aiment « aiguiser

exacuere linguas suas ut gladium[a] — ne qui, inquam, putet quod ego vim faciam Scripturis divinis et ea, quae
10 de animalibus, quadrupedibus vel etiam avibus aut piscibus mundis sive immundis in lege referuntur, ad homines traham et de hominibus haec dicta esse confingam. Fortassis enim dicat quis auditorum : cur vim facis Scripturae ? Animalia dicuntur, animalia intelligantur. Ne
15 ergo aliquis haec depravari humano credat ingenio, apostolica in iis auctoritas evocanda est.

Audi ergo primo omnium Paulus de his qualiter dicat. *Omnes enim* inquit, *per mare transierunt, et omnes in Moysen baptizati sunt in nube et in mari, et omnes eandem*
20 *escam spiritalem manducaverunt, et omnes eundem potum spiritalem biberunt. Bibebant enim de spiritali sequenti petra; petra autem erat Christus*[b]. Paulus haec dicit *Hebraeus ex Hebraeis, secundum legem Pharisaeus*[c], *edoctus secus pedes Gamalielis*[d], qui utique numquam auderet
25 *spiritalem escam* et *spiritalem potum* appellare, nisi hunc esse sensum legislatoris per traditam sibi verissimae doctrinae scientiam didicisset. Unde et illud addit, tamquam confidens et certus de ciborum ratione mundorum vel immundorum quod non secundum litteram, sed
30 spiritaliter observanda sint, et dicit : *Ne qui ergo vos iudicet in cibo aut in potu aut in parte diei festi aut neomeniae aut sabbatorum, quae sunt umbra futurorum*[e]. Vides ergo, quomodo haec omnia, quae de cibis vel potu loquitur Moyses, Paulus, qui melius ista didicerat quam hi, qui

4 a. Cf. Ps. 63, 4 || b. I Cor. 10, 1-4 || c. Phil. 3, 5 || d. Cf. Act. 22, 3 || e. Col. 2, 16 s.

---

1. Paul s'inspire d'une tradition rabbinique selon laquelle le rocher de *Nombr.* 20, 8 suivait les Israélites, et qui avait tendance à l'identifier avec Yahvé. Paul y voit le symbole du Christ préexistant. « Ces événements sont arrivés pour nous servir d'exemples (de figures) », *I Cor.* 10, 6... Le passage paulinien contient une double

leur langue comme une épée[a] » — afin que personne, dis-je, ne pense que je fais violence aux divines Écritures et que les traits rapportés dans la Loi à propos des animaux, des quadrupèdes, ou même des oiseaux ou des poissons purs ou impurs, je les applique aux hommes et que j'imagine qu'ils ont été dits des hommes. Car peut-être un des auditeurs pourrait dire : pourquoi fais-tu violence à l'Écriture ? On traite d'animaux, qu'on l'entende des animaux ! Donc, pour que nul ne croie ici à une interprétation abusive par habileté humaine, il faut évoquer en la matière l'autorité apostolique.

Témoignage de Paul

Tout d'abord, écoute de quelle manière en traite Paul : « Car tous passèrent à travers la mer, tous furent baptisés en Moïse dans la nuée et dans la mer, tous mangèrent le même aliment spirituel et tous burent la même boisson spirituelle. Car ils buvaient à un rocher spirituel qui les suivait : ce rocher était le Christ[b]. » Ainsi s'exprime Paul[1], « Hébreu parmi les Hébreux, selon la Loi pharisien[c] », « instruit aux pieds de Gamaliel[d] », qui certes n'aurait jamais eu l'audace de parler d'aliment spirituel et de boisson spirituelle, s'il n'avait appris, d'une science transmise à lui de la doctrine la plus vraie, que tel est le sens du législateur. C'est pourquoi il ajoute, en homme sûr et certain du sens des aliments purs et impurs, qu'il faut les envisager non pas selon la lettre mais spirituellement, et il déclare : « Dès lors, que nul ne vous juge en matière d'aliment ou de boisson, ou à propos de fête, de nouvelle lune ou de sabbats : c'est là une ombre des biens à venir[e]. » Tu le vois : tout ce que dit Moïse des aliments ou de la boisson, Paul, qui l'avait mieux appris que ceux

interprétation spirituelle, ou une double typologie : les événements figurent les aspects du mystère chrétien (v. 1-4) ; les comportements servent d'exemples à ne pas imiter et d'avertissements (v. 6-11). D'après *TOB*.

35 nunc iactant se esse doctores, omnia haec *umbram* dicit esse *futurorum*[f]. Et ideo, sicut diximus, ab hac umbra ad veritatem debemus adscendere. Christiani [et] ad Christianos sermo est, quibus apostolicorum dictorum cara esse debet auctoritas; si qui vero arrogantia tumidus 40 apostolica dicta contemnit aut spernit, ipse viderit. *Mihi autem*, sicut *Deo* et Domino nostro Iesu Christo, ita et Apostolis eius *adhaerere bonum est*[g] et ex divinis Scripturis secundum ipsorum traditionem intelligentiam capere.

Erit autem opportunum fortasse tempus, si tamen Dei 45 voluntas in hoc fuerit et rerum tranquillitas siverit — *nescimus enim, quid pariat superventura dies*[h] — ut etiam ex Veteri Testamento adsignemus secundum ea, quae Apostolis visum est, ciborum mundorum vel immundorum, sed et animalium vel avium vel piscium, de quibus 50 in lege scribitur, intelligentiam ad homines referendam. Sed nunc quoniam latiore uti explanatione non est temporis, duobus luminibus Apostolorum, Paulo et Petro, testibus contenti simus. Et quidem Paulus quae senserit, iam protulimus.

55 *Petrus* vero Apostolus, *cum* esset in Ioppe, et *orare vellet*, *adscendit in superiora*[i]. Ego statim et hoc ipsum, quod noluit in inferioribus orare, sed *adscendit ad superiora*, non frustra dici accipio. Neque enim tanti Apostoli consilium ex superfluo *superiora* delegit ad orandum, sed 60 quantum ego arbitror, ut ostenderetur quod Petrus, quia *mortuus erat cum Christo*, *quae sursum sunt quaerebat*, *ubi Christus est in dextera Dei sedens*, et *non quae super terram*[j]. Illuc *adscendebat*, ad illa *tecta*, ad illa fastigia, de quibus dicit et Dominus : *Qui in tecto est*, *non descendat tollere* 65 *aliquid de domo*[k]. Denique ut scias quia non haec suspiciose

4 f. Cf. Col. 2, 17 || g. Cf. Ps. 72, 28 || h. Prov. 27, 1 || i. Cf. Act. 10, 9 s. || j. Cf. Rom. 6, 8 ; Col. 3, 1.2 || k. Matth. 24, 17

qui se targuent aujourd'hui d'être docteurs, dit que tout cela est « une ombre des biens à venir[f] ». Aussi, comme on l'a dit, nous devons monter de cette ombre à la vérité. Ce propos est d'un chrétien à des chrétiens à qui doit être chère l'autorité des paroles apostoliques ; si quelqu'un, bouffi d'orgueil, dédaigne ou méprise les paroles apostoliques, à lui de voir ! « Pour moi », autant qu'à Dieu et à notre Seigneur Jésus-Christ, « le bonheur est de s'attacher[g] » aussi à ses apôtres, et de recevoir l'intelligence des divines Écritures d'après leur tradition.

Viendra peut-être un temps favorable, si toutefois telle est la volonté de Dieu et si le calme des circonstances le permet[1] — « car nous ignorons ce qu'enfante le jour qui arrive[h] » — où même par l'Ancien Testament je montrerai, conformément à l'opinion des apôtres, que l'interprétation des aliments purs ou impurs, mais aussi des animaux ou des oiseaux ou des poissons, dont il est question dans la Loi, doit concerner les hommes. Aujourd'hui, faute de temps pour un développement plus vaste, contentons-nous du témoignage des deux lumières des apôtres, Paul et Pierre. Mais, la pensée de Paul, nous venons de la présenter.

Témoignage de Pierre

Quant à l'apôtre « Pierre, comme » il était à Joppé, et « voulait prier, il monta en haut[i] ». J'interprète d'emblée comme significatif ce fait même qu'il ne voulut pas prier en bas, mais « monta en haut ». Car le dessein d'un si grand apôtre de choisir le haut pour prier n'est pas un détail inutile, mais, à ce que je crois, vise à montrer que Pierre, parce qu'il était « mort avec le Christ », « recherchait ce qui est en haut, là où le Christ est assis à la droite de Dieu », et non « ce qui est sur terre[j] ». Il montait là, sur cette « terrasse », sur ce faîte, dont parle aussi le Seigneur : « Celui qui est sur la terrasse, qu'il ne descende pas pour emporter quelque chose de sa maison[k]. » Enfin, pour que

1. Expression trop générale pour fournir un repère chronologique.

de Petro dicimus quia *ad superiora conscenderit*, ex consequentibus approbabis. *Adscendit* inquit *ad superiora, ut oraret, et vidit caelum apertum*[l]. Nondum tibi videtur Petrus *ad superiora* non solum corpore, sed et mente ac
70 spiritu conscendisse ? *Vidit* inquit *caelum apertum et vas quoddam deponi sicut linteum in terra, in quo erant omnia quadrupedia, reptilia et volatilia caeli. Et audivit vocem dicentem sibi : surge, Petre, occide et manduca*[m], de his sine dubio imperans manducandis *quadrupedibus et serpentibus*
75 *et volatilibus*, quae superposita linteo ad eum caelitus sunt delata. At ille : *Domine* inquit *tu scis quia numquam commune aut immundum introivit in eos meum. Et vox* inquit *ad eum secundo : quod Deus mundavit, tu commune ne dixeris. Et hoc factum est per ter. Et post haec* inquit
80 *receptum est linteum in caelis*[n].

De mundis hic et immundis animalibus ratio est; de quibus rerum scientiam caelitus docetur Apostolus, quoniam quidem eminentiorem se et maiorem non habebat in terris, et docetur non una voce nec una visione, sed trina.
85 Ego nec hoc ipsum, quod *tertio* haec dicuntur[o], otiose dictum suscipio. *Tertio* ei dicitur et per illum omnibus nobis : *Quod Deus mundavit, tu commune ne dixeris*[p]. Quae enim mundantur, non sub una appellatione mundantur neque sub secunda, sed nisi et tertia appellatio
90 nominetur, nemo mundatur. Nisi enim in Patre et Filio et Spiritu sancto fueris mundatus, mundus esse non poteris. Propterea ergo quae pro emundatione ostendebantur, non semel neque iterum, sed *tertio* ostenduntur et *tertio* praecipiuntur[q]. Erant ergo *omnia* in illo linteo
95 *quadrupedia et reptilia et volucres caeli*[r].

4 l. Act. 10, 9.11 || m. Act. 10, 11-13 || n. Act. 10, 14-16 || o. Act. 10, 16 || p. Act. 10, 15 || q. Cf. Act. 10, 16 || r. Act. 10, 12

tu saches qu'il n'y a rien de suspect à noter de Pierre qu'il « monta en haut », la suite va te convaincre : « Il monta en haut pour prier, et il vit le ciel ouvert[l]. » Il ne te semble pas encore que Pierre est monté en haut non seulement de corps, mais d'âme et d'esprit ? « Il vit le ciel ouvert, et un objet comme une nappe se poser à terre, et sur elle il y avait tous les quadrupèdes, les reptiles, les oiseaux du ciel. Et il entendit une voix lui dire : Debout, Pierre, tue et mange[m]. » L'ordre concernait évidemment ce qu'il fallait manger, « les quadrupèdes, les serpents et les oiseaux », placés sur la nappe et portés du haut du ciel jusqu'à lui. Mais lui de répondre : « Seigneur, tu sais que jamais rien de souillé ou d'impur n'est entré dans ma bouche. Et la voix de reprendre : Ce que Dieu a déclaré pur, toi, ne l'appelle plus souillé. Cela eut lieu par trois fois. Puis la nappe fut enlevée au ciel[n]. »

Cette présence d'animaux purs et impurs s'explique : des réalités qu'ils représentent, l'Apôtre apprend une science venant du ciel, parce qu'il n'y avait personne de plus élevé et de plus grand que lui sur terre, et il l'apprend non d'une seule voix ni d'une seule vision, mais de trois. Pour moi, même cette triple répétition[o], je ne la tiens pas pour une mention inutile. Trois fois il lui est dit, et par lui à nous tous : « Ce que Dieu a déclaré pur, toi, ne l'appelle plus souillé[p]. » Car ce qui est purifié n'est pas purifié par une première invocation ni par une seconde, mais, si une troisième invocation n'est pas prononcée, personne n'est purifié. De fait, si on n'est pas purifié par le Père, le Fils et l'Esprit Saint, on ne pourra être pur[1]. Voilà pourquoi ce qui est montré pour être déclaré pur n'est pas montré une fois, ni deux, mais « trois fois », et l'ordre est donné « trois fois[q] ». Ainsi donc, il y avait sur cette nappe « tous les quadrupèdes, les reptiles et les oiseaux du ciel[r] ».

1. « Nulle part la purification ne peut se faire sans le mystère de la Trinité », *hom.* 8, 11.

Et post haec *cogitabat* inquit *intra semet ipsum Petrus, quid hoc esset.* Et adhuc eo cogitante *supervenerunt* inquit *hi, qui a Cornelio centurione missi fuerant*[s] ex hac civitate, id est a Caesarea in Ioppen. Ibi namque erat Petrus et
100 *hospitabatur apud Simonem quendam coriarium*[t]. Bene autem quod Petrus *apud coriarium* manet, illum fortasse, de quo dicit Iob quia *pellem me et carnem induisti*[u]. Sed haec in excessu dicta sint. Interim *superveniunt, qui missi fuerant a Cornelio* ad Petrum; quos ille suscipiens audit ab
105 iis, quae sibi Cornelius mandat.

Et *descendens* de superioribus venit huc ad Cornelium[v]. *Descendit:* adhuc enim deorsum erat Cornelius et in inferioribus manebat. Venit ergo Caesaream, *invenit multos* hic apud Cornelium *congregatos et ait ad eos* post
110 multa : *Et mihi* inquit *ostendit Deus neminem communem aut immundum dicere hominem*[w]. Videturne tibi Petrus Apostolus *quadrupedia* illa *omnia et reptilia et volatilia* dilucide ad hominem transtulisse et homines intellexisse ea, quae sibi in linteo caelitus lapso fuerant demonstrata ?

5. Sed fortasse dicat aliquis : de quadrupedibus quidem et reptilibus et avibus reddidisti rationem quod homines intelligi debeant; da etiam de *his, quae in aquis sunt*[a]. Quoniam quidem lex etiam de ipsis munda esse quaedam
5 et alia designat immunda, nihil in his, ut meis verbis credatur, exposco, nisi testes idoneos dedero. Ipsum vobis Dominum et Salvatorem nostrum Iesum Christum testem horum et auctorem dabo, quomodo pisces homines esse dicantur. *Simile est* inquit *regnum caelorum retiae missae*
10 *in mare, quae ex omni genere piscium colligit; et cum repleta fuerit, sedentes supra litus condunt eos, qui boni sunt, in vasis; qui autem mali, foras mittuntur*[b]. Evidenter

4 s. Cf. Act. 10, 17 || t. Cf. Act. 10, 6 || u. Cf. Job 10, 11 || v. Cf. Act. 10, 21 || w. Act. 10, 27.28

5 a. Cf. Lév. 11, 9 || b. Matth. 13, 47-48

Sur quoi « Pierre se demandait en lui-même ce que cela voulait dire ». Il se le demandait encore que « survinrent ceux qui avaient été envoyés par le centurion Corneille[s] » de cette ville, c'est-à-dire Césarée, à Joppé. C'est là que se trouvait Pierre, « hôte d'un certain Simon, corroyeur[t] ». Or c'est bien que Pierre demeure chez un corroyeur, celui-là peut-être dont Job dit : « Tu m'as vêtu de peau et de chair[u]. » Cela soit dit par parenthèse. Entre temps « surviennent ceux qui avaient été envoyés par Corneille » à Pierre ; celui-ci les reçoit, apprend d'eux ce que Corneille lui demande.

« Il descendit » d'en haut et s'en vint jusqu'à Corneille[v]. « Il descendit » : car Corneille était encore à part et demeurait en bas. Il vint donc à Césarée, y « trouva nombre de gens rassemblés » chez Corneille, et après bien des choses « leur dit : Dieu m'a montré qu'il ne faut appeler aucun homme souillé ou impur[w]. » Est-ce que l'apôtre Pierre ne te semble pas, de « tous » ces « quadrupèdes, reptiles et oiseaux », avoir fait une transposition limpide à l'homme, et avoir compris comme des hommes tout ce qui lui avait été montré dans la nappe descendue du ciel ?

Poissons

5. Peut-être va-t-on dire : les quadrupèdes, les reptiles, les oiseaux, tu as bien expliqué qu'on doit les prendre pour des hommes ; fais de même « pour les animaux aquatiques[a] ». Comme la Loi indique que parmi eux aussi certains sont purs et d'autres impurs, je ne demande nullement ici de croire à mes paroles, si je ne produis pas des témoins autorisés. Je vous produirai d'abord notre Seigneur et Sauveur Jésus-Christ comme témoin et auteur de cette interprétation qui voit dans les poissons des hommes. Il dit : « Le royaume des cieux est semblable à un filet qu'on jette en mer et qui ramène toutes sortes de poissons ; quand il est plein, on s'assied sur le rivage, on recueille les bons dans des paniers ; les mauvais, on les rejette dehors[b]. » A l'évidence c'est

edocuit eos, qui *retibus colligi* dicuntur *pisces*, vel *bonos* homines esse vel *malos*. Isti ergo sunt, qui secundum
15 Moysen pisces vel mundi vel immundi nominantur.

His igitur ex auctoritate apostolica atque evangelica comprobatis videamus, quomodo unusquisque hominum vel mundus vel immundus possit ostendi. Omnis homo habet aliquem in se cibum, quem accedenti ad se proximo
20 praebeat. Non enim potest fieri, ut, cum accesserimus ad invicem nos homines et conseruerimus sermonem, non aliquem vel ex responsione vel ex interrogatione vel ex aliquo gestu aut capiamus inter nos gustum aut praebeamus. Et si quidem mundus homo est et bonae mentis is,
25 de quo gustum capimus, mundum sumimus cibum; si vero immundus sit, quem contingimus, immundum cibum secundum ea, quae supra dicta sunt, sumimus. Et propterea, puto, Apostolus Paulus de talibus velut immundis animalibus dicit : *Cum huiusmodi nec cibum*
30 *sumere*[c].

Verum ut evidentius tibi patescant ad intellectum, quae dicimus, de maioribus sumamus exemplum, ut inde paulatim descendentes usque ad inferiora veniamus. Dominus et Salvator noster dicit : *Nisi manducaveritis*
35 *carnem meam et biberitis sanguinem meum, non habebitis vitam in vobis ipsis. Caro enim mea vere cibus est, et sanguis meus vere potus est*[d]. Iesus ergo quia totus ex toto mundus

5 c. Cf. I Cor. 5, 11 || d. Jn 6, 53.55

---

1. Au sens figuré sont dits aliments purs ou impurs les influences bonnes ou mauvaises, et animaux purs ou impurs les hommes qui les exercent. Il s'agit de rayonnement interhumain proportionnel à la valeur morale et spirituelle de ceux qui entrent en communication. Le Christ est le modèle suprême, lui dont la pureté intégrale ne permet de sa part aucun écran à son influence. A la mesure de leur ressemblance intérieure avec lui, apôtres, disciples, tous peuvent

enseigner que les poissons, qu'on dit ramenés par le filet, sont des hommes bons ou mauvais. Voilà donc ceux qui, d'après Moïse, sont nommés poissons purs ou impurs.

Hommes purs, hommes impurs

Après cette confirmation par l'autorité apostolique et évangélique, voyons comment chacun des hommes peut apparaître pur ou impur. Tout homme a en lui certain aliment qu'il présente au prochain qui l'aborde[1]. Car il est impossible, quand nous nous abordons, nous les hommes, et quand nous lions conversation entre nous, que nous ne recevions ou ne nous communiquions pas entre nous quelque saveur, ou par une réponse, ou par une question, ou par quelque geste. Si c'est un homme pur et sain d'esprit dont nous recevons une saveur, nous prenons un aliment pur ; mais si c'est un homme impur que nous fréquentons, nous prenons, d'après ce qu'on vient de dire, un aliment impur. C'est pourquoi, je pense, l'apôtre Paul dit de tels gens, comme à propos d'animaux impurs, « de ne pas même manger avec des gens de cette sorte[c] ».

Échelle de valeur

Mais pour ouvrir à ton intelligence une vue plus claire de ce que je veux dire, prenons un exemple, partant du supérieur pour en venir, en descendant degré par degré, jusqu'à l'inférieur. Notre Seigneur et Sauveur déclare : « Si vous ne mangez ma chair et ne buvez mon sang, vous n'aurez pas la vie en vous. Car ma chair est vraiment une nourriture et mon sang est vraiment une boisson[d]. » Ainsi, parce que Jésus

être pour le prochain, par leurs mérites et leur pureté de sentiments, des animaux purs. Les expressions des versets johanniques, comme les autres, ont ici une interprétation spirituelle : il s'agit « de la chair et du pain de la parole », comme ailleurs de « la chair du Verbe de Dieu », *In Num. hom.* 23, 6, *GCS* 7, p. 218, 16 s. Mais leur signification sacramentelle n'est pas ignorée d'Origène, et il n'y a pas lieu de mettre en doute sa foi à l'eucharistie, cf. *hom.* 13, 3 et 5, et notes. Sur ces « nourritures », voir aussi *De or.* 27, 12, *GCS* 2, p. 371, 7 s.

est, tota eius *caro cibus est* et totus *sanguis* eius *potus est*, quia omne opus eius sanctum est et omnis sermo eius verus 40 est. Propterea ergo et *caro* eius *verus est cibus et sanguis* eius *verus est potus*. Carnibus enim et sanguine verbi sui tamquam mundo cibo ac potu potat et reficit omne hominum genus.

Secundo in loco post illius carnem mundus cibus est 45 Petrus et Paulus omnesque Apostoli; tertio loco discipuli eorum. Et sic unusquisque pro quantitate meritorum vel sensuum puritate proximo suo mundus efficitur cibus. Haec qui audire nescit, detorqueat fortassis et avertat auditum secundum illos, qui dicebant : *Quomodo dabit* 50 *nobis hic carnem suam manducare? Quis potest audire eum? Et discesserunt ab eo*[e]. Sed vos si filii estis Ecclesiae, si evangelicis imbuti mysteriis, si *Verbum caro factum habitat in vobis*[f], agnoscite quae dicimus quia Domini sunt, ne forte *qui ignorat*, *ignoretur*[g]. Agnoscite quia figurae sunt, 55 quae in divinis voluminibus scripta sunt, et ideo tamquam spiritales et non tamquam carnales examinate et intelligite quae dicuntur. Si enim quasi carnales ista suscipitis, laedunt vos et non alunt.

Est enim et in Evangeliis *littera*, quae *occidit*[h]. Non 60 solum in Veteri Testamento *occidens littera* deprehenditur; est et in Novo Testamento *littera*, quae *occidat* eum, qui non spiritaliter, quae dicuntur, adverterit. Si enim secundum litteram sequaris hoc ipsum quod dictum est : *Nisi manducaveritis carnem meam et biberitis sanguinem meum*[i], 65 *occidit* haec *littera*. Vis tibi et aliam de Evangelio proferam *litteram*, quae *occidit* ? *Qui non habet* inquit *gladium, vendat tunicam et emat gladium*[j]. Ecce et haec littera

5 e. Jn 6, 52.60.66 || f. Jn 1, 14 || g. Cf. I Cor. 14, 38 || h. Cf. II Cor. 3, 6 || i. Jn 6, 53 || j. Lc 22, 36

est intégralement pur, toute sa chair est nourriture et tout son sang est boisson, car toute son œuvre est sainte et toute sa parole est vraie. C'est justement ce qui fait de sa chair une vraie nourriture et de son sang une vraie boisson. De la chair et du sang de sa parole, comme d'une nourriture et d'une boisson pure, il désaltère et restaure tout le genre humain.

Au deuxième rang après sa chair, comme aliment pur il y a Pierre, Paul et tous les apôtres ; au troisième rang, leurs disciples. Et ainsi chacun, par la somme de ses mérites ou la pureté de ses sentiments, devient pour son prochain un aliment pur. Qui ne sait pas l'entendre détourne peut-être et ne prête plus l'oreille, comme ceux qui disaient : « Comment Celui-ci nous donnera-t-il sa chair à manger? Qui peut l'entendre? Et ils s'éloignèrent de lui[e]. » Mais vous, si vous êtes fils de l'Église, si vous êtes imprégnés des mystères évangéliques, si « le Verbe fait chair habite en vous[f] », reconnaissez que nos paroles sont celles du Seigneur, de peur que « celui qui le méconnaît soit méconnu[g] ». Reconnaissez qu'il y a des figures écrites dans les divins livres et, pour cette raison, examinez-les comme spirituelles et non comme charnelles, et comprenez ce qu'on veut dire. Car si c'est en charnels que vous les prenez, elles vous blessent au lieu de vous nourrir.

La lettre qui tue Il y a en effet, même dans les Évangiles, une « lettre qui tue[h] ». Ce n'est pas seulement dans l'Ancien Testament qu'on découvre une « lettre qui tue » ; il y a aussi dans le Nouveau Testament une lettre qui tue celui qui ne prête pas une attention spirituelle aux paroles. Car si on suit selon la lettre ce qui est dit en propre : « Si vous ne mangez ma chair et ne buvez mon sang[i] », cette lettre tue. Veut-on que je propose encore, de l'Évangile, une autre lettre qui tue? « Celui qui n'a pas de glaive, qu'il vende sa tunique et achète un glaive[j]. » Voilà bien une lettre de l'Évangile,

Evangelii est, sed *occidit*. Si vero spiritaliter eam suscipias, non occidit, sed est in ea *spiritus vivificans*[k]. Et ideo sive
70 in lege sive in Evangeliis quae dicuntur, spiritaliter suscipe, quia *spiritalis diiudicat omnia*, *ipse vero a nemine diiudicatur*[l].

Ut ergo diximus, omnis homo habet aliquem in se cibum, ex quo qui sumpserit, si quidem bonus est et *de*
75 *bono thesauro cordis sui profert bona*, mundum cibum praebet proximo suo. Si vero malus et *profert mala*[m], immundum cibum praebet proximo suo. Potest enim quis innocens et rectus corde mundum animal ovis videri et praebere audienti se cibum mundum tamquam ovis,
80 quae est animal mundum. Similiter et in ceteris. Et ideo omnis homo, ut diximus, cum loquitur proximo suo et sive prodest ei ex sermonibus suis sive nocet, mundum ei aut immundum efficitur animal, ex quibus vel mundis utendum vel immundis praecipitur abstinendum.

85 Si secundum hanc intelligentiam dicamus Deum summum leges hominibus promulgasse, puto quod digna videbitur divina maiestate legislatio. Si vero adsideamus litterae et secundum hoc, vel quod Iudaeis vel vulgo videtur, accipiamus quae in lege scripta sunt, erubesco
90 dicere et confiteri quia tales leges dederit Deus. Videbuntur enim magis elegantes et rationabiles hominum leges, verbi gratia, vel Romanorum vel Atheniensium vel Lacedaemoniorum. Si vero secundum hanc intelligentiam, quam docet Ecclesia, accipiatur Dei lex, tunc plane omnes

5 k. Cf. II Cor. 3, 6 || l. I Cor. 2, 15 || m. Cf. Lc 6, 45

---

1. Deux exemples de fausse interprétation. La « lettre qui tue », dans le premier cas est l'expression prise à la lettre par des auditeurs, comme une invitation à l'anthropophagie ; dans le second, par les disciples qui l'entendent d'épées pour défendre leur maître, et par Pierre qui coupe l'oreille de Malchus, cf. H. CROUZEL, *Connaissance*, p. 336-339.

mais elle tue[1]. En revanche, reçue spirituellement, elle ne tue pas, mais il y a en elle « un esprit qui fait vivre[k] ». Par conséquent, ce qui est dit soit dans la Loi soit dans les Évangiles, qu'on le reçoive spirituellement, car « l'homme spirituel juge tout, mais lui n'est jugé par personne[l] ».

Ambivalence de l'homme

Nous l'avons dit : tout homme a en lui un aliment ; celui qui en prend, si toutefois il est bon et « tire le bien du bon trésor de son cœur », offre à son prochain un aliment pur. Si au contraire il est mauvais et « tire le mal[m] », il offre à son prochain un aliment impur. Car l'homme innocent et au cœur droit peut être regardé comme une brebis, animal pur, et offrir à qui l'écoute un aliment pur, comme la brebis qui est un animal pur. Et ainsi des autres. Voilà pourquoi, tout homme, comme on l'a dit, quand il parle à son prochain, dans la mesure où il lui est utile ou nuisible par ses paroles, devient pour lui un animal pur ou impur ; de ces paroles, il est prescrit, si elles sont pures, d'en user, si elles sont impures, de s'en abstenir.

Législation digne de Dieu

Si, d'après cette interprétation, nous disons que le Dieu suprême a promulgué des lois pour les hommes, je pense que la législation paraîtra digne de la divine majesté[2]. Si au contraire nous nous en tenons à la lettre, et si nous acceptons suivant l'opinion des Juifs ou de la foule ce qui est écrit dans la Loi, j'ai honte de dire et d'avouer que Dieu a donné de telles lois. Car on verra plus d'élégance et de raison dans des lois humaines, par exemple celles de Rome, d'Athènes, de Lacédémone. Mais si c'est d'après l'interprétation enseignée par l'Église que la Loi de Dieu est reçue, alors certes elle surpasse toutes les

2. Le recours à l'autorité apostolique de Paul et de Pierre a éloigné le prédicateur de la lettre du texte législatif. Avant d'y revenir, il généralise : il est nécessaire de reconnaître ce sens spirituel à la législation pour qu'elle paraisse digne de Dieu, cf. *hom.* 5, 1 et note.

95 humanas supereminet leges et vere Dei lex esse credetur. Itaque his ita praemissis spiritali, ut commonuimus, intelligentia de mundis et immundis animalibus aliqua perstringamus.

6. *Omne* inquit *pecus, quod ungulam dividit, et ungulas habet, et reducit ruminationem in pecoribus, haec manducabitis. Praeterea ab his non manducabitis, quae reducunt ruminationem, et non dividunt ungulas, et habent ungulas.* 5 *Camelus, quoniam reducit ruminationem, et ungulam non dividit, immundum hoc vobis. Et lepus, quoniam reducit ruminationem, et ungulam non dividit, immundum hoc vobis; et erinacius, quia reducit ruminationem hic, et ungulam non dividit, immundum hoc vobis; et sues*[a] et 10 cetera. Decernit ergo, ne manducentur huiusmodi animalia, quae ex parte videntur esse munda et ex parte immunda; sicut *camelus ex eo quod ruminat*, mundus videtur, ex eo autem *quod ungulas divisas non habet, immundus* dicitur. Post haec iam nominat et *leporem* et *erinacium*, sed et 15 ipsos dicit *ruminare* quidem, sed *ungulas non dividere*. Alium vero ordinem facit eorum, qui e contrario *ungulam* quidem *dividunt*, sed *non ruminant*.

Primo ergo videamus, qui sunt isti, qui *ruminent et ungulam dividunt*, quos mundos appellat. Ego arbitror 20 illum dici ruminare, qui operam dat scientiae et *in lege Domini meditatur die ac nocte*[b]. Sed audi, quomodo dictum est : *Qui dividit* inquit *ungulam, et revocat ruminationem*[c]. *Revocat* ergo *ruminationem*, qui ea, quae secundum litteram legit, revocat ad sensum spiritalem et ab infimis 25 et visibilibus ad invisibilia et altiora conscendit. Sed si

6 a. Lév. 11, 3-7 || b. Cf. Ps. 1, 2 || c. Lév. 11, 3

---

1. « Le ruminant, en effet, remâche la nourriture ingurgitée qui lui remonte une seconde fois à la bouche ; de même l'âme de celui qui a le goût de s'instruire, chaque fois qu'elle entend formuler quelques

lois humaines, et on croira qu'elle est vraiment Loi de Dieu. Aussi bien, après ces indications préalables, avec cette intelligence spirituelle qu'on vient de rappeler, traitons brièvement quelques points relatifs aux animaux purs et impurs.

Animaux terrestres

6. « Toute bête du troupeau qui a le sabot divisé et des ongles, et qui rumine, vous en mangerez. De plus, voici ceux que vous ne mangerez pas, parmi ceux qui ruminent, et qui n'ont pas le sabot divisé, et qui ont des ongles. Le chameau, car il rumine et n'a pas le sabot divisé, pour vous il est impur. Le lièvre, car il rumine et n'a pas le sabot divisé, pour vous il est impur ; le daman, car il rumine et n'a pas le sabot divisé, pour vous il est impur ; le porc[a]... », etc. On décrète ainsi qu'il ne faut pas manger de ces animaux qui semblent être en partie purs et en partie impurs ; par exemple, le chameau, du fait qu'il rumine semble pur, mais du fait qu'il n'a pas le sabot divisé est dit impur. On nomme ensuite le lièvre et le daman, ajoutant qu'ils ruminent, mais n'ont pas le sabot divisé. Puis on dresse une autre liste de ceux qui, à l'inverse, ont le sabot divisé, mais ne ruminent pas.

Hommes

Voyons d'abord quels sont ceux qui ruminent et qui ont le sabot divisé, qu'on nomme purs. Pour moi, je pense que celui-là est dit ruminer qui s'adonne à la science et « médite la Loi du Seigneur jour et nuit[b] ». Mais écoute le texte : « Celui qui a le sabot divisé et qui rumine[c]. » Ruminer c'est donc reprendre au sens spirituel la lecture faite selon la lettre, et s'élever des choses inférieures et visibles aux réalités invisibles et supérieures[1]. Mais, méditer la Loi divine et

propositions, ne les abandonne pas à l'oubli, mais dans le calme du tête-à-tête avec soi, parfaitement tranquille, les reprend une à une et en vient à se souvenir de la totalité », PHILON, *De agric.* 132, tr. J. Pouilloux.

mediteris legem divinam et ea, quae legis, ad subtilem et ad spiritalem intelligentiam revoces, vita autem tua et actus tui non sint tales, ut habeant discretionem vitae praesentis et futurae, huius saeculi et *saeculi superventuri*[d],
30 si non ista competenti ratione discernas et dividas, camelus es tortuosus; qui cum intellectum acceperis ex meditatione legis divinae, non dividis neque segregas praesentia et futura nec *angustam viam* a *via spatiosa*[e] secernis.

Sed adhuc manifestius, quod dicitur, explanemus. Sunt
35 qui adsumunt testamentum Dei per os suum et, cum legem Dei in ore habeant, vita et actus sui longe a verbis, eorum et sermonibus discrepant; *Dicunt enim et non faciunt*[f]. De quibus et propheta dicit : *Peccatori autem dixit Deus: quare tu enarras iustitias meas, et adsumis*
40 *testamentum meum per os tuum*[g]*?* Vides ergo, quomodo iste ruminat, qui testamentum Dei habet in ore suo. Sed quid in sequentibus ad eum dicitur ? *Tu autem odisti disciplinam, et abiecisti sermones meos post te*[h]. In quo evidenter ostendit istum *ruminantem* quidem, sed *ungulam non dividentem*,
45 et ideo immundus est quicumque est talis.

Et iterum est alius vel ex his, qui extra religionem nostram sunt, vel ex his, qui nobiscum sunt, qui *dividunt* quidem *ungulam* et ita incedunt in viis suis, ut actus suos ad futurum saeculum praeparent. Multi enim ita et ex
50 philosophis sapiunt et futurum esse iudicium credunt. Immortalem namque animam sentiunt et remunerationem

6 d. Cf. Éphés. 2, 7 || e. Cf. Matth. 7, 13.14 || f. Matth. 23, 3 || g. Ps. 49, 16 || h. Ps. 49, 17

---

1. « Pourquoi, d'après la Loi, cet animal est-il réputé impur, acceptable en ce qu'il rumine, mais blâmable en ce qu'il est solipède ? » *CC* 6, 16, 25 s., *SC* 147, p. 218. Le sabot fendu signifierait « qu'on ne vit pas seulement pour la vie présente, mais encore pour la vie future... ; ruminer signifie la méditation des sentences divines », *Sel. in Lev.* 11, 3, *PG* 12, 401 B.

reprendre la lecture selon l'intelligence pénétrante et spirituelle, et par contre, avoir une vie et des actions impropres à garder la distinction entre la vie présente et la future, entre ce siècle et « le siècle à venir[d] », ne pas les séparer et les diviser de façon pertinente, c'est être un chameau à l'allure tortueuse[1] ; c'est, après avoir reçu l'intelligence par la méditation de la Loi divine, ne pas diviser ni séparer le présent de l'avenir, ni discerner « la voie étroite » de « la voie large[e] ».

Alliance de Dieu

Mais donnons une explication encore plus claire de cette parole. Il en est qui, de bouche, accueillent l'alliance de Dieu mais, alors qu'ils ont la Loi de Dieu à la bouche, leur vie et leurs actes sont loin d'être en accord avec leurs paroles et leurs discours ; « Car ils disent et ne font pas[f]. » D'eux, le prophète déclare : « Mais au pécheur Dieu a dit : Pourquoi réciter mes préceptes et avoir mon alliance à ta bouche[g] ? » On voit dans quel sens rumine celui qui a l'alliance de Dieu à sa bouche. Or, que lui est-il dit dans la suite ? « Toi qui détestes la discipline et jettes mes paroles derrière toi[h] ? » C'est clairement le désigner comme un ruminant, mais qui n'a pas le sabot divisé ; et quiconque en est là est impur.

Hors et dans notre religion

D'ailleurs il en est d'autres, soit de ceux qui sont hors de notre religion, soit de ceux qui sont avec nous, qui « ont le sabot divisé » et avancent dans leurs voies de telle sorte qu'ils orientent leurs actes vers le siècle futur. Car beaucoup, même parmi les philosophes pensent ainsi, et croient qu'il y a un jugement futur[2]. Ils tiennent en effet que l'âme est immortelle et professent qu'une récompense

2. « A en croire... encore beaucoup d'autres, Grecs et barbares, l'âme humaine vit et subsiste après sa séparation d'avec le corps », *CC* 7, 5 début, *SC* 150, p. 23.

bonis quibusque positam confitentur. Hoc et haereticorum nonnulli faciunt et quantum exspectant, timorem futuri iudicii gerunt et actus suos tamquam in divino examine
55 requirendos cautius temperant. Sed horum uterque non *ruminat* nec *revocat ruminationem.*

Non enim ea, quae in lege Dei scripta sunt, audiens meditatur ac revocat ad subtilem et spiritalem intelligentiam; sed statim ut audierit aliquid, aut contemnit aut
60 despicit nec requirit, qui in vilioribus verbis pretiosus lateat sensus. Et abeunt isti *dividentes* quidem *ungulam*, sed *ruminationem non revocantes.* Tu autem, qui vis esse mundus, convenientem habeto et consonam vitam scientiae et actus intellectui, ut sis in utroque mundus, ut et *revoces*
65 *ruminationem* et *ungulam dividas*, sed et ungulas ut *producas* sive *abicias.*

Requiramus et huius rei testimonium, quomodo ungulas producimus, vel, ut alibi legitur, abicimus. Scriptum est in Deuteronomio : *Si* inquit *exieris ad bellum adversum*
70 *inimicos tuos*, *et videris ibi mulierem decora specie*, *et concupieris eam*, *adsumes eam*, *et rades omnem pilum capitis eius et ungulas eius*, *et indues eam vestimentis lugubribus ; et sedebit in domo lugens patrem suum et matrem suam et domum paternam suam ; et post triginta dies erit tibi uxor*[1].
75 Sed nunc non est propositum, ut haec, quae in testimonium vocata sunt, explanentur; sed propterea diximus, quia et hic de ungulis mentio facta est.

Verum tamen et ego frequenter *exivi ad bellum contra inimicos meos et vidi ibi* in praedam *mulierem decora*

6 i. Deut. 21, 10-13

---

1. De ceux qui viennent par la foi à la connaissance de Dieu, Origène dit : « ... Il en est qui adhèrent à Dieu par amour et d'autres par crainte et par peur du jugement à venir », *In Gen. hom.* 7, 4, *SC* 7 *bis*, p. 204. Distinction analogue, *In Jos. hom.* 9, 7 début, *SC* 71, p. 256 s.

est réservée pour tous les gens de bien. C'est ce que font aussi quelques hérétiques, et dans la mesure où ils attendent, ils manifestent une crainte du jugement à venir[1] et règlent avec prudence leurs actes comme devant être examinés au jugement divin. Mais ni les uns ni les autres ne remâchent ni ne ruminent.

On entend ce qui est écrit dans la Loi de Dieu, mais on ne le médite ni ne le reprend selon une intelligence pénétrante et spirituelle ; à peine l'a-t-on entendu qu'on le dédaigne ou le méprise, et on ne cherche pas le sens précieux caché sous des expressions vulgaires. Et s'en vont ces gens qui ont bien le sabot divisé, mais ne ruminent pas. Au contraire, toi qui veux être pur, mets en conformité et en harmonie ta vie avec ta science, tes actes avec ton intelligence, afin d'être pur de part et d'autre, afin aussi de ruminer et d'avoir le sabot divisé, et en outre de faire pousser[2] ou de couper tes ongles.

Ongles

De cela aussi examinons le précepte : dans quel sens nous faire pousser les ongles ou, comme on dit ailleurs, les couper? Il est écrit dans le *Deutéronome* : « Si tu pars à la guerre contre tes ennemis, et que tu y voies une femme de belle tournure et t'en éprennes, tu la prendras, tu lui couperas tous les cheveux de la tête et les ongles, et tu la vêtiras d'habits de deuil ; elle habitera dans ta maison, pleurant son père, sa mère et sa maison paternelle ; et après trente jours, elle sera ta femme[1]. » Le propos n'est pas ici d'expliquer ce qui vient d'être évoqué comme précepte ; je le cite uniquement parce qu'on y fait aussi mention des ongles.

Belle captive

Mais en vérité, moi aussi je suis souvent parti à la guerre contre mes ennemis, et j'ai vu là, dans le butin, « une femme de belle

2. « Producas », fausse traduction latine : en grec *Deut.* 21, 12 : « rogner tout autour, couper », et non « faire pousser ».

80 *specie*[j]. Quaecumque enim bene et rationabiliter dicta invenimus apud inimicos nostros, si quid apud illos sapienter et scienter dictum legimus, oportet nos mundare id et ab scientia, quae apud illos est, auferre et resecare omne quod emortuum et inane est — hoc enim sunt omnes 85 capilli capitis et ungulae mulieris ex inimicorum spoliis adsumptae — et ita demum facere eam nobis uxorem, cum iam nihil ex illis, quae per infidelitatem mortua dicuntur, habuerit, nihil in capite habeat mortuum, nihil in manibus, ut neque sensibus neque actibus immundum aliquid ant 90 mortuum gerat. Nihil enim mundum habent mulieres hostium nostrorum, quia nulla est apud illos sapientia, cui immunditia aliqua non sit admixta.

Velim tamen dicerent mihi Iudaei, quomodo apud eos ista serventur. Quid causae, quid rationis est *decalvari* 95 mulierem et *ungulas eius demi* ? Verbi causa, si ponamus quod ita invenerit eam is, qui dicitur invenisse, ut neque capillos neque ungulas habeat : quid habuit quod secundum legem demere videretur ? Nos vero, quibus militia spiritalis est et *arma non carnalia*, *sed potentia Deo ad destruenda* 100 *consilia*[k], *decora* mulier si repperta fuerit apud hostes et rationabilis aliqua disciplina, hoc modo purificabimus eam, quo superius diximus. Oportet ergo eum, qui mundus est, non solum *dividere ungulam* et non solum praesentis et futuri saeculi actus et opera discernere, sed et *ungulas* 105 *producere* vel, ut alibi legimus, *abicere*[l], ut *purificantes nos ab operibus mortuis*[m] permaneamus in vita.

6 j. Cf. Deut. 21, 10.11 || k. II Cor. 10, 4 || l. Cf. Deut. 21, 12 || m. Cf. Hébr. 9, 14

1. Cf. *In Gen. hom.* 11, 2, *SC* 7 *bis,* p. 282-285 ; autres références, p. 284, n. 2. Pour le thème de « la belle captive », illustré par Origène,

tournure[j] ». En effet, tout ce que nous trouvons exprimé de bon et de raisonnable chez nos ennemis, si nous lisons chez eux quelque sentence notée avec sagesse et science, c'est notre devoir de le purifier, de l'arracher à la science qui a cours chez eux, et de couper tout ce qui est mort et inutile — ce que sont tous les cheveux de la tête et les ongles de la femme capturée parmi les dépouilles des ennemis[1] —, et à cette condition de faire d'elle notre épouse, quand elle n'aura plus rien de ce qui est dit mort par suite d'infidélité : qu'elle n'ait rien de mort sur la tête, rien aux mains, en sorte que, ni dans ses pensées, ni dans ses actes, elle ne produise quelque chose d'impur ou de mort. Car les femmes de nos ennemis n'ont rien de pur, parce qu'il n'y a chez eux point de sagesse à laquelle ne soit mêlée quelque impureté.

Cependant, je voudrais bien que les Juifs me disent comment ces prescriptions sont observées chez eux. Quel motif, quelle raison y a-t-il qu'une femme soit tondue et que ses ongles soient coupés ? Supposons par exemple que celui qui l'a trouvée, dit-on, l'ait trouvée n'ayant ni cheveux ni ongles : qu'y aurait-il, d'après la loi, qu'il devrait couper ? Pour nous, dont le combat est spirituel et « les armes, non point charnelles, mais efficaces devant Dieu pour détruire les sophismes[k] », si une belle femme est découverte chez nos ennemis, une doctrine raisonnable, nous la purifierons de la manière dite plus haut. Il faut donc que celui qui est pur, non seulement ait le sabot divisé, non seulement distingue les actes et les œuvres du siècle présent et du futur, mais encore se fasse pousser les ongles, ou comme on lit ailleurs, les coupe[l], afin que « nous purifiant des œuvres mortes[m] », nous demeurions dans la vie.

cf. H. CROUZEL, *Origène et la Philosophie* (*Théologie* 52, Paris 1962), p. 144 s. ; dans la tradition, cf. H. DE LUBAC, *EM*, I, 1, p. 290-304.

7. Haec quidem generaliter dicta sint de animalibus; illa vero, *quae in aquis sunt*, quia dicuntur, siquidem habeant *pinnas et squamas*[a], munda esse, si vero non habeant, immunda nec edi debere : illud in his ostenditur,
5 ut, si quis est in aquis istis et in mari vitae huius atque in fluctibus saeculi positus, tamen debeat satis agere, ut non in profundis iaceat aquarum, sicut sunt isti pisces, qui dicuntur *non habere pinnas neque squamas*. Haec namque eorum natura perhibetur, ut in imo semper et circa ipsum
10 caenum demorentur; sicut sunt anguillae et huic similia, quae non possunt adscendere ad aquae summitatem neque ad eius superiora pervenire. Illi vero pisces, qui *pinnulis* iuvantur ac *squamis* muniuntur, adscendunt magis ad superiora et aeri huic viciniores fiunt, velut qui
15 libertatem spiritus quaerant. Talis est ergo sanctus quisque, qui intra *retia* fidei conclusus *bonus piscis* a Salvatore nominatur et mittitur *in vas*[b], veluti *pinnas* habens et *squamas*. Nisi enim habuisset *pinnas*, non resurrexisset de caeno incredulitatis nec ad *rete* fidei
20 pervenisset. Quid autem est quod et *squamas* habere dicitur, tamquam qui paratus sit vetera indumenta deponere[c] ? Hi enim, qui *squamas* non habent, velut ex integro carnei sunt et toti carnales, qui deponere nihil possint. Si qui ergo habet *pinnas*, quibus ad superiora
25 nitatur, mundus est; qui vero non habet *pinnas*, sed in inferioribus permanet et in caeno semper versatur, immundus est.

Similiter autem de avibus. *Non manducabis* inquit *haec, quia immunda sunt : aquilam et vulturem*[d] et cetera

7 a. Cf. Lév. 11, 9 s. || b. Cf. Matth. 13, 47.48 || c. Cf. Éphés. 4, 22 || d. Cf. Lév. 11, 13

---

1. « La mer signifie l'eau salée ou l'amertume et l'instabilité de la vie... Les poissons revêtus seulement d'écailles, attirés par la chaleur, nagent vers la haute mer et souvent échappent aux filets des pêcheurs. Mais ceux qui n'ont pas d'écailles et ne sont

Animaux aquatiques

7. Voilà des généralités sur les animaux ; mais « de ceux qui sont dans les eaux », il est dit : s'ils ont « des nageoires et des écailles[a] », ils sont purs, s'ils n'en ont pas, ils sont impurs et ne doivent pas être mangés ; c'est vouloir dire que, si on est dans ces eaux, et placé dans la mer de cette vie et les flots du siècle, on doit néanmoins s'efforcer de ne pas être enfoui dans la profondeur des eaux, comme ces poissons que l'on dit n'avoir ni nageoires ni écailles. En effet, leur nature les voue à toujours demeurer dans le fond au voisinage de la vase ; ainsi en est-il des anguilles et des poissons semblables, qui ne peuvent monter à la surface de l'eau ni parvenir à ses couches supérieures. Mais les poissons pourvus de nageoires et munis d'écailles montent mieux vers les couches supérieures et se rendent plus proches de notre air comme en quête de la liberté de respirer[1]. De cette nature est chaque saint, pris dans les filets de la foi et nommé bon poisson par le Sauveur, et mis « dans un panier[b] », comme ayant des nageoires et des écailles. Car s'il n'avait eu des nageoires, il n'aurait pas surgi de la vase de l'incrédulité, ni ne serait parvenu au filet de la foi. Et que signifie la mention qu'il a des écailles, sinon qu'il est prêt à déposer ses vieux habits[c] ? Car n'avoir point d'écailles, c'est être intégralement de chair et tout entier charnel, et ne pouvoir rien déposer. Donc, avoir des nageoires par lesquelles on nage vers les couches supérieures, c'est être pur ; et n'avoir point de nageoires, mais demeurer dans les couches inférieures, c'est être impur.

Oiseaux

Il en va de même des oiseaux. « Tu ne mangeras pas ceux que voici, car ils sont impurs : l'aigle, le vautour[d] » et autres semblables.

point soutenus par des nageoires se cachent dans les profondeurs limoneuses et adhèrent aux algues marines qui naissent en abondance au plus profond. Ces poissons sont très faibles et il est très facile de les prendre. » PROCOPE, *In Lev.* 11, 9, *PG* 87, 1, 727.

30 his similia. His etenim avibus semper mortuorum corporum cibus est et ex mortuis cadaveribus vivunt. Omnes ergo, qui huiusmodi vitam gerunt, immundi habendi sunt. Ego puto et illos in his numerari, qui alienas incubant mortes et arte vel fraude testamenta subiciunt. Huiusmodi enim 35 homines vultures et aquilae merito appellabuntur, velut mortuorum cadaveribus inhiantes. Scio et alia volatilia, quae raptu vivunt. Hae sunt animae, quae secundum hoc quidem, quod rationabiles sunt et imbutae liberalibus institutis vel rationabilibus disciplinis, volatilia viden- 40 tur — legunt enim et requirunt vel de ratione caeli vel quomodo mundus Dei providentia gubernetur; secundum haec ergo volatilia nominantur; si vero huiusmodi homines inique agant, contra legem faciant, diripiant proximos et, cum in verbis esse videatur eruditio caelestis, in actibus 45 carnalia et mortua opera gerant, recte vultures vel aquilae dicendi sunt, quae de excelsis ad carnes mortuas ac foetidas delabuntur. Ad hoc referenda est et accipitris rapacitas et ceterorum omnium; ex quibus quaedam quidem sunt volatilia rapacitati studentia, quaedam vero non tam 50 rapacia quam obscuritatem et tenebras amantia. *Omnis enim qui male agit, odit lucem et non venit ad lucem*[e], ut sunt *noctuae et vespertiliones* et cetera, quae lex pronuntiavit immunda[f].

A quibus omnibus spiritali nos observantia custodientes 55 et cibum ex mundis animalibus appetentes etiam ipsi puri efficiemur et mundi, per Christum Dominum nostrum, per quem est Deo Patri cum Spiritu sancto *gloria et imperium in saecula saeculorum. Amen*[g].

7 e. Jn 3, 20 || f. Cf. Lév. 11, 17.19 || g. Cf. I Pierre 4, 11 ; Apoc. 1, 6

1. « On condamne... voleurs et ravisseurs, symbolisés par le milan

En effet, ces oiseaux se nourrissent toujours de corps morts et vivent de cadavres. Tous ceux donc qui vivent de cette manière doivent être tenus pour impurs[1]. Pour moi, je pense que sont de leur nombre ceux qui épient la mort des autres et substituent des testaments par la ruse ou la fraude. Ces sortes d'hommes méritent le nom de vautours et d'aigles, comme avides de cadavres de morts. Je sais encore d'autres oiseaux qui vivent de rapine. Ce sont des personnes qui, du fait qu'elles sont raisonnables et formées par les enseignements libéraux et les doctrines raisonnables, paraissent des oiseaux, car elles lisent et cherchent ce qui a trait à la structure du ciel, ou la manière dont le monde est gouverné par la providence de Dieu ; et pour cela, on les nomme oiseaux. Mais si ces sortes d'hommes agissent injustement, contreviennent aux lois, pillent leurs proches et, alors même que dans leurs paroles leur érudition semble être du ciel, ils accomplissent dans leurs actes des œuvres de chair et de mort, à juste titre ils méritent les noms de vautours et d'aigles, qui fondent du haut du ciel sur des chairs mortes et fétides. On doit en rapprocher la rapacité de l'épervier et de tous les autres ; certains d'entre eux sont des oiseaux qui se livrent à leur rapacité, d'autres sont moins rapaces qu'épris d'obscurité et de ténèbres. « En effet, quiconque fait le mal hait la lumière et ne vient pas vers la lumière[e]. » Ainsi en est-il « des chouettes et des chauves-souris », et des autres que la Loi a déclarés impurs[f].

D'eux tous gardons-nous par une observance spirituelle, aspirons à nous nourrir d'animaux purs ; devenons nous-mêmes nets et purs, par le Christ notre Seigneur, par qui est à Dieu le Père avec l'Esprit Saint « gloire et puissance pour les siècles des siècles. Amen[g] ».

et les autres oiseaux rapaces... Les gens rusés et ténébreux d'esprit sont figurés par le corbeau. » Ibid.

NOTES COMPLÉMENTAIRES

1. Idéalisation de Moïse. Rabbinisme

Cette idéalisation commence dans la Bible, dès l'Hexateuque, cf. G. von Rad, *Théologie de l'Ancien Testament*, t. I, tr. fr. E. de Peyer (Labor et Fides), Genève, 2e éd. 1967, p. 253-258. Elle était à son apogée vers les débuts de l'ère chrétienne : chez un Philon, un Josèphe, tous les Juifs, cf. H. de Lubac, *HE*, p. 261, n. 92-94. Pour les contemporains de Paul, cf. *TOB*, *N.T.*, p. 531. Pour Origène, cf. *HE*, p. 261-263. « Une telle attitude sera partagée par beaucoup dans l'Église et maintenue par une longue tradition », *Id.*, p. 262.

Même partage de vue sur l'inspiration totale de l'Écriture : les chrétiens avaient naturellement fait leur « ce principe fondamental de l'exégèse rabbinique qu'il n'y a dans la Bible aucun mot superflu, et que les pléonasmes et répétitions apparents recouvrent nécessairement un sens profond », M. Simon, *Verus Israël*, Paris 1948, p. 230. Ce qu'essaiera plusieurs fois de montrer Origène dans nos Homélies, cf. *Introd.* p. 36 s.

De l'ancienne pensée rabbinique, on rapprochera celle d'un philosophe juif contemporain : « La critique biblique ne ruine qu'une foi ébranlée. La vérité des textes éternels ne ressort-elle pas davantage quand on leur refuse la caution extérieure d'une révélation dramatique et théâtrale ? Étudiés pour eux-mêmes, n'attestent-ils pas la valeur divine de leur inspiration, le miracle purement spirituel de leur réunion ? Miracle d'autant plus miraculeux qu'il s'agit de fragments plus nombreux et plus disparates. Merveille d'autant plus merveilleuse que le rabbinisme y trouve un enseignement concordant ». E. Lévinas, *Difficile Liberté, Essais sur le Judaïsme*, Paris 1963, p. 146.

2. Le sacrificiel

La difficulté de comprendre aujourd'hui ce qui est de l'ordre sacrificiel est avouée par des spécialistes de diverses disciplines : sciences humaines, philosophie, théologie biblique, théologie systématique.

« La pensée moderne n'a jamais pu attribuer une fonction réelle au sacrifice », R. GIRARD, *La Violence et le Sacré*, Grasset 1972, p. 69. « Un monde tout entier révolté contre le sacrificiel, et non sans justice... », ID., *Des choses cachées depuis la fondation du monde*, Grasset et Fasquelle 1978, p. 206. Et l'auteur interroge longuement sur la lecture sacrificielle du texte évangélique..., p. 203-304. N'incriminons pas trop vite le ton des appréciations et la nouveauté de la thèse. Lisons :

« Il faut l'avouer, pour la réflexion, il reste quelque chose d'imperméable dans l'idée d'expiation cérémonielle, quelque chose qui ne se laisse même pas réduire au symbolisme du ' pardon '. Ce qui résiste à la réflexion réductrice, c'est la *praxis* rituelle elle-même. Cette *praxis* est irréfléchie par essence ; ainsi fait-on le sacrifice et non autrement ; la conduite rituelle est héritée d'une suite d'autres actions cultuelles dont le sens et même le plus souvent le souvenir sont perdus pour l'officiant et le fidèle ; le critique moderne, également, trouve toujours à l'origine d'un rituel d'autres rituels ; il n'assiste jamais à la naissance *du* rituel. C'est pourquoi un catalogue de rites, tel que celui du Lévitique, reste finalement une œuvre muette et scellée, même et surtout lorsqu'il distingue des espèces de sacrifices. » P. RICŒUR, *Finitude et Culpabilité, II, La Symbolique du Mal*, Aubier 1960, p. 94.

« Les sacrifices étaient et restaient un fait du domaine qui échappe à l'homme et à sa vie intérieure, l'homme n'en prenait l'initiative que d'une manière extérieure et leur efficacité ne dépendait pas de son vouloir ou de son pouvoir ; c'était exclusivement l'affaire de Yahvé qui seul pouvait agréer le sacrifice et le rendre efficace. »... « Quelque pénétrante et profonde qu'elle soit, l'interprétation la plus compréhensive du sacrifice de l'Ancien Testament parvient toujours à une limite absolue au-delà de laquelle il n'y a plus d'explication possible. Et l'exégète doit se dire qu'en matière de sacrifice, l'essentiel est au-delà de cette limite. » G. VON RAD. *o. c.*, p. 223 et 229.

A propos du sacrifice du Christ, on a fait les observations suivantes. Le sacrifice, comme acte rituel, « n'est que l'expression officielle de l'oblation faite de soi-même à Dieu en vue d'obtenir la communion avec lui », mais qui, intéressant la société, « a besoin d'un prêtre officiellement désigné et autorisé, qui présente le sacrifice au nom du peuple ». Par l'application au cas de Jésus, on veut signifier que Jésus « a ouvert à tous la vie par un acte officiel et qu'il leur a procuré la réconciliation avec Dieu. Puisqu'il était en personne le Médiateur entre Dieu et les hommes, il était en mesure d'accomplir l'œuvre de propitiation. Son sacrifice offert sur la Croix est donc, avec sa Résurrection, l'accomplissement le plus parfait et la réalisation définitive de son unité avec Dieu. La fonction de Jésus Christ, à la fois Prêtre et Victime, indique ainsi, *d'une manière que nous avons d'ailleurs peine à comprendre aujourd'hui*, quel est le sens de la vie. » W. Kasper, *Jésus le Christ*, tr. fr. J. Désigaux et A. Liefooghe, Paris 1976, p. 399 (c'est nous qui soulignons).

3. Inspiration de l'Écriture

« Dire qu'il y a dans la Bible un sens spirituel équivaut à dire qu'elle est inspirée ; en d'autres termes, qu'elle est l'œuvre de l'Esprit et qu'elle contient l'Esprit... C'est proclamer non seulement sa vérité divine, mais son efficacité : par elle l'Esprit se répand. Sens voulu par l'Esprit, digne de l'Esprit, semblable à l'Esprit : tel est tout à la fois le sens spirituel. Venant de l'Esprit, il est lui-même esprit et vie. Il y a là pour Origène une inférence immédiate, une évidence... », H. de Lubac, *HE*, p. 296. On trouve chez lui l'expression de la foi traditionnelle dans l'inspiration de l'Écriture : « Cette foi traditionnelle n'envisage pas seulement le fait de l'inspiration *in fieri*, mais encore *in facto esse*. Ce ne sont pas seulement les écrivains sacrés qui furent inspirés, un jour : les livres sacrés eux-mêmes sont et demeurent inspirés...L'Écriture n'est donc pas seulement divinement garantie : elle est vraie divinement. L'Esprit ne l'a pas seulement dictée : il s'est comme enfermé en elle. Il y habite. Son souffle l'anime toujours. L'Écriture... est pleine de l'Esprit » (cf. *De princ.* 4, 1, 1 et 7, *SC* 268, p. 256 s. et 288 s.), Id., *EM*, I, 1, p. 128.

4. Le sens « mystique » origénien indépendant de Philon

« Car il n'y a pas chez Philon de triple sens. Il n'y a rien chez lui, ni chez aucun autre en dehors de la tradition chrétienne, qui corresponde réellement au troisième sens d'Origène, à son sens mystique ou spirituel. Il ne pouvait rien y avoir de tel, chez aucun d'eux, parce qu'il n'y avait rien dans leur conscience qui ressemblât à la nouveauté renouvelante du Fait chrétien. Philon ne connaît que deux sens. » H. de Lubac, *EM*, I, 1, p. 204. Il est vrai que dans certains de ses ouvrages, « les faits bibliques sont pris comme symboles de l'itinéraire de l'âme en marche vers le salut ». Et à propos de tel texte biblique, il énumère, parmi d'autres, un sens dont il compare la perception à l'initiation aux grands mystères. Ce sens offre une ressemblance indéniable avec le sens spirituel d'Origène. Toutefois, Philon ne donne pas ces sens à titre d'interprétation personnelle, mais d'exemples d'exégèse rencontrés chez différents auteurs, « entre lesquels il semble proposer un choix, et dont il adopte tour à tour l'un ou l'autre selon le caractère de ses traités » (cf. J. Daniélou, *Philon d'Alexandrie*, 1957, p. 102-109, et 119-142). Mais la différence subsiste : « Philon ne peut fonder son exégèse ' mystique ' sur le seul fondement qui la rendrait objective : ' le mystère caché en Dieu jusqu'à ce qu'il fût révélé en Jésus-Christ ' (cf. *Col.* 1, 26-28 ; *Ephés.* 1, 17-18, etc.). D'où le caractère encore abstrait et fort peu différencié par rapport à l'exégèse ' morale ' de cette exégèse plus haute qu'il compare à une initiation. Or c'est à ce ' mystère ', contenu dans la réalité historique biblique, qu'Origène fait appel, comme c'est au ' sensus Christi ' qu'il fait appel pour l'y découvrir. C'est ce mystère qu'il suppose toujours, c'est de lui que découle toute sa ' mystique '. Ainsi, quoi qu'il en soit des nombreux emprunts que, sur un autre plan, Origène fait à Philon, il est impossible d'assimiler ces deux exégèses. Par le troisième sens origénien, l'exégèse philonienne, ou l'exégèse juive en général, n'est pas seulement ' modifiée ' : elle est, grâce à l'entrée en jeu d'un nouveau principe qui ne lui doit absolument rien, réellement dépassée. » *EM*, I, 1, p. 206-207.

5. Dans la deuxième séquence : le Christ, l'Église, l'âme

D'autres emplois partiels de la deuxième séquence se rencontrent ailleurs, où les deux derniers sens, mystique et moral, sont si étroitement unis qu'ils se compénètrent. Par « cité de Dieu », on peut entendre soit « l'Église du Dieu vivant », soit « chacune de nos âmes », *In Jos. hom.* 8, 7, *GCS* 7, p. 344, 1 s. Mais cet emploi des Homélies reçoit une confirmation éclatante par d'*autres œuvres*, construites selon le même schème.

L'ordre de la seconde séquence « ne peut résulter que d'une

intention très consciente de l'auteur, intention grosse de portée doctrinale. Il inspire en effet un commentaire approprié, qui se déroule d'une manière organique, et l'on ne saurait l'inverser sans ruiner toute l'économie des passages où il règne. Tout le mouvement de la pensée en dépend. C'est encore cet ordre, notamment, qui domine d'un bout à l'autre — chose capitale — dans le commentaire du *Cantique des cantiques* ; ... l'âme individuelle y apparaît toujours à l'intérieur de l'Église, son union avec le Verbe y est montrée comme la conséquence de l'union du Christ avec son Église, les diverses applications qui la concernent font toujours l'objet d'une ‘ tertia expositio ’, ou d'un ‘ tertius expositionis locus ’, en dépendance du mystère de l'Église. C'est le même ordre qui commande l'interprétation du psaume XLIV, cet épithalame royal ; la reine parée des vêtements d'or est l'Église, c'est à l'Église que le Père s'adresse comme à sa fille, c'est l'Église qui est amenée au Christ et c'est en elle que les âmes, unies par la foi et la vertu, ne font qu'un (cf. *PG* 12, 1432). » H. de Lubac, *EM*, I, 1, p. 202-203.

6. Mystère du Christ total

Il s'agit donc du mystère du Christ total. Mais selon divers aspects, comme on peut le voir dans nos Homélies. Ainsi, la réalité annoncée peut être telle ou telle : l'épouse du Christ, que figure celle du grand prêtre, est soit l'Église, soit l'âme, *hom.* 12, 5. Et l'on peut hésiter entre l'interprétation historique ou eschatologique. On vient de voir mis en rapport le vin de la coupe eucharistique et le vin nouveau à boire au ciel. Précisément, Origène se demande ailleurs lequel fut préfiguré : « L'Apôtre dit que toute la Loi contient l'ombre des biens à venir. Est-ce dès la venue du Christ ou dans le siècle futur que la vérité de cette ombre doit être accomplie, cela est incertain. Car en un autre passage, il est écrit aussi de ceux qui sont sous la Loi, qu'ils rendent un culte à la figure et à l'ombre des réalités célestes. Celui donc qui veut soutenir que l'accomplissement en est donné à la venue du Christ, dira que la coupe est le calice du Nouveau Testament, et prouvera que le jour de fête est celui où ‘ le Christ notre Pâque a été immolé ’... Mais celui qui rapporte ces figures et cette ombre au siècle futur et qui les comprend comme des images de la liturgie céleste, destinées à être accomplies dans la céleste Jérusalem, celui-là s'efforcera d'interpréter nourriture et boisson d'après ce que dit le Seigneur : ' Jusqu'à ce que je le boive, nouveau, avec vous dans le royaume de mon Père '. » *In Rom.* 5, 1, *PG* 14, 1020 C-1021 A.

7. Allégorie

L'interprétation spirituelle se heurtait à deux sortes d'adversaires. Et peut-être faut-il voir ici, dans l'emploi du terme allégorie, une allusion au premier, celui des lettrés qui n'admettaient que l'allégorie traditionnelle des mythes d'Homère, de la religion populaire ou du culte public. Cf. *CC* 3, 23, *SC* 136, p. 54 s. et note. Voir surtout pour l'ensemble de la question, H. de Lubac, *EM*, I, 2, p. 373-396. Origène eut l'occasion de s'expliquer avec eux en discutant le libelle de l'un des leurs, Celse. L'auteur païen reconnaissait chez les Juifs et les chrétiens, à côté de la foule inculte et simple, une élite qui entendait l'allégorie — précieuse attestation, antérieure de plusieurs décennies à la pratique d'Origène (*CC* 1, 27 fin, *SC* 132, p. 150 s.). Origène, revendiquant avec vigueur le droit d'employer au même titre que les lettrés la *méthode* allégorique, établit la spécificité de *l'interprétation allégorique biblique et chrétienne.* En réponse aux acerbes critiques de Celse, il l'applique à certaines prescriptions légales, au récit des origines, à l'intervention de Dieu dans l'histoire, aux anthropomorphismes concernant Dieu. Voir *CC*, t. V, *SC* 227, p. 232-245. C'est la défense de l'interprétation spirituelle devant les païens. Il en a une autre, naturellement assez différente, devant le second groupe, d'ailleurs composite, mais unanime à l'engager « à être esclave de l'histoire et à garder la lettre de la Loi ».

8. Le meilleur et le pire

Les figures prophétisent, Origène l'apprend de son maître Paul. Mais autant nous plaît la fermeté avec laquelle il rappelle ce principe, autant nous désole souvent la rigueur avec laquelle il va, en bonne logique croit-il, en tirer des chaînes d'applications. A cela, deux causes sans doute. Il voit la prophétie comme l'histoire empirique anticipée avec toutes ses circonstances. Et son respect pour tout le texte écrit fait qu'il n'omet aucun détail, aussi scrupuleux qu'un vieux rabbin. Il déroule donc un parallèle continu entre les particularités respectives de l'anticipation et de l'événement. Par exemple, il trouve des correspondances à la faveur d'un terme, d'un chiffre. S'agit-il de sang ? Les sept aspersions du sang de la victime par le prêtre signifient les sept dons du Saint-Esprit ; le sang qui enduit les quatre cornes de l'autel figure la passion rapportée par les quatre Évangiles, *hom.* 3, 5. « Ruminer » évoque « méditer » ; l'animal ruminant au sabot divisé (en deux) désigne quiconque « lit le texte selon la lettre, le reprend au sens spirituel, et s'élève des choses inférieures et visibles aux réalités invisibles et supérieures », *hom.* 7, 6. Les exemples se multiplient, lassants pour l'initié à la pensée d'Origène, déroutants pour les autres : « Ce n'est pas vrai ? » demandait ce libraire. Mais en expurger sa prédication est impossible. Tout s'entremêle, le meilleur et le pire. Il faut en prendre son parti. Les fleurs origéniennes ne manquent pas, et certaines fort belles. Une partie forme des massifs relativement isolés, dont nous avons admiré plusieurs. Mais que d'autres, parsemées çà et là, à demi enfouies dans leur humus ! Pour un bilan complexe, cf. H. DE LUBAC, *HE*, p. 374 s.

9. Correspondances

Fort ancienne était la doctrine de l'unité du cosmos et de l'interdépendance ou de la sympathie qui en lie tous les membres, non moins que « la fameuse comparaison du monde à l'homme et de l'homme à un petit monde *(micros cosmos)* ou encore, par un jeu de mots sur *cosmos* (ornement, ordre, monde) au monde du monde. Il n'est pas d'image plus célèbre dans l'antiquité. » A. J. FESTUGIÈRE, *La Révélation d'Hermès Trismégiste, I, L'astrologie et les sciences*, 2e éd., J. Gabalda et Cie, Paris 1950, p. 92. La doctrine fondait l'astrologie sous toutes ses formes..., *id.*, p. 89-186. Et, au moins par Celse, Origène la connaissait, cf. *CC* 6, 22 s. ; 8, 58, *SC* 147, p. 233 s. ; 150, p. 305 s. et notes. Elle eut droit de cité jusque dans la philosophie : la comparaison est déjà chez ARISTOTE, *Phys.* 8, 2, 252 b 2 ; cf. PLOTIN, *Ennéades* II, 1, 5-6 ; 2, 3, etc. Elle est fréquente chez PHILON : « Dieu, dans sa sagesse, créait également les arbres en l'homme, monde en raccourci », *De plant.* 28, tr. J. Pouilloux, etc. Comme lui, Origène pense qu'elle exprime une sorte de parallélisme issu de la création : « Quand donc, sur l'ordre de Dieu, par son Verbe, toutes les choses visibles furent faites et que fut aménagé cet immense monde visible, que d'autre part du même coup, par la figure de l'allégorie, furent indiqués les éléments qui pouvaient embellir ce monde plus petit qu'est l'homme, alors l'homme lui-même est créé », *In Gen. hom.* 1, 11 fin, *SC* 7 *bis*, p. 53 s., tr. L. Doutreleau.

Des multiples correspondances entre les diverses parties du monde, furent littéralement mises en valeur avec le plus de complaisance celles que l'on croit exister entre les animaux et les hommes. Comparaison du reste encore plus ancienne : l'apologue n'est-il pas d'un temps immémorial, et la métaphore ne remonte-t-elle pas aux origines du langage ? En tout cas, introduit dans le judaïsme à propos des animaux, puis des métaphores animales de l'Ancien Testament, le thème allait être inlassablement repris par le christianisme, s'enrichissant d'exemples pris aux auteurs sacrés ou profanes, à grand renfort de connotations psychologiques ou moralisantes, et il connut une extraordinaire fortune dans la tradition, non seulement patristique, mais encore médiévale et même moderne. Voir le dossier fort copieux établi par le P. H. de Lubac, *Pic de la Mirandole*, Paris 1974, p. 184-219.

10. « La Loi est spirituelle »

Origène interprète *I Cor.* 10, 1-10 dans son sens authentique ; mais ce que l'Apôtre affirme de quelques événements de l'Exode, il l'applique à toute la Bible : ici, aux aliments et animaux purs et impurs ; plus loin, au droit de rachat des Lévites, *hom.* 15, 3 ; voir la douzaine d'autres exemples, dans H. Crouzel, *Connaissance*, p. 287, n. 7 s.

Un autre texte est fréquemment donné en citation ou en allusion : « La Loi est spirituelle », *Rom.* 7, 14. L'homme charnel est asservi à la loi du péché ; l'Apôtre oppose la Loi qui est spirituelle, qui veut le faire vivre selon l'esprit : il s'agit de vie spirituelle. Et Origène, porté par le contexte, le comprend ainsi, *In Rom.* 6, 9, *PG* 14, 1084 C. Cependant Paul même, peu auparavant, opposait la nouveauté de l'esprit à la vétusté de la lettre, *Rom.* 7, 6 ; et il dira : « Dieu nous a rendus capables d'être serviteurs d'une nouvelle alliance, non de la lettre, mais de l'esprit, car la lettre tue, mais l'esprit vivifie », *II Cor.* 3, 6. Il oppose la Loi spirituelle au sens littéral. Ainsi fera souvent Origène : *hom.* 16, 1 ; *In Gen. hom.* 12, 5, *SC* 7 *bis*, p. 304 s., etc. Et la lettre qui tue, ce n'est pas la réalité historique, c'est le régime périmé de la lettre : en matière d'exégèse, l'interprétation juive de l'Écriture.

11. Le « voile »

Est à retenir le sens du passage paulinien *II Cor.* 3, 14-17 : « L'image du voile pouvait faire allusion à deux faits distincts : le voile que Moïse se mettait sur le visage, et le voile de prière adopté, à la synagogue, par le lecteur juif du Iᵉʳ siècle », *TOB.* Mais, tandis que dans *Ex.* 29, 35, « le voile cache l'éclat divin dont rayonne le visage de Moïse », pour Paul, suivant une interprétation rabbinique, « le voile sert à masquer le caractère passager de cette gloire » *(id.)* : donc, le caractère transitoire de l'économie dont Moïse était le médiateur (v. 13). Lors de la lecture, « ce même voile demeure » : l'état figuratif de l'ancienne économie, inaperçu des Juifs, n'est révélé que par la venue du Christ (v. 14). Si l'on persiste à ne pas voir le changement intervenu, c'est qu'un voile est posé sur le cœur ; et comme la révélation historique s'est opérée par le Christ, le dévoilement spirituel du cœur s'effectuera dans la conversion par l'action du Seigneur identifié à l'Esprit (v. 16-17).

Bref, Paul modifie l'interprétation du premier voile, l'identifie avec le second, enfin l'intériorise. D'où les applications diversifiées du terme : voile de Moïse, voile de la lecture (ou de la lettre), voile du (ou sur le) cœur, voile ôté à la conversion. Origène garde ces variations du thème : voile de la face de Moïse, enlevé par l'Évangile, *hom.* 4, 7 ; voile de la lettre, enlevé par le prêtre, *hom.* 1, 1 ; 4, 10 ; voile de l'A.T. ôté des yeux (ou du cœur) de celui qui se convertit, *hom.* 6, 1. Cf. *hom.* 8, 5 ; 13, 2. Ailleurs, il explique le sens du « voile intérieur » : le péché, les passions, etc. Voir H. Crouzel, *Connaissance*, p. 282-283, 419-420.

12. Sacrifice terrestre et céleste

Événement unique, localisé et daté, la crucifixion du Christ a un rayonnement universel impossible à cerner, mais dont Origène énonce divers aspects. Écrivain, il a des affirmations nettes. Dans sa dernière grande œuvre : « Il n'est nullement absurde que l'homme (Jésus) soit mort et que sa mort, non seulement soit un exemple de la mort subie pour la religion, mais encore qu'elle commence et poursuive la ruine du Mauvais, le Diable... », ruine attestée par l'histoire, *CC* 7, 17, 21 s., *SC* 150, p. 52. Et déjà dans une des premières : « Le Fils est le grand prêtre qui s'offre lui-même en une unique offrande, non pour les hommes seuls, mais aussi pout tout être spirituel ; ... il n'est pas mort seulement pour les hommes, mais aussi pour les autres êtres spirituels... S'il est Grand Prêtre, c'est que précisément il rétablit toutes choses dans le royaume de son Père, veillant à combler les déficiences de chacune des créatures pour qu'elle puisse recevoir la gloire du Père. » *In Jo.* 1, 35 (45), § 255, 256, 258, *GCS* 4, p. 45.

Prédicateur, il dramatise à coups de citations. Dans *In Jos. hom.* 8, 3, *GCS* 7, p. 338, il envisage une crucifixion double. Visiblement, le Fils de Dieu fut crucifié dans sa chair ; invisiblement, sur la croix le Diable fut cloué avec ses principautés et ses puissances, cf. *Col.* 2, 14. De cette croix à double face *(gemina)*, il y a une « ratio gemina et duplex » : l'exemple que le Christ nous laisse, et le triomphe acquis sur le Diable et sur le monde (cf. *I Pierre* 2, 21). Cette crucifixion victorieuse est à intérioriser, comme l'a fait Paul, par chacun d'entre nous (cf. *Gal.* 6, 14). Il ne s'agit évidemment pas de deux croix, ni de deux crucifixions matérielles.

Ni non plus, dans notre texte, semble-t-il, de deux victimes ou de deux sacrifices au sens propre. Nonobstant la mention d'une double victime et d'un double sacrifice à la fin du paragraphe, et auparavant de la double mention de la même tente et du même autel, et la distinction de deux voiles, amenées par les textes qu'il cite, Origène veut-il désigner autre chose que la paix procurée par le sang de la croix aux habitants de la terre comme à ceux du ciel, selon *Col.* 1, 20 qu'il aime à citer : « pacifiant par le sang de sa croix soit ce qui est sur la terre, soit ce qui est au ciel » ? Cf. *hom.* 1, 3 ; 2, 3 ; 4, 4 ; 9, 5 ; *In Luc hom.* 10, 3, *SC* 87, p. 182. Et ne vient-il pas de dire que c'est « le même sang » dont l'effusion à Jérusalem permet l'aspersion de l'autel céleste, en un « sacrifice spirituel » ? Humainement circonscrit dans l'espace et le temps, le sacrifice procure la grâce aux créatures de tous les temps, et dans et hors l'espace matériel. Unique sacrifice, double efficacité. « Le même sacrifice, une seule fois offert à la fin des temps, a été doublement offert, matériellement dans la mort corporelle sur terre, spirituellement au ciel », VON BALTHASAR, *Parole,* p. 90. Sur la question et d'autres passages d'Origène, voir H. DE LUBAC, *HE,* p. 290-294.

13. Homme, âme

La trop scrupuleuse fidélité à la littéralité du texte permet d'accuser ici entre « homme » et « âme » une distinction où le second terme est défavorisé par rapport au premier. Songeant au passage paulinien qu'il va citer, le prédicateur (ou son traducteur ?) entend par « homme », l'*homo spiritalis*, qui mène une vie conforme à sa dignité originelle de créature à l'image et à la ressemblance de Dieu, et par « âme », l'*homo animalis*, incapable d'une telle vie, réduit aux tâches humaines ordinaires. Il y a donc dépréciation de l'âme par rapport à l'esprit, auquel l'homme au sens noble du mot est identifié, qui, lui, ne peut pas pécher. Entre l'esprit et le corps, c'est l'âme seule qui, si elle n'obéit point à l'esprit son guide, est auteur de péché, et le corps ne fait que la suivre, cf. *hom.* 2, 2 fin. La même conception pessimiste se retrouve plus loin, *hom.* 2, 5 début ; et encore, dans un contexte plus sombre de péché mortel qui sépare du Christ, à *hom.* 12, 3 fin, 6 début.

Mais ailleurs, il écrit : « Les chrétiens ont appris que l'âme humaine a été créée à l'image de Dieu, et ils voient bien l'impossibilité pour la nature façonnée à l'image de Dieu de perdre absolument ses caractères... » *CC* 4, 83, 43 s., cf. 30, 41 s., *SC* 136, p. 392, cf. p. 258 et note. Même quand il la dit exposée aux attaques démoniaques, il ajoute qu'elle est capable de vie, d'intégrité, d'union spirituelle et nuptiale avec le Christ, *hom.* 12, 5-7 ; c'est encore se mouvoir dans la pensée paulinienne de l'*homo spiritalis* et de l'*unus spiritus*. Et au lieu d'opposer *anima* à *homo*, il lui arrive de les identifier en quelque sorte, leur attribuant la même beauté originelle d'image et de ressemblance de Dieu, *hom.* 12, 6 et 7 début. Il dira que « le lieu saint » véritable est « dans le cœur », est « l'anima rationalis », « l'âme pure », *hom.* 13, 5.

Or, *anima rationalis* traduit *psykhè logikè* : l'âme dotée de l'image de Dieu est apparentée au Logos, comme l'affirment des textes authentiques : « La raison *(logos)* qui a son principe dans le Logos qui est près de Dieu, ne permet pas de juger l'être raisonnable *(logikon zôon)* absolument étranger à Dieu », *CC* 4, 25, 22 s., *SC* 136, p. 242 s. (voir p. 242, n. 3). « Dans les êtres raisonnables on verra le logos (la raison), commun aux hommes, aux êtres divins et célestes, et peut-être au Dieu suprême lui-même. D'où l'expression de l'Écriture d'une création à l'image de Dieu, car l'Image du Dieu suprême est son Logos. » *CC* 4, 85,

21 s., *SC* 136, p. 397 et note. C'est pourquoi, ici « rationabiliter vivit » peut se traduire « vit spirituellement ». Sur la conception souple et dynamique de l'âme, voir encore, au tome II, *hom.* 9, 11, et note complémentaire 24.

14. Rite de réconciliation

Voici le texte de l'auteur avec ses références justificatives. « La pénitence publique est montrée comme accomplissant l'avis de *Jac.* 5, 14 s. Il s'agit d'une imposition des mains accompagnée de prières ; rite attesté en Occident chez saint Cyprien, ailleurs aussi en Orient pour cette époque (*Didascalia* II, 18, 7 ; 41, 2 ; 43, 1, Funck, p. 66, 130, 134) ; aussi n'y a-t-il aucun doute qu'Origène ait pensé au moins à cela. Pour lui aussi, la réconciliation se fait par une imposition des mains accompagnée de prière. On peut se représenter la communauté chrétienne assistant à ce rite et y joignant ses prières : le parallèle avec l'acte d'excommunication rend cette participation vraisemblable, et la *Didascalia* la connaît aussi. Reste la question de savoir si Origène a en vue, dès lors, une onction accompagnant l'imposition des mains. Plus tard, en Orient, le rite de réconciliation a comporté une telle onction. Les premières traces de cette pratique, en dehors d'Origène, se trouvent en Syrie aux environs de l'an 300 (ainsi par exemple chez APHRAATE, *Demonstr.* 23, 3, *Patr. Syr. pars* I, t. 2, Paris 1907, p. 10 ; autres documents dans Fr. DÖLGER, *Der Exorzismus im christlichen Taufritual*, Paderborn 1909, p. 148-151 ; J. COPPENS, *L'imposition des mains*, Paris 1925, p. 377-379) ; aussi est-il très vraisemblable qu'Origène la connaît déjà et que c'est en ce sens aussi qu'il voit le texte de saint Jacques ‘ accompli ’ dans la réconciliation des pénitents. La conclusion en ce sens tirée de *In Lev. hom.* 2, 4 est confirmée par *In Lev. hom.* 8, 11, 167 s. » L'auteur note : « Cela s'accorderait avec l'onction baptismale, qu'Origène semble connaître ; en effet, le baptême se fait ‘ in aquis istis visibilibus et in chrismate visibili ’, *In Ep. ad Rom.* 5, 8, *PG* 14, 1058, cf. *In Lev. hom.* 6, 5, ‘ unctio chrismatis ’. » Il poursuit : « Le parallélisme avec le baptême, qui est propre à la pénitence pour le reste, serait alors renforcé par une action parallèle. » K. RAHNER, *Doctrine*, p. 424, cf. p. 441.

15. Procédure de l'excommunication

Le sujet est traité par K. Rahner, *Doctrine*, p. 266-271. Maints lecteurs n'ayant pas sous la main ces pages précieuses, qui situent et complètent certaines indications de nos Homélies, à leur usage en voici un extrait (entre parenthèses, des additions empruntées aux notes et résumées). « Si l'évêque fait son devoir, lorsqu'une faute grave d'un membre de la communauté vient à sa connaissance, soit par ses observations personnelles, soit sur l'indication des autres (dont il faut vérifier l'exactitude selon un procédé réglé, cf. *In Ep. ad Rom.* 2, 10, *PG* 14, 894 A), soit par l'aveu spontané du pécheur, voici ce qui s'ensuivra, du moins selon la théorie d'Origène. Quand il s'agit indiscutablement de péchés mortels, tels que péché contre nature, adultère ou meurtre, l'excommunication suit automatiquement. (En pratique, il n'en était peut-être pas toujours ainsi, par exemple quand les fautes d'adultère n'étaient connues de l'évêque que par l'aveu du coupable... On n'en était pas moins persuadé en théorie qu'il peut y avoir des péchés secrets qui font du pécheur un mort, un excommunié aux yeux de Dieu, et qu'il devrait de lui-même prendre sur lui les pénitences de l'excommunication.) Quand le cas n'est pas aussi clair, il se produit de deux choses l'une. S'il s'agit d'un aveu spontané au médecin spirituel, c'est à ce directeur de conscience de décider si la peine d'excommunication s'impose (cf. *In Ps. 37 hom.* 2, 6, *PG* 12, 1386). Si, par l'un des modes indiqués, la faute est parvenue à la connaissance des chefs de l'Église, le pécheur est admonesté par l'évêque, soit en particulier, éventuellement en présence de témoins, soit devant la chrétienté assemblée. Cet avertissement officiel, et éventuellement public, était donc un acte de procédure indépendant de l'excommunication et plus fréquent que celle-ci ; il est appelé *correptio* ou *confutatio* (*In Matth.* 16, 8, *GCS* 10, p. 496, 13-17, 22 s. ; *In Jos. hom.* 7, 6, *GCS* 7, p. 334, 3-5 ; *In Lev. hom.* 3, 2, 31 s. ; 8, 10, 32 ; *In Ps. 37 hom.* 1, 1, *PG* 12, 1371 s. : dans ce dernier passage, prêtres et diacres sont expressément marqués à côté des évêques comme réprimandant, 1372 A). Or si cette admonition reste sans effet, le pécheur, persévérant dans une faute qui n'est assurément pas ‘ faute légère ’, devra être excommunié. « En parlant ainsi, nous ne voulons pas dire qu'on retranche quelqu'un pour une faute légère ; mais s'il arrive qu'on ait repris quelqu'un pour une faute et qu'on l'ait admonesté une fois, deux fois, trois fois, sans qu'il s'amende aucunement, il faut employer la méthode des médecins. Si devant une tumeur on a employé des onctions d'huile, des emplâtres apaisants, des onguents émollients, et que pourtant cette tumeur endurcie résiste aux médicaments, il ne reste plus que la solution chirurgicale *(remedium resecandi)*. » *In Jos. hom.* 7, 6, *SC* 71, p. 212 s., tr. A. Jaubert, légèrement retouchée). Cette excommunication se pratiquait avec une certaine solennité liturgique, en présence de toute la communauté (cf. ' in uno consensu ecclesia universalis conspirans ', *Ibid.* 7, 6 fin ; l'' interventus et correptio omnium ', *In Lev. hom.* 8, 10, 32 s., se rapportera à cet acte, car ils sont censés venir après la confession publique). Aussi va-t-il de soi qu'elle portait atteinte à l'honneur (cf. *In Ez. hom.* 10, 1, *GCS* 8, p. 417, 13). Il semble ressortir de la nature des choses qu'au cours de cette solennelle excommunication se plaçait une nouvelle ' correptio ', et, de la part du pécheur, repentant tout au moins en ce moment, un aveu public (cf. *hom.* 8, 10 : que les péchés contre Dieu ' omnibus publicentur ' ; voir aussi *In Ps. 37 hom.* 1, 1 ; 2, 1 ; 2, 6, *PG* 12, 1371, 1381 s., 1386). On l'a déjà dit plus haut : au moins dans le cas de péchés d'abord occultes, ceci n'entraîne pas que la confession publique ait dû être très détaillée. » *Doctrine*, p. 267-269.

16. Les cinq sens spirituels

Aux cinq sens, organes spécifiques reconnus à l'homme naturel (ou « extérieur ») en correspondent « cinq autres, les sens de l'homme intérieur ». Sensations visuelles, auditives, olfactives, gustatives, tactiles ont respectivement pour homologues cinq sortes d'expériences spirituelles, relevant de ce qu'Origène appelle vue, ouïe, odorat, goût, toucher spirituels. Pour chacun d'eux, il indique un domaine d'application plus ou moins riche, toujours d'après l'emploi de familles de mots ou de synonymes par l'Écriture. Ces expressions scripturaires sont de deux sortes. Les unes, déjà prises au figuré, ont au départ une signification métaphorique, à déterminer d'après le contexte : voir Dieu, etc., comme dans les exemples donnés dans ce paragraphe et souvent repris ailleurs.

Les autres désignent d'abord au propre des faits réels, notés dans l'Évangile : comme dans l'*hom.* 1, 4, des attitudes et des gestes envers Jésus, par exemple. Ce furent des démarches physiques de différents acteurs, visibles et notées par des témoins. Mais Origène y voit simultanément la traduction au-dehors, la manifestation extérieure de dispositions intimes : dispositions qu'il regarde comme typiques des états d'âme semblables existant de tout temps. Mêmes expériences spirituelles, que désignent les mêmes expressions évangéliques, cette fois prises au figuré. Il y a donc parallélisme entre la signification propre et la figurée.

Il arrive qu'Origène note la première, explique la seconde, et développe en allégorie les comparaisons sensorielles. Il peut ainsi, alignant une série d'expressions concrètes, jouer sur la double signification des termes, pour décrire tout un itinéraire de l'âme vers le Christ. Les étapes successives en sont la recherche, l'approche, l'accueil, la marche à la suite, le contact ou toucher. Comme d'une étape à l'autre, il y a un progrès à l'intérieur de chacune. L'*hom.* 1, 4 énonce précisément quatre modalités de ce toucher en ordre de perfection et d'intimité croissantes. Cf. F. BERTRAND, *Mystique de Jésus chez Origène* (*Théologie* 23), Paris 1951.

La même lecture à deux niveaux d'analogies sensorielles est mise en pratique dans d'autres exemples moins développés. L'un des plus notables est l'interprétation des miracles du Christ : son « toucher sensible » guérissait « la lèpre sensible », « son toucher véritablement divin..., l'autre lèpre », etc. Cf. *CC* 1, 48, 51 s., *SC* 132, p. 206 s. ; voir aussi *SC* 227, p. 225. De cette double lecture comme de ces progrès de l'âme dépend la véritable intelligence de l'Écriture, ou « science intérieure de la parole », *hom.* 1, 4.

Ailleurs Origène tente une présentation systématique. Il existe une structure spirituelle que symbolise et permet d'exprimer métaphoriquement la structure organique. Chaque sens spirituel constitue « une espèce ». Les cinq sens appartiennent à « un genre », « le sens divin » : fonction unifiante en quelque sorte, pour la compréhension des réalités suprasensibles religieuses, et qui est d'ordre non seulement notionnel mais existentiel. Voir *CC* 1, 48, 27 s. ; 2, 64, *SC* 132, p. 202-207 et note ; p. 434-437 et note. Cf. J. DANIÉLOU, *Origène*, p. 299-301 ; H. CROUZEL, *Connaissance*, p. 496-523, *passim.*

17. Symbolisme du jour

Voici quelques variations du thème. « Abraham se leva de bon matin — en ajoutant le mot ‘ matin ’, l’Écriture a peut-être voulu montrer qu’un début de lumière brillait dans son cœur... », *In Gen. hom.* 8, 4, *SC* 7 *bis*, p. 220 s., tr. L. Doutreleau. « Et puisque la loi de la Pâque prescrit qu’elle soit mangée le soir, le Seigneur a souffert le soir du monde, pour que tu manges, toi, sans cesse la chair du Verbe, car pour toi c’est toujours le soir jusqu’à ce que vienne le matin..., le siècle à venir », *Id.*, *hom.* 10, 3, p. 264 s. « Au soir du monde à son déclin, près d’achever sa course, est venu le Seigneur ; mais par sa venue, lui qui est ‘ le Soleil de justice ’, il a refait pour ceux qui croient un nouveau jour. Comme il a fait luire au monde la nouvelle lumière de la science, c’est en quelque sorte au matin qu’il a créé son jour et, en qualité de ‘ Soleil de justice ’, fait lever son matin : matin où se rassasient de pain ceux qui adoptent ses préceptes. » *In Ex. hom.* 7, 8, *GCS* 6, p. 215, 1 s. Cf. *SC* 16, p. 180 s., note. Entre l’évocation de l’aube et celle du soir, on attendrait celle de midi. Elle vient plus tard. Mais le midi est l’apanage des anges, *Ibid.*, p. 215, 21. Y aspire également le spirituel : « ... quia perfectiora iam quaerit et celsiora desiderat, meridianum scientiae lumen exposcit ». *In Cant.* 2, 3, *GCS* 8, p. 139, 15. Enfin, citant ailleurs *Rom.* 13, 11-13, « nox praecessit, dies autem appropinquavit... », Origène explique : cette venue est à entendre de deux manières, générale pour tous, particulière pour chacun... Pour tous, « quand arrivera le temps du siècle futur, en comparaison duquel la durée *(spatium)* de ce monde présent est appelée ténèbres ». Pour chacun : « Pour nous, si le Christ est dans notre cœur, il crée pour nous le jour. » *In Ep. ad Rom.* 9, 32, *PG* 14, 1233 AB.

18. Sacerdoce pneumatique et ministériel

Le Christ est prêtre et victime, il détruit le péché, vient de dire Origène, *hom.* 5, 3, 32 s. Il ajoute ici : à l’image de Celui qui a donné le sacerdoce à l’Église, les ministres et les prêtres (évêques) de l’Église aussi assument les péchés et, à son imitation, ils accordent la rémission des péchés. Dans cette fonction, il y a donc correspondance entre le Chef de l’Église et ses ministres. Or quel est l’acte propre de ces derniers ? L’obligation qui leur est faite d’être parfaits et instruits ferait penser à une activité pneumatique. Le sacrifice et l'acte propitiatoire qu'on leur demande dit-il autre chose ? D'une part, ils ont à « immoler la victime de la parole de Dieu et à offrir les victimes de la saine doctrine », va-t-on dire aussitôt. D'autre part, prendre avec soi un pécheur, avertir, exhorter, enseigner, instruire et amener ainsi à la pénitence, arracher à l'erreur, corriger des vices, convertir enfin pour rendre Dieu propice, ou encore faire l'offrande pour les péchés, c'est-à-dire détourner les pécheurs de la voie du péché : toutes ces actions propitiatoires sont attribuées à ceux qui sont qualifiés par le sacerdoce, *hom.* 5, 4 fin ; mais elles conviennent également aux parfaits. Bref, une fonction propitiatoire est exigée du sacerdoce ministériel, mais l'accent est mis sur son aspect pneumatique.

Il est à noter qu'aucune allusion n'est faite à une pénitence privée par un sacrement particulier. Cependant l'action pneumatique des ministres et en particulier de l'évêque, dans la rémission des péchés, peut se transformer en action extérieure, et la remontrance personnelle au pécheur peut faire place à l'admonition ecclésiastique officielle, enfin à l'exclusion de la communauté, *hom.* 3, 2. Après avoir interrogé ces textes et beaucoup d'autres, K. Rahner conclut son Mémoire par ces dernières lignes : « Bref, c'est uniquement dans la pénitence publique avec excommunication que se laisse reconnaître un véritable sacrement particulier. En dehors de là, il y a des actes de la hiérarchie de l'Église en vue de la rémission des péchés, mais qui ne peuvent se dire sacramentels au sens actuel du mot. » *Doctrine,* p. 456.

19. Tuniques de peau

Origène rejette l'interprétation des gnostiques, d'après laquelle les tuniques représentent les corps, cf. Irénée, I, 5, 5 (Harvey I, 50 ; *SC* 264, p. 88) ; Tertullien, *De res. carnis* 7. Ce que contredirait l'identification antérieure par Adam d'une Ève bien corporelle : « Os de mes os, chair de ma chair », *Gen.* 2, 23. Est-ce une indication de la mortalité ? Origène hésite : d'une part, la mortalité est causée par le péché et non par Dieu ; d'autre part, est-ce du fait du péché que chair et os sont corruptibles ? *Sel. in Gen.* 3, 21, *PG* 12, 102. Signalons au moins une autre allusion « aux tuniques de peau », avec une référence à Platon évoquant le drame originel : « Le récit de l'homme chassé du jardin avec sa femme, revêtu de ' tuniques de peau ' que Dieu, à cause de la transgression des hommes, confectionna pour les pécheurs, contient un enseignement bien supérieur à la doctrine de Platon sur la descente de l'âme qui perd ses ailes et est entraînée ici-bas ' jusqu'à ce qu'elle se saisisse de quelque chose de solide ' (*Phèdre* 246 bc) », *CC* 4, 40 fin, *SC* 136, p. 288 s. Noter que de toute façon il s'agit de l'état du corps consécutif à la faute, mais non de la corporéité pure et simple. Pour Origène, *Gen.* 1, 26 aurait trait à la création de l'âme, et *Gen.* 2, 7, à celle des corps, et sans doute, car il ne précise pas, des corps éthérés et subtils de la préexistence ; peut-être de la qualité terrestre de leur corporéité, mais non encore de sa condition actuelle, exposée aux tentations, pécheresse et vouée à la mort, condition postérieure à la chute, *Gen.* 3. Sur la double création, fréquemment citée par Origène, voir H. CROUZEL, *Image*, p. 148-153. Sur l'amplification du thème des « tuniques de peau », voir J. DANIÉLOU, *Platonisme et théologie mystique, Essai sur la doctrine spirituelle de saint Grégoire de Nysse* (*Théologie* 2), Paris 1944, p. 56-60.

20. Souffrance du Christ mystique

« Depuis saint Bernard qui l'attaquait (avec modération d'ailleurs, *Sermo 37 de diversis, PL* 183, 630-633) : ' Nec modo de intellectu Origenis quaestio est. Potuerit forsitan hyperbolice loqui ; ipse viderit, nihil interest nostra... ' 631), et Sixte de Sienne qui plus tard la défendit, on a beaucoup discuté sur l'orthodoxie de ce passage (HUET, *Origeniana*, 1, 2, c. 2, q. 3, *PG* 17, 835-837 ; S. THOMAS, *Ia, 2ae*, q. 4, a. 5 ; BELLARMIN, *Controv.* 7, 1, 1, c. 2 s.). On ne voit pas comment, avec l'idée qu'il se fait du Christ glorieux, tout ' divinisé ' jusque dans son corps (*In Matth. ser.* 65 et 73, *GCS* 11, p. 152-153 et 172), Origène aurait pu lui attribuer encore quelque souffrance. Il paraît donc plus probable que d'un bout à l'autre, il s'agit du Christ considéré non en lui seul, mais comme mystiquement uni aux hommes (tel est aussi l'avis de MERSCH, *Corps Mystique*, t. I, p. 299-303). S'il est possible de s'y tromper, c'est à cause de l'union intime du Christ à son Église, union qu'Origène compare à celle de l'âme et du corps, et en vertu de laquelle dans son langage il attribue à l'un ce qui strictement n'est vrai que de l'autre. (Habitude de langage qui n'est pas le fait du seul Origène, et qui se perpétuera longtemps. Voir TERTULLIEN, *De paenitentia* c. 10, P. de Labriolle, p. 42-44, etc. Cf. ORIG., *De princ.* 2, 8, 5). » H. DE LUBAC, *Catholicisme*, 4e éd. 1947, p. 98.

TABLE DES MATIÈRES

NOTES COMPLÉMENTAIRES

IMPRIMERIE A. BONTEMPS
LIMOGES (FRANCE)
Éditeur n° 7.441 - Imprimeur n° 21.549
Dépôt légal : 4e trimestre 1981